LES ENVIRONS DE MADRID
p. 118-141

011298

BIBLAIRIE G.G.C. LTÉE
1567 KING OUEST
SHERBROOKE, QUÉBEC
J1J 2C6   (819) 566-0344

ESPAGNE CENTRALE

Sigüenza

Segovia

Guadalajara

San Martin

MADRID

Aranjuez

Torrijos

Toledo

Autour de La Castella...

D1227567

EN DEHORS DU CENTRE
p. 106-115

Madrid des Bourbons

LE MADRID DES BOURBONS
p. 62-89
Plans de l'atlas des rues 7 et 8

Don
29.95

11 juin 07

Bibliaire GSC

GUIDES ◉ VOIR

MADRID

BIBLIOTHÈQUE
Collège du Sacré-Coeur
Association coopérative
155 Nord, Rue Belvedère
Sherbrooke, Qué.
J1H 4A7

GUIDES ◉ VOIR

MADRID

Libre 🔥 Expression

Libre Expression

CE GUIDE VOIR A ÉTÉ ÉTABLI PAR
Adam Hopkins, Mark Little et Edward Owen

DIRECTION
Isabelle Jeuge-Maynart

DIRECTION ÉDITORIALE
Catherine Marquet

ÉDITION
Hélène Gédouin

TRADUIT ET ADAPTÉ DE L'ANGLAIS PAR
Dominique Brotot

AVEC LA COLLABORATION DE
Catherine Blanchet-Laussucq

MISE EN PAGES (PAO)
Anne-Marie Le Fur

Publié pour la première fois en Grande-Bretagne
en 1999, sous le titre :
Eyewitness Travel Guides : Madrid

© Dorling Kindersley Limited, London 1998
© Hachette Livre (Hachette Tourisme)
2000 pour la traduction et l'édition française
Cartographie © Dorling Kindersley 1999

© Éditions Libre Expression ltée, 2000,
pour l'édition française au Canada.

Tous droits de traduction, d'adaptation
et de reproduction réservés pour tous pays.
La marque Voir est une marque déposée.

Aussi soigneusement qu'il ait été établi, ce guide
n'est pas à l'abri des changements de dernière heure.
Faites-nous part de vos remarques, informez-nous
de vos découvertes personnelles : nous accordons
la plus grande attention au courrier de nos lecteurs.

Éditions Libre Expression
2016, rue Saint-Hubert
Montréal (Québec) H2L3Z5

DÉPOT LÉGAL : 1er trimestre 2000
ISBN : 2-89111-871-5

Restaurant de l'hôtel Reina Victoria *(p. 47)*

San Esteban, église du XIIIe siècle de Ségovie *(p. 128)*

Spécialités madrilènes

Plan pas à pas du paseo de Recoletos *(p. 92-93)*

PRÉSENTATION
DE MADRID

L'Espagne dans son environnement

À l'extrême sud-ouest de l'Union européenne, dont elle est le deuxième pays par la superficie, l'Espagne occupe la majeure partie de la péninsule Ibérique et comprend les archipels des Baléares en Méditerranée et des Canaries en Atlantique, ainsi que deux petits territoires en Afrique du Nord. Sa capitale, Madrid, se trouve au centre géographique du pays et à 650 m d'altitude.

La péninsule Ibérique vue de l'espace

LÉGENDE

	Aéroport international
	Liaison par ferry
	Autoroute
	Route principale
	Voie ferrée principale
	Liaison par train AVE

LES ÎLES CANARIES

Cádiz   Cádiz

Arrecife

Santa Cruz
de la Palma

Puerto de
la Cruz

Santa Cruz
de Tenerife

Puerto del
Rosario

San
Sebastián
de la
Gomera

Las Palmas de
Gran Canaria

Valverde

Maspalomas

Biarritz

oo
(bao)

Donostia
(San Sebastián)

F R A N C E

Iruña
(Pamplona)

N111

N240

Perpignan

ANDORRA

Huesca

N240

Girona

Soria

Zaragoza

Lleida

Barcelona

N234

Cuenca

Tarragona

M e r   M é d i t e r r a n é e

Maó

Albacete

Valencia

Palma de
Mallorca

Eivissa (Ibiza)

0   100 km

Alacant
(Alicante)

Múrcia

EUROPE ET
AFRIQUE DU NORD

NORVÈGE   FINLANDE

SUÈDE   ESTONIE
FÉD. DE
RUSSIE
LETTONIE

DANEMARK   LITUANIE
FÉD. DE
RUSSIE

IRLANDE   ROYAUME
UNI   HOLLANDE   BIÉLORUSSIE

BELGIQUE   ALLEMAGNE   POLOGNE

LUXEMBOURG   REP
TCHÈQUE   SLOVAQUIE   UKRAINE

FRANCE   SUISSE   AUTRICHE   HONGRIE   ROUMANIE

SLOVÉNIE
CROATIE

ITALIE   BOSNIE-
HERZÉGOVINE   EX-YOUGOSLAVIE

BULGARIE

ALBANIE   GRÈCE

PORTUGAL
* Madrid
ESPAGNE

Almería

**Les frontières de
l'Espagne**

*L'Espagne possède des
frontières communes avec
la France, le Portugal,
la principauté d'Andorre
et Gibraltar. Il n'y a que 13 km
entre Tarifa et le nord du
Maroc.*

MAROC   TUNISIE

ALGÉRIE

LIBYE

Madrid dans son environnement

Avec plus de trois millions d'habitants, Madrid est la ville la plus peuplée d'Espagne. Sa province, la Comunidad de Madrid, entourée par les provinces de Guadalajara, Cuenca, Tolède, Ávila et Ségovie, occupe le cœur du plateau central ibérique : la *meseta*.

LÉGENDE

- ✈ Aéroport international
- ✈ Aéroport national
- ═ Autoroute
- ━ Route principale
- ─ Route secondaire
- ─ Voie ferrée principale
- ┝ Liaison par train AVE
- ─ Frontière de province

0   15 km

HISTOIRE DE MADRID

*S*i des vestiges archéologiques indiquent que l'homme habita la région dès l'âge de la pierre, l'histoire de Madrid ne commence qu'en 852 avec la construction par les Maures d'une forteresse sur le río Manzanares. La petite communauté qui se développa autour est devenue la capitale d'un pays qui compte des cités bien plus anciennes, telle Cadix fondée plus de deux mille ans plus tôt.

Au début du VIIIᵉ siècle, une armée d'Arabes et de Berbères, venue d'Afrique du Nord, débarque à Gibraltar et conquiert en quelques années la majeure partie de la péninsule Ibérique. Ces « Maures » établissent un émirat indépendant à Cordoue et, en 852, pendant le règne de Mohammed Iᵉʳ, bâtissent sur le site de l'actuel palais royal de Madrid une forteresse (alcazar) protégeant l'approche par le nord de la ville la plus importante de la région, Tolède, dont les Wisigoths ont fait une capitale au VIᵉ siècle. Une petite communauté appelée Mayrit, nom qui évoluera en Magerit puis Madrid, grandit autour de la forteresse.

Casque de guerrier maure

LA CONQUÊTE CHRÉTIENNE

Timidement au début, puis avec une détermination grandissante, les chrétiens du nord entreprennent depuis la Navarre, la Castille et l'Aragon la Reconquête des territoires contrôlés par les musulmans. Au XIᵉ siècle, le royaume de Castille qui s'étend jusqu'à la chaîne montagneuse de la Cordillera, visible de Mayrit, s'affirme comme la principale puissance chrétienne. Les Castillans

conduits par Alphonse VI investissent la forteresse en 1083 car elle se dresse sur le chemin de Tolède, ville qu'ils prendront deux ans plus tard. Selon une légende, ils n'auraient assiégé Mayrit que parce qu'ils avaient confondu ses remparts avec ceux de Tolède.

La ville retombe ensuite dans une torpeur rurale, malgré les privilèges que lui accordent les souverains espagnols. Ceux-ci encouragent aussi la fondation de monastères, et la communauté, qui reste peu peuplée, possède bientôt treize églises. En 1170 meurt saint Isidore (San Isidro Labrador), un laboureur qui deviendra le patron de la ville. On sait peu de choses de lui, hormis le fait qu'il fonda une *cofrádia* (confrérie religieuse) et aurait accompli des miracles.

C'est une querelle survenue au XIIIᵉ siècle à propos des droits de chasse sur les terrains appartenant à l'Église qui donne à Madrid son symbole : un ours (emblème de l'Église) humant un arbousier. Le règlement de la dispute accorde aux Madrilènes des droits sur tout ce qui se trouve au-dessus du sol, c'est-à-dire le gibier.

CHRONOLOGIE

711 Invasion maure de la péninsule		**932** Le roi chrétien Ramiro II occupe brièvement Madrid	**1109** Les Maures assiègent en vain Madrid
700 av. J.-C.	**800**	**900**	**1000**	**1100**	**1200**
756 Mohammed Iᵉʳ fonde l'émirat de Cordoue	**852** Les Maures fondent Mayrit	*Cerf en bronze d'un palais maure*		**1083** Les Castillans prennent Madrid	
				1202 Madrid obtient le statut de ville	

◁ **Décor mural en céramique représentant saint Isidore aux champs**

Christophe Colomb débarquant aux Amériques à la fin du xvᵉ siècle

TERRAIN DE CHASSE ROYAL

Madrid a la réputation d'être un paradis pour la chasse, et la région attire l'attention des membres de la famille royale de Castille. Au xvᵉ siècle, la ville séduit en particulier Henri IV l'Impuissant, réputé pour sa laideur, son incompétence politique et sa perversion morale. Il a pour épouse Jeanne de Portugal, dont la fille, qui se prénomme aussi Jeanne, a reçu le surnom de la Beltraneja, d'après le nom de l'amant de la reine, Beltrán de la Cueva, parce que personne ne pense que le roi en est le père. Henri IV la désavoue d'ailleurs au profit de sa demi-sœur Isabelle, ce qui déclenche une guerre dynastique à sa mort en 1474.

Ferdinand d'Aragon, le Roi Catholique

La noblesse madrilène apporte son soutien à la Beltraneja. Isabelle et son mari, Ferdinand d'Aragon, les « Rois Catholiques », assiègent la cité, la prenant avec la complicité de partisans qu'ils ont à l'intérieur. Leur règne a une influence majeure sur l'histoire espagnole car ils instaurent l'Inqui-sition, achèvent la Reconquête en prenant Grenade et financent le voyage d'exploration qui conduit Christophe Colomb jusqu'au Nouveau Monde.

À la mort d'Isabelle en 1504, sa fille Jeanne la Folle, épouse de Philippe le Beau, l'archiduc d'Autriche, se révèle incapable de gouverner le royaume de Castille et c'est Ferdinand qui assume la régence jusqu'au couronnement en 1516 de Charles Iᵉʳ (le futur empereur germanique Charles Quint), le premier des Habsbourg à la tête de l'Espagne. Élevé aux Pays-Bas, celui-ci ne connaît pas le pays à son arrivée en 1517, et le début de son règne est houleux, marqué par plusieurs

Charles Iᵉʳ (1516-1556)

révoltes. Il exerce le pouvoir pendant quarante ans, mais n'en passe que seize dans la péninsule, menant de nombreuses guerres en Europe, en particulier contre la France, et en Afrique du Nord. Il prend néanmoins le temps d'embellir suffisamment Madrid pour que les grandes familles nobles commencent à y construire des palais. C'est là qu'il retient prisonnier son rival François Iᵉʳ après la bataille de Pavie (1525). En abdiquant en 1556 pour se retirer dans le couvent de Yuste, il laisse la couronne à celui qui va donner à la cité son véritable essor.

CHRONOLOGIE

1309 Première réunion des Cortes (parlement) à Madrid

1361 Pogroms dans le quartier juif de Madrid

1498 Interdiction de laisser les porcs en liberté dans les rues

1492 Chute de Grenade ; Christophe Colomb atteint l'Amérique ; expulsion des juifs

1300   1350   1400   1450   1500

1339 Alphonse XI réunit les Cortes à Madrid

1434 Madrid subit neuf semaines de pluie, de grêle et d'inondation

1474 Les partisans d'Isabelle assiègent Madrid

1478 Instauration de l'Inquisition

Membre de la confrérie de la Mort

LE MADRID DES HABSBOURG

Les maîtres du royaume de Castille ont jusqu'à présent parcouru en permanence leur territoire, suivis de leur cour. Le successeur de Charles Ier, son fils Philippe II, décide de donner à l'État une capitale permanente. Il choisit Madrid en 1561. Située au centre géographique de la péninsule, elle offre l'avantage d'être restée suffisamment modeste pour échapper aux réseaux de loyautés et d'intrigues en vigueur dans des villes plus importantes telles que Tolède. Sa population croît en quarante ans de 20 000 habitants à 85 000. Les artisans, cuisiniers, poètes, soldats, voleurs ou parasites qui y affluent alors fournissent au roman picaresque ses personnages truculents.

Philippe V, le premier Bourbon

Contrairement à son père, Philippe II se consacre principalement à l'Espagne qu'il réussit à maintenir au rang de première puissance mondiale, malgré des revers comme la destruction de l'Invincible Armada envoyée contre l'Angleterre. Très croyant, il renforce les pouvoirs de l'Inquisition et fait construire l'austère Escorial. Le pays entre en déclin pendant les règnes de ses successeurs mais connaît en même temps un Siècle d'or artistique et culturel financé par ce que les guerres incessantes laissent des richesses du Nouveau Monde. C'est l'époque où brillent Cervantes, Lope de Vega, Velázquez, Zurbarán et Murillo (p. 26-27). Madrid, dont la population ne cesse de croître, se transforme, avec des réalisations comme la Plaza Mayor (p. 44) aménagée sous Philippe III qui, en expulsant les Morisques (Maures christianisés), porte un coup très dur à l'agriculture de la péninsule, ou le palais del Buen Retiro construit par Philippe IV, qui marie sa fille Marie-Thérèse au roi de France Louis XIV.

LE MADRID DES BOURBONS

En 1700, Charles II, le fils de Philippe IV, meurt sans laisser d'héritiers, et il désigne comme successeur Philippe d'Anjou, petit-fils de Louis XIV et de Marie-Thérèse. Inquiets d'une alliance entre la France et l'Espagne, l'Angleterre, l'Autriche et la Hollande, bientôt rejointes par le Portugal, déclenchent la guerre de Succession d'Espagne en soutenant les prétentions de l'archiduc Charles d'Autriche. Au terme de quatorze ans de conflit, Philippe d'Anjou l'emporte et devient le premier roi Bourbon d'Espagne sous le nom de Philippe V. Il perd cependant Gibraltar et le royaume de Naples.

Course de taureaux sur la Plaza Mayor au XVIIIe siècle

1561 Philippe II établit la capitale de l'Espagne à Madrid
1600 Philippe III déplace la capitale à Valladolid
1605 Publication du Don Quichotte de Cervantes
1621 Mort de Philippe III, Philippe IV lui succède
1701 Philippe V, premier roi Bourbon, arrive à Madrid

| 1550 | 1600 | 1650 | 1700 |

Madrid la révolte comuneros Charles Ier
1563 El Escorial (p. 122-125) est entrepris
1588 Échec de l'Invincible Armada
1606 Madrid redevient capitale
1632 Achèvement du palais del Buen Retiro (p. 77)
Philippe III
1734 Un incendie détruit l'alcazar maure
1746 Avènement de Ferdinand VI

Les Bourbons se montrent d'habiles administrateurs, et leurs conseillers français et italiens introduisent des réformes qui ouvrent la voie à une modernisation du pays.

Après l'incendie de l'alcazar en 1734, Philippe V ordonne la construction d'un palais inspiré de celui de Versailles ou il a grandi. Il meurt avant son achèvement, et l'édifice a pour premier occupant Charles III qui donnera à Madrid, dont la population atteint alors 150 000 habitants, une splendeur jusque-là inégalée. Son zèle urbanistique est tel qu'il reste encore aujourd'hui considéré comme le meilleur « maire » que la ville ait jamais eu. Avec la construction de nombreux bâtiments, le centre de la capitale se déplace de la Plaza Mayor au paseo del Prado.

Charles III

Les Madrilènes n'apprécient toutefois pas toutes les initiatives des conseillers étrangers des Bourbons, d'autant que l'Église encourage les sentiments xénophobes à leur égard. Un incident resté célèbre survient en 1766 quand le marquis de Esquilache interdit le chapeau à large bord et la longue cape traditionnels car ils permettent de dissimuler des armes. Les habitants de la ville croient qu'on veut leur imposer une mode étrangère et provoquent de graves émeutes. Le pouvoir chasse d'Espagne les jésuites qu'il soupçonne de soutenir ces troubles. Charles IV monte sur le trône

en 1788. Sous l'influence d'une épouse autoritaire, Marie-Louise de Parme, et de son favori, Manuel Godoy, il amorce le déclin de la monarchie.

MADRID EN ARMES

Rêvant de se tailler un fief au Portugal, Godoy permet en 1807 à Napoléon de traverser l'Espagne avec son armée afin d'attaquer ce pays. L'empereur français profite toutefois de la situation pour occuper finalement toute la péninsule et placer son frère Joseph Bonaparte sur le trône espagnol. Une insurrection populaire éclate à Madrid devant le Palacio Real le 2 mai 1808. La répression féroce exercée par les troupes françaises le lendemain marque le début de la guerre d'Indépendance. Tout le pays se soulève. Des Anglais débarquent au Portugal. Napoléon est obligé d'intervenir en novembre avec sa Grande Armée pour reprendre

La répression exercée par les Français inspira à Goya *Le 3 Mai 1808*

Madrid et repousser les Britanniques. Les actions de guérilla menées par les Espagnols continuent toutefois, et le duc de Wellington revient en 1810 avec une armée à laquelle se joignent les insurgés. En 1813, Ferdinand VII, le fils de Charles IV, retrouve son trône, mais il dirige désormais un empire ébranlé où les colonies du Nouveau Monde ont profité des troubles en Europe pour commencer à s'émanciper.

LIBÉRAUX CONTRE CONSERVATEURS

Un siècle de contact étroit avec la France a laissé sa marque en Espagne. Les idées issues de la Révolution ont trouvé un terrain fertile parmi les classes éduquées, et les Cortes réunis à Cadix en 1812 rédigent une Constitution libérale. Ferdinand VII la rejette et règne en monarque absolu jusqu'en 1820 alors que le coup d'État du général Rafael de Riego l'oblige à respecter la Constitution... Jusqu'en 1823 le roi réussit à retrouver un pouvoir sans partage. Cette opposition entre forces conservatrices et progressistes va peser sur l'histoire du pays pendant un siècle et demi.

À la mort de Ferdinand VII, les libéraux se rangent derrière Isabelle II, héritière désignée âgée de trois ans, et la régente Marie-Christine de Bourbon. Les absolutistes soutiennent les prétentions du frère de Ferdinand, don Carlos. Les guerres carlistes que cette opposition déclenche font 140 000 victimes. Malgré les circonstances, Madrid se transforme à peu à peu en une capitale moderne où s'affirment les classes moyennes. La démolition des anciens remparts permet l'*Ensanche* (« l'agrandissement »), et d'élégants

Isabelle II

quartiers résidentiels remplacent des faubourgs populaires surpeuplés.

En 1868, les libéraux s'allient à une partie des forces armées pour imposer l'abdication d'Isabelle II accusée de corruption. Une assemblée élue au suffrage universel promulgue une nouvelle Constitution et le fils du roi d'Italie, Amédée de Savoie, coiffe la couronne en 1871. Mal accueilli par les Madrilènes, il ne parvient pas à apaiser les querelles qui déchirent le pays ; il renonce au trône au bout de deux ans. Les Cortes instaurent la Première République. En seulement onze mois, quatre présidents se succèdent à sa tête et elle subit deux coups d'État. Le général Martínez Campos réussit le deuxième, rétablit la monarchie et confie le pouvoir au fils d'Isabelle II : Alphonse XII.

Après l'adoption d'une nouvelle Constitution en 1876, l'Espagne retrouve enfin le calme pendant son règne et pendant la régence exercée jusqu'en 1902 par sa femme, Marie-Christine de Habsbourg-Lorraine. Madrid connaît alors une période de prospérité et de croissance qui culmine avec le percement de la Gran Vía *(p.48),* inaugurée en 1908.

LA BATAILLE DE MADRID

La Constitution de 1876 instaure une monarchie parlementaire, mais Alphonse XIII se croit tenu de se mêler des affaires politiques... 33 gouvernements se succèdent entre 1902 et 1923. La montée du mouvement anarchiste dans le sud et les ambitions autonomistes de la Catalogne créent de nouvelles tensions, et le général Miguel Primo de Rivera organise en 1923 un coup d'État soutenu par le roi.

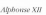

) Coup\nt du\n.rtero	1868 Le général Prim dépose Isabelle II ; la peseta devient la monnaie espagnole	1876 Nouvelle Constitution		1885 Mort d'Alphonse XII	1906 Ouverture de l'hôtel Ritz	1908 La Gran Vía est entreprise
1850		**1870**		**1890**		**1910**
1850 Inauguration du Parlement et du Teatro Real *(p. 58)*	1873 Première République			*Alphonse XII*	1897 Un anarchiste italien tue le Premier ministre Cánovas del Castillo	
43 Coup d'État général Narvaez	1875 Restauration des Bourbons avec Alphonse XII					

Affiche nationaliste pendant la guerre civile

ordres du général Franco a déjà pris plusieurs villes d'Andalousie, dont Séville. La population se précipite dans les casernes pour demander des armes et, bien que les soldats de Franco atteignent la périphérie de Madrid dès novembre 1936, la capitale résiste jusqu'en mars 1939. Sa chute marque la victoire des nationalistes. La répression, qui se poursuit pendant plusieurs années, fait des centaines de milliers de victimes.

Malgré l'aide apportée par Hitler et Mussolini pendant la guerre civile, Franco réussit à garder l'Espagne à l'écart de la Seconde Guerre mondiale. Mais le pays subit un complet ostracisme diplomatique et économique après la victoire alliée. La misère pousse des millions d'Espagnols à émigrer. La situation ne commence à s'améliorer qu'après 1953, avec la signature d'un accord avec les Américains, alors en pleine guerre froide, qui échangent leur aide contre des bases militaires. L'interdiction de toute expression autonomiste dans les provinces provoque au Pays basque la création de l'ETA en 1959.

Général Francisco Franco

L'ordre revient mais la politique de Rivera se révèle désastreuse sur le plan économique, et le pays se retrouve au bout de six ans au bord de la faillite. Le dictateur abandonne le pouvoir en 1930, et les républicains imposent des élections à Alphonse XIII l'année suivante. Les partis de gauche l'emportent dans les villes et le roi est contraint à l'exil. Pendant l'éphémère Deuxième République, la bourgeoisie, les propriétaires terriens et l'armée manifestent une peur grandissante devant l'écho rencontré par les idées socialistes et anarchistes. En 1936, la victoire du front populaire aux élections de janvier et l'assassinat, en juin, de José Calvo Sotelo, un parlementaire conservateur, précipitent les événements.
Les Madrilènes apprennent le 18 juillet qu'une insurrection menée par les troupes stationnées au Maroc sous les

DE LA DICTATURE À LA DÉMOCRATIE
À partir de 1957, Franco nomme dans ses gouvernements des ministres dont les réformes vont permettre, en ouvrant le pays aux capitaux étrangers et en limitant l'intervention de l'État, une véritable révolution économique dans laquelle le tourisme joue un grand rôle. Le dictateur vieillissant désigne en 1969 pour lui succéder le

Coup d'État aux Cortes le 23 février 1981

que couronnent en 1992 les Jeux olympiques de Barcelone et l'Exposition universelle de Séville. Madrid est la même année « capitale culturelle européenne », permettant au plus grand nombre de présenter les résultats de l'incroyable effervescence artistique et intellectuelle, appelée la *Movida*, qu'elle a connue pendant une décennie avec le soutien du maire Enrique Tierno Galván.

petit-fils d'Alphonse XIII, le prince Juan Carlos, mais confie le pouvoir à un Premier ministre aux vues autoritaires, l'amiral Luis Carrero Blanco. Celui-ci est assassiné par les séparatistes basques de l'ETA en 1973.

La démocratie espagnole doit beaucoup au roi Juan Carlos, couronné le 22 novembre 1975, peu après la mort du général Franco. Profitant de l'autorité que lui confère son titre auprès de l'armée, il réussit avec habileté, et l'aide d'Adolfo Suárez qu'il a nommé à la tête du gouvernement, à contourner les rigidités du régime franquiste pour permettre des élections libres dès 1977. En 1981, c'est en grande partie grâce à lui qu'échoue une tentative de coup d'État militaire. En 1982, l'accession du chef du parti socialiste, Felipe González, à la fonction de Premier ministre marque le début d'une période d'euphorie

Mais l'euphorie n'a qu'un temps et, en 1996, après une série d'affaires de corruption, les socialistes perdent le pouvoir au profit du Parti populaire de José Maria Aznar.

Comme tous les habitants de grande capitale, les Madriiènes se plaignent de la circulation et de la pollution. Ils n'en gardent pas moins un esprit férocement individualiste, et continuent de refuser de se conformer aux horaires des autres Européens.

Vue aérienne de Madrid, une métropole dynamique

Les souverains espagnols

P rémisse de l'unification des deux royaumes, c'est le
mariage d'Isabelle de Castille et de Ferdinand d'Aragon en
1469 qui établit les fondements de l'État espagnol. Avec
Charles Ier, petit-fils d'Isabelle, la dynastie des Habsbourg en
prend les rênes en 1516, mais, en 1700, Charles II meurt sans
laisser d'héritier direct. Après la guerre de Succession
d'Espagne, c'est un petit-fils de Louis XIV, Philippe V de
Bourbon, qui monte sur le trône. Juan Carlos Ier est un de ses
descendants. Souverain d'une monarchie constitutionnelle, il
a joué un rôle essentiel dans l'instauration de
la démocratie espagnole.

1665-1700
Charles II

1479-1516
Ferdinand, roi
d'Aragon

1474-1504 Isabelle,
reine de Castille

1516-1556 Charles Ier
d'Espagne (empereur
Charles Quint)

1598-1621 Philippe III

1400	1450	1500	1550	1600	1650
ROYAUMES INDÉPENDANTS		HABSBOURG			
1400	1450	1500	1550	1600	1650

1469 Mariage de
Ferdinand d'Aragon
et d'Isabelle
de Castille

1504-1516 Jeanne
la Folle (Ferdinand
est régent)

1621-1665
Philippe IV

Ferdinand et Isabelle, les Rois Catholiques

L'UNIFICATION DE L'ESPAGNE

Le mariage en 1469 d'Isabelle et Ferdinand,
les « Rois Catholiques », ouvrit la voie à
l'union des deux plus importants royaumes
chrétiens de la péninsule : la Castille, et
l'Aragon, qui comprenait Barcelone et la Sicile
péninsulaire. Les deux souverains menèrent
une politique déterminée qui conduisit à la
conquête, en 1492, du royaume nasride de
Grenade, dernier territoire des Maures *(p. 14)*.
En s'emparant de la Navarre, Ferdinand
achève en 1512 l'unification de l'Espagne.

1556-1598
Philippe II

1843-1868 Règne d'Isabelle II après les régences de sa mère Marie-Christine (1833-1841) et d'Espartero (1841-1843)

1814-1833
Première restauration
des Bourbons :
Ferdinand VII

1871-1873 Amédée Ier
de Savoie

1724 Louis Ier
après
l'abdication
de Philippe V

1931-1939
Deuxième République

1939-1975
Dictature du
général Franco

1759-1788 Charles III

1875-1885
Deuxième restauration
des Bourbons :
Alphonse XII

| 700 | 1750 | 1800 | 1850 | 1900 | 1950 |

YNASTIE DES BOURBONS   **BOURBONS**   **BOURBONS**

| 700 | 1750 | 1800 | 1850 | 1900 | 1950 |

1746-1759
Ferdinand VI

1808-1813 Joseph
Bonaparte

1724-1746 Philippe V
reprend le trône après
la mort de son fils
Louis Ier

1788-1808
Charles IV

1902-1931 Alphonse XIII

1886-1902 Marie-Christine de
Habsbourg-Lorraine, régente
d'Alphonse XIII

1873-1874
Première République

700-1724
hilippe V

1868-1870 Coup d'État
du général Prim

1975 Troisième restauration
des Bourbons : Juan Carlos Ier

MADRID D'UN COUP D'ŒIL

Ce guide décrit plus de 100 lieux à visiter dans les chapitres *Madrid quartier par quartier* et *Les environs de Madrid*. Les bâtiments et sites historiques présentés permettent de découvrir la ville au fil de son histoire, en commençant par le Madrid des Habsbourg (« Madrid de los Austrias ») des XVIᵉ et XVIIᵉ siècles, dont subsistent aussi bien la Plaza de la Villa médiévale *(p. 45)*, que l'Iglesia de San Isidro baroque *(p. 46)*, pour rejoindre celui des Bourbons, où s'ouvrent le Parque del Retiro *(p. 77)* et la plaza de Cibeles *(p. 67)*, puis le quartier chic du barrio de Salamanca, aménagé au XIXᵉ siècle, et enfin les gratte-ciel modernes de l'Azca *(p. 109)*. La ville possède aussi de riches musées et des parcs de loisirs comme la Casa de Campo *(p. 114)*. Cette page vous propose les visites à ne pas manquer.

LES SITES À NE PAS MANQUER

Plaza Mayor
p. 44.

Plaza de Toros de Las Ventas
p. 110.

Museo Lázaro Galdiano
p. 100-101.

Parque del Retiro
p. 77.

Museo Arqueológico Nacional
p. 96-97.

Museo Thyssen-Bornemisza
p. 70-73.

Centro de Arte Reina Sofía
p. 86-89.

Palacio Real
p. 54-57.

Museo del Prado
p. 80-83.

◁ Le Capitol, immeuble Art déco de la Gran Vía

Les plus beaux musées de Madrid

Madrid possède trois musées particulièrement réputés : le Prado, qui abrite la plus riche collection d'art espagnol du monde, le Thyssen-Bornemisza qui retrace l'évolution de l'art occidental depuis le XIVᵉ siècle, et le Reina Sofía qui présente un ensemble exceptionnel d'œuvres du XXᵉ siècle. Beaucoup d'autres méritent également une visite. Ils sont généralement plus petits et plus intimes, à l'instar du Museo Lázaro Galliano qui propose, dans un luxueux hôtel particulier du début du siècle, l'éclectique collection réunie par un amateur d'art avisé.

Museo Municipal
L'exposition, installée dans l'ancien hospice Saint-Ferdinand, illustre l'évolution de Madrid depuis la préhistoire et comprend une maquette de la ville au XIXᵉ siècle (p. 103).

Museo Cerralbo
Pénétrer dans la demeure du XVIIᵉ siècle où vécut le marquis de Cerralbo, et où les objets d'art qu'il rassembla aux cours de sa vie restent exposés comme il les appréciait, donne l'impression de remonter dans le temps (p. 52).

Vieux Madrid

Real Academia de Bellas Artes
L'Académie des beaux-arts possède plus de 1 000 peintures et sculptures du XVIᵉ au XXᵉ siècle, dont L'Enterrement de la sardine *de Goya* (p. 47).

Museo Thyssen-Bornemisza
Aucune collection d'art réunie par des particuliers n'est sans doute aussi riche. Elle comprend des œuvres de Titien, Goya, Picasso et Rubens (p. 70-73).

Museo Lázaro Galdiano
La demeure néo-Renaissance de José Lázaro Galdiano offre toujours un magnifique écrin à une collection où voisinent peintures, bijoux, pièces archéologiques et céramiques (p. 100-101).

Autour de La Castellana

Museo Arqueológico Nacional
Ce musée, situé derrière la Biblioteca Nacional, présente des objets laissés par les civilisations qui se sont succédé en Espagne depuis la préhistoire (p. 96-97).

Museo del Prado
Le Prado, l'une des galeries d'art les plus riches du monde, est particulièrement réputée pour ses Velázquez et ses Goya (p. 80-83).

Madrid des Bourbons

0   0,5 km

Centro de Arte Reina Sofía
Ce musée d'art moderne occupe un ancien hôpital néo-classique et a pour fleuron Guernica, le célèbre tableau inspiré à Picasso par les horreurs de la guerre civile. Le Portrait de Josette, par le cubiste Juan Gris, se trouve dans la salle voisine (p. 86-89).

Les hôtes célèbres

En établissant la capitale de l'Espagne à Madrid en 1561 *(p. 15)*, Philippe II transforma cette ville alors sans rayonnement en un pôle artistique et culturel qui attira peintres, écrivains, compositeurs et architectes en quête de parrainage royal et d'un cadre où faire connaître leurs œuvres. Les plus grands auteurs du Siècle d'or fréquentèrent ainsi le quartier des Huertas, tandis que les commandes de la cour permirent au génie de Velázquez et de Goya de s'affirmer. Les souverains de la maison des Habsbourg, puis de celle des Bourbons, firent appel à d'excellents architectes pour parer la cité de monuments et de places.

Le prix Nobel Camilo José Cela peint par Alvaro Delgado

Félix Lope de Vega, prolifique dramaturge du Siècle d'or

ÉCRIVAINS

C'est dans le domaine de la littérature que Madrid joua pour la première fois un rôle prédominant dans la vie culturelle de l'Espagne, en attirant les auteurs les plus remarquables du XVIIe siècle. Après une vie aventureuse, c'est dans le quartier des Huertas, qui prendra le surnom de barrio de los Literatos, « le quartier des écrivains », que Miguel de Cervantes Saavedra (1547-1616), une des plus grandes figures littéraires espagnoles, acheva *Don Quichotte*. Il retrouvait dans les tavernes son rival Félix Lope de Vega (1562-1635), le plus prolifique auteur dramatique ibérique. D'autres grandes figures littéraires de l'époque vécurent aussi aux Huertas, comme le dramaturge Pedro Calderón de la Barca (1600-1681) et Francisco de Quevedo y Villegas (1580-1645), satiriste et philosophe à la plume acérée.

Les auteurs les plus en vue continuent ensuite de fréquenter le quartier, tels Leandro Fernández de Maratín dont la comédie *El Sí de las Niñas* montre l'influence de l'esprit des Lumières français, José Zorrilla y Moral (1817-1893), qui écrit en 1844 *Don Juan Tenorio*, l'œuvre la plus célèbre du romantisme espagnol, et Benito Pérez Galdós (1843-1920) dont le roman *Miau* entraîne le lecteur dans un voyage au cœur de la société madrilène.

C'est à Madrid que Federico García Lorca (1899-1936), le membre le plus connu du groupe qui se donne pour nom « Génération de 1927 », fait ses études et trouve les théâtres où présenter ses œuvres. Il meurt au début de la guerre civile, exécuté par les troupes nationalistes. Après sa victoire, Franco impose une censure tatillonne, mais le prix Nobel Camilo José Cela (né en 1916) réussit à contourner ces contraintes dans des romans comme *La Colmena* qui dépeint la vie quotidienne difficile des Madrilènes après la guerre.

José Zorrilla (1817-1893)

Son séjour à Madrid pendant la guerre civile inspire à Ernest Hemingway (1899-1961) son célèbre roman *Pour qui sonne le glas*. On raconte qu'il passait de longues nuits à siroter du gin au bar du Ritz *(p. 68)*. Aujourd'hui encore, il reste difficile de traverser la Plaza Mayor sans imaginer sa silhouette massive descendant les escaliers de l'Arco de Cuchilleros pour aller dîner au El Sobrino del Botín *(p. 28)*.

PEINTRES

Deux génies dominent l'histoire artistique de la capitale espagnole.

Chaque week-end, quand les Madrilènes affrontent les embouteillages pour échapper à la ville, c'est en quête du ciel bleu que Diego de Velázquez (1599-1660) rendit célèbre dans les décors où il plaçait ses scènes d'extérieur. Ce peintre reste cependant surtout connu pour ses portraits de la cour de Philippe IV, maître d'un empire en déclin. Le Museo del Prado *(p. 80-83)* permet d'en admirer un grand nombre, dont *Les Ménines* (1656).

Tout en travaillant lui aussi à la cour, pour quatre rois, Charles III, Charles IV, Joseph Bonaparte et Ferdinand VII, Francisco de Goya (1746-1828) représenta la vie quotidienne du petit peuple madrilène au cours d'une des périodes les plus tragiques de la cité : la guerre d'Indépendance. La collection du Prado illustre ces facettes de son art avec des chefs-d'œuvre tels que *La Maja desnuda*, *Le 3 Mai 1808* et *Saturne dévorant l'un de ses enfants*, mais plusieurs autres musées de la ville abritent certaines de ses œuvres.

Palacio de Cristal de Velázquez Bosco

que Juan de Villanueva, l'architecte du Prado, agrémenta ultérieurement d'un balcon. C'est Villanueva qui aménagea en 1781, avec l'aide du botaniste Gómez Ortega, le Real Jardín Botánico *(p. 84)*. Francesco Sabatini fut aussi très actif au XVIIIe siècle, dessinant le Palacio Real *(p. 54-57)*, édifié sur le site de l'alcazar ravagé par un incendie en 1734, ainsi que la majestueuse Puerta de Alcalá *(p. 66)* et l'agrandissement du Palacio de El Pardo *(p. 134)*.

Le Parque del Retiro *(p. 77)* abrite deux splendides édifices bâtis par Velázquez Bosco en 1887 : le Palacio de Velázquez néo-classique et le Palacio de Cristal en verre et en métal.

Parmi les architectes contemporains dignes d'attention figurent José Rafael Moneo Valles, qui remania le Palacio de Villahermosa, datant du XVIIIe siècle, occupé par le Museo Thyssen-Bornemisza *(p. 70-73)*, Luis Gutiérrez Soto, le créateur du Ministerio del Aire bordant la Plaza de la Moncloa, Antonio Lamela pour les Torres de Colón de la plaza de Colón *(p. 98)* et Francisco Saenz de Oiza pour les Torres Blancas de l'Avenida de América. Bien qu'il ne fut pas un

architecte, le marquis de Salamanca influa aussi directement sur le visage de Madrid. Dans les années 1860, ce brillant banquier finança l'aménagement d'un des quartiers les plus élégants, le barrio de Salamanca *(p. 99)*.

HOMMES POLITIQUES

Les souverains, dictateurs et Premiers ministres qui dirigèrent l'Espagne depuis Madrid ne manifestèrent pas tous le même attachement à la cité. Si Philippe II *(p. 15)* avait choisi Madrid pour en faire la capitale du pays, il la quitta rapidement pour son palais El Escorial.

En revanche, Charles III *(p. 16)*, qui fut baptisé le *rey-alcade* (« le roi-maire »), para la ville de monuments et de fontaines au XVIIIe siècle. Il la dota aussi d'un éclairage de rues et d'un réseau d'égouts.

Une autre personnalité politique sut s'attacher l'affection des Madrilènes, le maire socialiste Enrique Tierno Galván, élu en 1979 et mort en 1986, et connu pour ses idées progressistes, qui aida la ville à sortir des années grises de la dictature en apportant tout son soutien à la vie culturelle. C'est sous son mandat que s'épanouit la *Movida (p. 104)* et que la Fiesta de San Isidro *(p. 34)* devint la grande fête madrilène qu'elle est aujourd'hui.

Les Ménines (1656) par Diego de Velázquez

ARCHITECTES

Disciple de Juan de Herrera qui dessina pour Philippe II le palais-monastère El Escorial *(p. 122-125)*, Juan Gómez de la Mora adoucit le style austère de son maître lorsqu'il entreprit, d'après ses plans, la construction de la Plaza Mayor *(p. 44)*, achevée en 1619. Il est également l'auteur, dans les années 1640, du Monasterio de la Encarnación *(p. 53)* et de l'*ayuntamiento* (hôtel de ville) de la plaza de la Villa

Enrique Tierno Galván, maire de Madrid après la période franquiste

Les meilleures tabernas de Madrid

Il est probable que le premier commerce ouvert à Madrid fut une *taberna* (« taverne »), et le quartier de la Plaza Mayor et celui de la plaza de la Villa en abritait plus de 50 au XIVe siècle. Leur nombre s'élevait à 800 deux cents ans plus tard, et elles prirent un style caractéristique à partir de la première moitié du XIXe siècle. Il ne subsiste aujourd'hui qu'une centaine de ces *tabernas* traditionnelles qui partagent des traits communs tels qu'une grande horloge trônant sur un comptoir en bois sculpté à plateau de zinc, des bouteilles de vin rafraîchies par de l'eau courant à travers un filtre poli, et des carreaux de céramique ornant souvent la salle. Quelques-unes des plus prisées sont présentées ci-dessous, et vous trouverez quelques adresses page 31.

Taberna del Foro
Bien que relativement moderne, cet établissement s'efforce de recréer l'atmosphère du « vieux Madrid », et offre un exemple typique de taverne traditionnelle.

La Bola
Ce restaurant fondé il y a près de deux cents ans possède un bar en bois superbement sculpté, et sert depuis 1873 l'un des meilleurs cocido *(p. 155) de Madrid.*

Vieux Madrid

El Sobrino del Botín
Cette taberna *ouverte en 1725, l'une des plus anciennes de Madrid, propose des plats castillans tels que le cochon de lait rôti qui lui valent la réputation d'être l'un des meilleurs restaurants de la ville. Hemingway l'appréciait beaucoup.*

0   0,5 km

Taberna Antonio Sanchez
La Taberna Antonio Sanchez est une référence depuis deux siècles, et l'atmosphère y a autant d'importance que le service. Son décor a été maintes fois imité.

Casa Carmencita

Ouverte au milieu du XIXe siècle, cette élégante taberna *devint dans les années 20 un lieu de rendez-vous où se retrouvaient écrivains, artistes et hommes politiques.*

Casa Domingo

Transformée en restaurant de luxe il y a près de 80 ans, la Casa Domingo sert aujourd'hui des plats espagnols et internationaux dans un cadre chaleureux.

Autour de La Castellana

Los Gabrieles

Les étonnantes céramiques de l'artiste Enrique Guijo couvrent les murs de cette taberna *qui constitue pour beaucoup de noctambules une étape obligée.*

Madrid des Bourbons

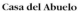

Viva Madrid

Célèbre pour son décor carrelé, à l'extérieur comme à l'intérieur, Viva Madrid a été adopté par les Madrilènes qui fréquentent le soir le quartier animé de la plaza de Santa Ana.

Casa del Abuelo

L'ambiance de cette petite taberna *compense son espace réduit. Fondée en 1906, elle a pour spécialités le vin rouge doux et les crevettes préparées selon quatre modes de cuisson.*

Choisir les tapas

Xérès fino et sec

Originaires d'Andalousie, où elles accompagnaient le xérès servi dans des verres protégés des mouches par une soucoupe faisant office de couvercle *(tapa)*, les *tapas* sont la base d'un art de vivre plus encore que des amuse-gueule. Il en existe toutes sortes de variétés : viandes froides, légumes cuisinés ou plats chauds de poulet ou de fruits de mer, et l'un des grands plaisirs qu'offre Madrid est de passer de bar en bar pour en goûter de nouvelles. Elles peuvent être servies en *ración* pour deux à trois personnes.

Le **chorizo** *est une saucisse au paprika et à l'ail appréciée froide, mais qu'on mange aussi grillée et chaude.*

Le **jamón serrano,** *jambon cru de montagne, peut prendre la forme de cubes* (tacos) *ou de tranches fines* (lonchas). *En* tapa, *du pain l'accompagne souvent.*

La **tortilla a la española,** *servie aussi en petits carrés, est l'épaisse omelette garnie aux pommes de terre et à l'oignon proposée partout en Espagne.*

Le **queso manchego** *(p. 166), préparé dans la Manche avec du lait de brebis, est le fromage favori des Espagnols qui le dégustent avec du pain aussi bien* semicurado *(doux) que* curado *(fait).*

Les **albondigas** *(boulettes de viande) sont parfois nappées de sauce tomate.*

Les **olives** *offrent une large palette de saveurs selon leur marinade. Les grosses gordals viennent de Séville, les* manzanillas *peuvent être fourrées aux anchois, aux amandes ou aux piments.*

Crevette   Œuf dur

Olive

Cornichon

Les **mejillones a la marinera,** *moules à la marinière, cuisent dans une sauce au vin blanc, au jus de citron, à l'ail et à l'huile d'olive.*

Les **bandilleras,** *destinées à être mangées en une fois pour bien apprécier le mélange de saveurs, associent sur une petite brochette des ingrédients tels que poisson mariné et cornichon.*

Les **patatas bravas** *sont un plat relevé de pommes de terre sautées à l'huile, qui prennent la forme de bouchées enrobées d'une sauce au vin blanc, aux piments rouges, à l'oignon, à l'ail et au persil.*

Le **salpicón de mariscos** *associe des fruits de mer tels que homard, crabe et crevettes dans une somptueuse salade à la tomate assaisonnée d'une vinaigrette relevée à l'oignon et aux poivrons rouges.*

Calamares fritos
Une tranche de citron accompagne ces rondelles de calmar frites, parfois à l'huile d'olive, après avoir été farinées.

Les **gambas a la plancha** *sont de grosses crevettes grillées non décortiquées.*

La **fritura de pescado,** *servie avec des quartiers de citron, associe en friture du calmar ou du poulpe avec des poissons tels que mulet ou colinot.*

*L'***ensalada de pimientos rojos** *marie tomates et poivrons rouges grillés dans une sauce où l'huile d'olive et le vinaigre relèvent le jus de la cuisson.*

Les **almendras fritas,** *amandes grillées et salées, accompagnent les boissons partout en Espagne, à l'instar des pistaches (pistachios), des cacahuètes (cacahuetes) et des graines de tournesol (pipas).*

OÙ MANGER DE BONNES TAPAS
(voir aussi p. 28-29)

Casa Carmencita
Calle de la Libertad 16. **Plan** 7 B1.
91 521 59 66.

Casa del Abuelo
Calle de la Victoria 12. **Plan** 7 A2.
91 521 23 19.

Casa Domingo
Calle de Alcalá 99. **Plan** 8 F1.
91 576 01 37.

El Sobrino del Botín
Calle de los Cuchilleros 17.
Plan 4 E3.
91 366 42 17.

La Bola
Calle de la Bola 5. **Plan** 4 D1.
91 547 69 30.

Los Gabrieles
Calle de Echegaray 17. **Plan** 7 A3.
91 429 62 61.

Taberna Antonio Sanchez
Calle del Mesón de Paredes 13.
Plan 4 F4.
91 539 78 26.

Taberna del Foro
Calle de San Andrés 28. **Plan** 2 F4.
91 445 37 52.

Viva Madrid
Calle de Manuel Fernández y González 7. **Plan** 7 A3.
91 429 36 40.

L'architecture à Madrid

La capitale espagnole présente une grande diversité de styles architecturaux. Sous les Habsbourg a prévalu l'influence austère de Juan Herrera, l'architecte de la cour de Philippe II, à qui l'on doit l'imposant Escorial, situé au nord-ouest de la ville *(p. 122-125)*, et elle marque de nombreux édifices du vieux Madrid. Au cours du XVIIIᵉ siècle, les façades deviennent plus animées avec l'introduction du baroque, puis, au début du règne des Bourbons, une ornementation exubérante s'impose, et le néo-classicisme revient à des formes plus dépouillées à la fin du XVIIIᵉ siècle. Le XIXᵉ siècle et le début du XXᵉ voient se multiplier les styles, du néo-mudéjar à l'Art déco. Depuis la fin du franquisme, le dynamisme de la ville et sa foi en l'avenir s'expriment notamment par d'audacieuses créations contemporaines.

Modernisme
Les tours jumelles de la Puerta de Europa semblent défier la gravité au-dessus du paseo de La Castellana.

Art déco
Joyau du style Art déco, l'imposant Palacio de la Música abrite sur la Gran Vía (p. 48) *une salle de cinéma de 2 600 places.*

Vieux Madrid

Habsbourg
Le Monasterio de las Descalzas Reales (p. 52), *fondé en 1560, abrite derrière une façade dépouillée une très riche décoration intérieure.*

Baroque
Le baroque fut surtout en vogue au XVIIᵉ siècle et la Real Academia de Bellas Artes (p. 47), *bâtie par Churriguera au siècle suivant, tend déjà au néo-classicisme.*

0   0,5 km

Art nouveau
La Sociedad General de Autores de España offre un bon exemple de ce style du tournant du siècle.

Néo-mudéjar
À la fin du XIXᵉ siècle, Madrid remit en vogue l'architecture des mudéjars, les Maures restés en territoire chrétien après la Reconquête. L'Antiguas Escuelas Aguirre en offre un bon exemple.

Autour de La Castellana

Influence française
La Puerta de Alcalá fut construite sous Charles III. Elle faisait partie d'un projet visant à développer l'est de Madrid. Le centre de la ville se déplaça alors de la Plaza Mayor au Paseo del Prado.

Madrid des Bourbons

Néo-classique
Dessiné en 1785 par Juan de Villanueva, le Museo del Prado (p. 80-83) témoigne d'un retour à plus de simplicité, en réaction à l'exubérance du baroque et du rococo.

Franquiste
L'Instituto de Crédito Oficial est d'un style typique de l'ère franquiste, appelé néo-herrerisme d'après l'architecte de l'austère Escorial, Juan de Herrera.

MADRID AU JOUR LE JOUR

Les Espagnols adorent les fêtes et chaque quartier, ville ou village en organise. Elles sont particulièrement nombreuses en été, programmant des courses de taureaux et de spectaculaires feux d'artifice. Musique et danse entretiennent l'ambiance jusqu'à l'aube. Les célébrations religieuses attirent toujours beaucoup de fidèles,

Matador effectuant une passe à la muleta

et des processions ponctuent Noël et Pâques. En mai, quinze jours de réjouissances honorent le patron de Madrid lors de la Fiesta de San Isidro. Rencontres sportives et manifestations culturelles rythment aussi le calendrier. Les bureaux d'information touristique et les magazines de programme *(p. 172)* vous en donneront le détail.

Les tulipes signalent partout en ville l'arrivée du printemps

PRINTEMPS

Des tulipes illuminent les boulevards de la ville à la fin mars, et les cafés servent en terrasse dès les beaux jours d'avril. Le temps reste cependant très changeant, et la pluie gâte souvent la Fiesta de San Isidro qui marque en mai le début de la saison tauromachique. C'est toutefois la période de l'année où la campagne est la plus belle, et de nombreux Madrilènes quittent la ville pendant la Semana Santa, la semaine de Pâques riche en processions religieuses.

MARS

Cristo de Medinaceli *(1er ven.)*, Iglesia de Medinaceli. Des milliers de personnes font trois vœux devant le Christ en espérant qu'il en exaucera un.
Expo/Ocio, Fiera del Tiempo Libre *(2e sem.)*, Parque Ferial Juan Carlos I. La foire annuelle du temps libre est dédiée aux sports, aux loisirs et aux passe-temps.
Fiesta de San José *(19 mars)*. Jour férié à Madrid en l'honneur de saint Joseph.

AVRIL

Semana Santa *(sem. de Pâques)*. Des processions ont lieu partout dans Madrid et à Tolède *(p. 136-141)* les jeudi et vendredi saints. Le samedi, les habitants de Chinchón *(p. 135)* interprètent la Passion. Le dimanche à midi, ceux de Tiermes brûlent symboliquement un arbre et l'effigie de Judas.
Foire artisanale et de la céramique *(sem. de Pâques)*, plaza de la Comendadoras.
El Día de Cervantes *(23 avr.)*, Alcalá de Henares. Une foire aux livres, et des débats littéraires commémorent la mort de Cervantes.
Marathon de Madrid *(dern. dim.)*.

MAI

Fête du Travail *(1er mai)*. Jour férié et rassemblement à la Puerta del Sol *(p. 44)*.
Fiestas de Mayo *(1er mai)*, Ajalvir, Casarrubuelos, Fresno de Torote et Torrelaguna. Fêtes locales célébrant mai.
Las Mayas *(1er dim.)*, autour de l'Iglesia de San Lorenzo

dans le quartier de Lavapiés *(p. 61)*. Vieux rituel de fertilité toujours pratiqué, chaque rue élit une reine de mai *(maya)*.
La Maya *(2 mai)*, Colmenar Viejo. Voir ci-dessus.
Día de la Comunidad *(2 mai)*. Jour férié à Madrid, ponctué par un défilé militaire à la Puerta del Sol, et une fête à Móstoles et sur la plaza del Dos de Mayo *(p. 103)*.
Fiestas de San Isidro *(15 mai)*. Pendant une semaine avant et après le 15 mai, les Madrilènes s'adonnent aux plaisirs de la musique et de la danse, des *chotis* notamment. Des orchestres jouent le soir dans les Jardines de las Vistillas, calle de Bailén.
Corridas de San Isidro *(15 mai-fin juin)*. Courses de taureaux à la Plaza de Toros de Las Ventas *(p. 110)*.
Fête-Dieu *(fin mai)*. Jour férié et grandes processions à Madrid et à Tolède.
Romería Alpina *(der. dim.)*, Lozoya. Procession de la Virgen de la Fuensanta.
Feria del Libro *(fin mai-mi-juin)*, Parque del Retiro *(p. 77)*. Foire aux livres.

La Semana Santa donne lieu à Pâques à de grandes processions religieuses

DURÉE MOYENNE D'ENSOLEILLEMENT QUOTIDIEN

Heures

12

9

6

3

0

janv. fév. mars avr. mai juin juil. août sept. oct. nov. déc.

Ensoleillement
Sa situation continentale au centre de la péninsule protège Madrid des influences maritimes, et la ville jouit d'hivers ensoleillés bien que rigoureux. En été, mieux vaut prévoir un chapeau et une crème solaire... Et ne pas hésiter à imiter les Espagnols en faisant la sieste aux heures les plus chaudes de la journée.

ÉTÉ

Les piscines en plein air et les parcs aquatiques de Madrid ouvrent en juin *(p. 180)*. En août, de nombreuses familles fuient la chaleur torride de l'été en se rendant à la montagne ou au bord de la mer. En revanche, beaucoup de bars et de restaurants ferment. Ceux qui restent ouverts sont bondés jusqu'au petit matin, et la circulation plus fluide que d'ordinaire fait de ce mois de congé une période agréable pour découvrir la ville.

Madrilènes en costumes traditionnels de *castizos* à la Fiesta de San Isidro

Sous le chaud soleil d'été à la terrasse d'un bar de Madrid

JUIN

Fiesta del Ermita de San Antonio de la Florida *(13 juin)*, glorieta de la Florida. Les *señoritas* jettent des épingles dans une fontaine et trempent leurs mains en priant saint Antoine. Elles auront autant d'amoureux dans l'année que d'épingles collées à leurs mains.

JUILLET

Fiestas de la Virgen del Carmen *(9-16 juil.)*, Chamberí.
Concierto de las Velas *(9 juil.)*, Pedraza, Ségovie. Fête et musique aux chandelles.

Fiestas de Santiago Apóstol *(25 juil.)*. Jour férié dans la province de Madrid.
Romería Celestial *(26 juil.)*, Alameda del Valle, Lozoya. Pèlerinage de 3 km jusqu'à La Ermita de Santa Ana.

AOÛT

Castizos Fiestas *(6-15 août)*, quartiers de La Latina et de Lavapiés. Les fêtes traditionnelles des *castizos (p. 105)* célèbrent San Cayetano *(3 août)*, San Lorenzo *(5 août)* et La Virgen de la Paloma *(15 août)*.
Fiesta de San Lorenzo *(10 août)*, El Escorial *(p. 122-125)*.
Fiesta de San Roque *(12-18 août)*, Chinchón. Une fête d'une semaine donne lieu à une corrida sur la Plaza Mayor et à des dégustations d'*anís*.
Asunción *(15 août)*. Jour férié national.
Encierros *(fin août)*.

Lâchers de taureaux à San Sebastián de los Reyes.
Fiestas de San Bartolomé *(24 août)*, Alcalá de Henares. Géants légendaires, théâtre classique et corridas.
Encerrios *(der. sem.)*, Cuellar, Ségovie. Lâchers de taureaux datant de 1546.
El Motín de Aranjuez *(fin août ou déb. sept.)*. Corridas, concerts en plein air et feux d'artifice.

Décorations pour La Virgen de la Paloma

MOYENNE MENSUELLE DES PRÉCIPITATIONS

```
mm
60
45
30
15
 0
    janv. fév. mars avr.  mai  juin juil. août sept. oct. nov. déc.
```

Précipitations
*Madrid connaît deux
principales périodes de
pluie : de mars à mai et
d'octobre à décembre.
En automne, la saison
la plus humide, les
précipitations prennent
surtout la forme de
courts orages. Une
quasi-sécheresse règne
de juin à septembre.*

La plaza de España *(p. 53)* en automne

Vierge des Sources.
Virgen de la Fuencisla
(27 sept.). Fête de Ségovie.
Procesión de San Andrés
(30 sept.), Rascafría. Célébration
du patron local.
Festival de Otoño *(mi sept.-
mi-oct.),* Madrid. Festival
annuel de théâtre.

OCTOBRE

Festival Taurino *(vers le
12 oct.),* Chinchón. Corridas.
Día de la Hispanidad
(12 oct.). Fête nationale.
Virgen de Pilar *(vers le
12 oct.),* plaza Dalí,
Salamanque. Fêtes de quartier.

NOVEMBRE

Todos los Santos *(1er nov.).*
On fleurit les tombes le
2 novembre, jour des Morts.
Les boulangeries vendent des
huesos de santo (« os de saint »).
La Almudena *(9 nov.).*
Processions en l'honneur de la
Vierge dans le vieux Madrid.
Romería de San Eugenio
(14 nov.). Pèlerinage *castizo*
jusqu'à El Monte de El Pardo.
Pique-nique, ramassage de
glands, chants et danse.

AUTOMNE

L es pluies d'automne, après
une sécheresse parfois de
plusieurs mois, permettent à
la campagne de reverdir et
aux Madrilènes de
partir ramasser les
champignons
dans les
forêts, une
de leurs
distractions
préférées.
**Champignons
sauvages** À partir
d'octobre,
sanglier, perdrix
et faisan commencent à
apparaître à la carte des
restaurants.

SEPTEMBRE

Encierros *(12 premiers jours
de sept.),* Torrelaguna. Lâchers
de taureaux lors de la fête
locale.
Procesión Marítima
(1er dim.), Fuentidueña de
Tajo. Des barques illuminées

participent à cette procession
maritime.
**Procesión de la Virgen de la
Cigüeña** *(6 sept.),* Fuente de
Saz de Jarama. La Vierge de la
Cigogne avance au milieu de
broussailles embrasées.
Romería Panorámica
(2e dim.), San Lorenzo de El
Escorial. Procession de la
Virgen de la Gracia.
**Romería de la Virgen de los
Hontanares** *(10 sept.),* Riaza,
Ségovie. Pèlerinage de la

Messe en l'honneur de La Virgen de la Almudena sur la Plaza Mayor

MOYENNE MENSUELLE DES TEMPÉRATURES

°C
40
30
20
10
0
janv. fév. mars avr. mai juin juil. août sept. oct. nov. déc.

Températures

Sa situation continentale vaut à Madrid des étés torrides et des hivers glacials, et les moyennes mensuelles de ce tableau ne donnent qu'une faible idée des écarts de températures que peut subir la ville. Leur douceur rend les mois de juin et d'octobre très agréables pour une visite.

HIVER

Dès les premières neiges, des embouteillages se forment sur les routes d'accès aux petites stations de sport d'hiver de la Sierra de Guadarrama *(p. 126)*. Il fait très froid en hiver à Madrid. Noël est célébré avec ferveur, et la foule se presse à la Puerta del Sol pour le réveillon du nouvel an.

DÉCEMBRE

Día de la Constitución *(6 déc.)*. Jour férié national.
Immaculada Concepción *(8 déc.)*. Jour férié national.
Foire de Noël *(mi-déc.-fin janv.)*, Plaza Mayor, Madrid.
Noche Buena *(24 déc.)*. Le réveillon de Noël se passe en famille.
Día de Navidad *(25 déc.)*. Jour de Noël.
Belén Viviente *(dern. soirs de déc.)*, Buitrago del Lozoya. Représentation équestre de la Nativité.
Noche Vieja *(31 déc.)*. Chacun fait un vœu en mangeant un grain de raisin à chacun des douze coups de minuit.

JANVIER

Cabalgata de Reyes *(5 janv.)*. Défilé du Parque del Retiro *(p. 77)* à la Plaza Mayor *(p. 44)* pour la fête des Rois.
Los Reyes Magos *(6 janv.)*. L'Épiphanie donne lieu à des échanges de cadeaux.
San Antón *(17 janv.)*, calle de Hortaleza 63, Madrid. Bénédiction des animaux à l'Iglesia de San Antón.
Cabalgata de Cercedilla

Sur les pentes de la Sierra de Guadarrama, au nord de Madrid *(p. 126)*

(19 janv.), Cercedilla. Cavalcade en traîneaux.
Vaquillas *(20 janv.)*, Pedrezuela et Fresnedillas. Des jeunes se déguisent en taureaux.
San Sebastián *(20 janv.)*, Villaviciosa de Odón. Procession et danses.
Foire touristique FITUR *(fin janv.)*, Parque Ferial Juan Carlos I.

FÉVRIER

La Vaquilla Premiada *(2 fév.)*, Colmenar Viejo. Concours amateur de tauromachie.
La Romería de San Blas *(3 fév.)*, Madrid et Miraflores. Célébrations costumées.
Alcadesas de Zamarramala *(autour du 1er dim.)*, Ségovie. Les femmes prennent le pouvoir pendant une semaine.
Semana Internacional de la Moda *(2e sem.)*. Défilés de mode au Parque Ferial Juan Carlos I.
ARCO *(mi-fév.)*, Parque Ferial Juan Carlos I. Grande foire internationale d'art contemporain.
Carnaval *(jusqu'au carême)*.

Entierro de la Sardina *(mardi gras)*, Casa de Campo. L'Enterrement de la sardine, qui symbolise la mort de l'hiver, conclut le carnaval.

JOURS FÉRIÉS

Año Nuevo *(nouvel an)* (1er janvier)
Día de los Reyes *(Épiphanie)* (6 janvier)
Jueves Santo *(jeudi saint)* (mars-avril)
Viernes Santo *(vendredi saint)* (mars-avril)
Día de Pascua *(dimanche de Pâques)* (mars-avril)
Día del Trabajo *(fête du Travail)* (1er mai)
Asunción *(Assomption)* (15 août)
Día de la Hispanidad *(Fête nationale)* (12 octobre)
Todos los Santos *(Toussaint)* (1er novembre)
Día de la Constitución *(fête de la Constitution)* (6 déc.)
Immaculada Concepción *(Immaculée Conception)* (8 décembre)
Día de Navidad *(Noël)* (25 décembre)

Madrid quartier par quartier

LE VIEUX MADRID

Madrid a commencé à se développer le long des ruelles sinuant derrière l'alcazar, la forteresse arabe *(p. 13)* qui occupait le site du Palacio Real actuel.

La ville ne comptait que 20 000 habitants quand Philippe II y installa sa capitale en 156, mais sa population avait plus que triplé cinquante ans plus tard. Centre nerveux de l'empire, le « Madrid de los Austrias » vit se multiplier couvents et palais seigneuriaux pendant le règne des Habsbourg. À partir de 1617, Juan Gómez de la Mora aménage la Plaza Mayor pour Philippe III. En 1622 débute la construction de San Isidro, la cathédrale de Madrid. La Puerta del Sol, vaste place portant le nom d'une ancienne porte des remparts, devient alors le cœur spirituel et géographique non seulement de Madrid mais de toute l'Espagne.

LES SITES D'UN COUP D'ŒIL

Bâtiments historiques
Edificio Grassy **11**
Muralla Arabe **26**
Palacio de Santa Cruz **7**
Palacio del Senado **18**
Palacio Real p. 54-57 **20**
Teatro Real **22**
Telefónica **12**

Musées
Museo Cerralbo **16**
Real Academia de
  Bellas Artes **9**

Églises et monastères
Basílica Pontífica de
  San Miguel **5**
Iglesia de San Isidro **6**
Iglesia de San Nicolás **23**
Monasterio de la
  Encarnación **19**
Monasterio de las
  Descalzas Reales **14**

Nuestra Señora de la
  Almudena **24**
San Francisco
  el Grande **27**

Rues, places et parc
Calle de Preciados **15**
Campo del Moro **25**
Gran Vía **10**
La Latina **29**
Plaza de España **17**
Plaza de la Paja **28**
Plaza de la Villa **4**
Plaza de Oriente **21**
Plaza de Santa Ana **8**
Plaza del Callao **13**

Plaza Mayor **2**
Puerta del Sol **1**

Marchés
El Rastro **30**
Mercado de San Miguel **3**

COMMENT Y ALLER
Les lignes de métro 1, 2, 3, 5 et 10 desservent les principaux sites d'intérêt. Les bus les plus utiles sont les 51, 52, 150 et 153 qui s'arrêtent à la Puerta del Sol.

LÉGENDE

Plan du quartier pas à pas
p. 42-43

Station de métro

Arrêt de bus important

Information touristique

Parc de stationnement

◁ **Statue équestre de Philippe II, au centre de la Plaza Mayor** *(p. 44)*

Le vieux Madrid pas à pas

S'étendant de la Puerta del Sol à la plaza de la Villa médiévale, le cœur du vieux Madrid, riche en monuments tels que l'Iglesia de San Isidro et le Palacio de Santa Cruz, forme un ensemble compact marqué par l'histoire. Entourée de portiques, la Plaza Mayor, aménagée par la maison d'Autriche, en est le plus bel élément architectural. Si elle servit jadis de cadre à des exécutions ordonnées par l'Inquisition, elle accueille désormais des manifestations culturelles. De nombreux cafés et les éventaires du Mercado de San Miguel ajoutent au plaisir de se promener dans ce quartier vivant.

★ Plaza Mayor
Cette superbe plac[e] du XVIIᵉ siècle, œuvre de Juan Gómez de la Mor[a], abrite sous ses arcades de nombreux cafés [et] des magasins d'artisanat ❷

Mercado de San Miguel
Ce marché couvert à structure métallique date du XIXᵉ siècle ❸

Palacio Real

CALLE MAYOR

PLAZA MORENAS

PLAZA DE LA VILLA

CALLE DE SACRAMENTO

CORDÓN

PUÑONROSTRO

Hôtel de ville (ayuntamiento)

Casa de Cisneros

Arco de Cuchilleros

★ Plaza de la Villa
La Torre de los Lujanes (XVᵉ siècle) est le plus ancien des bâtiments qui la bordent ❹

0   100 m

À NE PAS MANQUER

★ Plaza Mayor

★ Plaza de la Villa

★ Puerta del Sol

Basílica Pontífica de San Miguel
Cette imposante église du XVIIIᵉ siècle possède un élégant intérieur baroque ❺

★ Puerta del Sol
Avec ses boutiques et ses cafés, cette place est très animée. Une enseigne pour une marque d'alcool, Tío Pepe, en est devenue un symbole ❶

CARTE DE SITUATION
Voir l'atlas des rues, plan 4

Iglesia de San Ginés

Métro Sol

Statue équestre de Charles III

Madrid des Bourbons

CALLE DEL ARENAL

PUERTA DEL SOL

CALLE DE ALCALÁ

CALLE MAYOR

CALLE DE POSTAS

CALLE PAZ

CALLE DE CARRETAS

BARCELONA

ESPOZ Y MINA

PLAZA MAYOR

PLAZA PROVINCIA

PLAZA DE JACINTO BENAVENTE

SALVADOR

DUQUE DE RIVAS

CALLE DE LA COLEGIATA

Métro Tirso de Molina

Palacio de Santa Cruz
Le ministère des Affaires étrangères occupe aujourd'hui ce palais baroque construit au XVIIe siècle ❼

Iglesia de San Isidro
Cathédrale de Madrid jusqu'à la construction de la Almudena (p. 59), *cette église baroque est dédiée au patron de la ville, un laboureur du XIIe siècle* ❻

LÉGENDE

--- Itinéraire conseillé

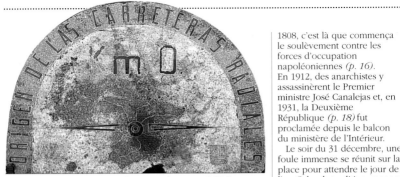

Le kilomètre 0 des routes nationales espagnoles, Puerta del Sol

Puerta del Sol ❶

Plan 4 F2. Ⓜ *Sol.*

Le vacarme qu'y entretiennent les conversations et la circulation fait de la place de la Puerta del Sol le centre qui convient à la capitale espagnole. Malgré son manque d'intérêt architectural, Madrilènes et visiteurs s'y pressent en foule pour le plaisir de flâner ou pour se rendre dans les très nombreuses boutiques.

Une porte fortifiée et un château défendaient jadis ici l'entrée orientale de la ville, la « porte du Soleil ». Tous deux ont depuis longtemps disparu et plusieurs églises se sont succédé sur le site avant qu'il ne prenne son apparence actuelle à la fin du XIXᵉ siècle.

Un austère édifice néo-classique en brique rouge ferme la Puerta del Sol au sud. Édifié en 1760 sous Charles III pour abriter la poste centrale, il devint en 1847 le siège du ministère de l'Intérieur. L'horloge est un ajout datant de 1866. Le régime franquiste *(p. 18)* y installa la Sûreté générale qui s'y rendit coupable de maintes infractions aux Droits de l'homme. En 1963, Julián Grimau, membre du Parti communiste clandestin, tomba ainsi « accidentellement » d'une fenêtre des étages. Il survécut miraculeusement à sa chute mais fut exécuté peu après. Le gouvernement régional de la Comunidad de Madrid occupe désormais le bâtiment. Devant, une plaque sur le sol marque le kilomètre 0 des routes nationales espagnoles.

Les immeubles en arc de cercle qui forment l'autre côté de la place abritent des magasins et des cafés modernes. Au coin de la calle del Carmen, une statue en bronze représente l'Ours et l'Arbousier *(El Oso y el Madroño),* symboles de la ville.

De nombreux événements historiques se déroulèrent sur la Puerta del Sol. Le 2 mai 1808, c'est là que commença le soulèvement contre les forces d'occupation napoléoniennes *(p. 16).* En 1912, des anarchistes y assassinèrent le Premier ministre José Canalejas et, en 1931, la Deuxième République *(p. 18)* fut proclamée depuis le balcon du ministère de l'Intérieur.

Le soir du 31 décembre, une foule immense se réunit sur la place pour attendre le jour de l'an. Selon la tradition, manger un grain de raisin à chacun des douze coups de minuit portera chance pendant l'année qui commence.

Plaza Mayor ❷

Plan 4 E3. Ⓜ *Sol.*

Vaste rectangle d'environ 120 m de long sur 90 m de large, la Plaza Mayor offre avec ses toits pentus, ses balcons et

Peintures allégoriques de la Casa de la Panadería, Plaza Mayor

ses clochetons, un décor théâtral très castillan de caractère. Juan Gómez de la Mora dessina les immeubles qui l'entourent. Il reprenait un projet de Juan de Herrera, l'architecte de l'austère monastère d'El Escorial *(p. 122-125)*, et il s'inspira du style de son maître en l'adoucissant.

Les travaux commencèrent en 1617 à l'emplacement d'un grand marché dont les noms de la Casa de la Carniceria (« boucherie ») et de la Casa de la Panadería (« boulangerie »), qui se font face au nord et au sud, entretiennent le souvenir. Les peintures allégoriques de la **Casa de la Panadería** datent d'une restauration récente.

Inaugurée en 1620, la place fut le théâtre de nombreuses manifestations publiques auxquelles assistaient souvent le roi et la reine : courses de taureaux, tournois, autodafés... En 1621 eut lieu l'exécution de Rodrigo Calderón, secrétaire du duc de Lerme, le favori de Philippe III. Malgré la haine que lui vouait le peuple madrilène, son attitude face au bourreau impressionna tellement qu'on utilise encore aujourd'hui l'expression « plus orgueilleux que don Rodrigo sur l'échafaud ». L'année suivante, une grande cérémonie célébra la canonisation de saint Isidore, le patron de la ville. Mais la manifestation la plus spectaculaire fut sans doute l'arrivée en 1760 de Charles III, jusqu'alors roi de Naples et de Sicile.

Bordée de cafés, et décorée en son centre d'une **statue équestre** de Philippe III, commencée par Jean de Bologne et achevée en 1616 par son élève Pietro Tacca, la place accueille le dimanche matin un marché aux timbres et aux monnaies *(p. 165)*. Elle donne au sud sur la calle de Toledo qui conduit aux rues où se tient le Rastro *(p. 61)*. Dans l'angle sud-ouest, une volée de marches mène sous l'Arco de Cuchilleros à la calle de Cuchilleros où s'ouvrent de nombreux *mesones*, petits restaurants traditionnels.

Éventaire coloré du Mercado de San Miguel

Mercado de San Miguel ❸

Plaza de San Miguel. **Plan** 4 D3. Sol. ☐ 9 h-14 h, 17 h-20 h lun.-ven., 9 h-14 h sam. ● dim. et j. fériés.

Ce n'est pas le plus grand marché de Madrid, mais le Mercado de San Miguel, bâti en 1914, est la dernière halle vitrée à structure métallique à avoir subsisté dans la ville. Il ne possède qu'un niveau et doit son nom à l'ancienne Iglesia de San Miguel de los Octoes, démolie en 1810 pendant le règne de Joseph Bonaparte, dont il occupe l'emplacement. De beaux carreaux décorent ses étals de produits alimentaires tels que poisson, viande, fruits et légumes. La concurrence des supermarchés en a conduit plusieurs à fermer.

Plaza de la Villa ❹

Plan 4 D3. Ópera, Sol.

Havre de paix, cette place piétonne, souvent remaniée, possède un grand charme.

Le plus ancien des bâtiments historiques qui la bordent est la **Torre de los Lujanes** (XVe siècle), dotée d'un portail gothique et ornée d'arcs en fer à cheval de style mudéjar. François Ier y aurait été emprisonné après sa défaite face aux troupes de Charles Quint à Pavie en 1525.

Construite en 1537 pour le neveu du cardinal de Cisneros, le fondateur de la prestigieuse université d'Alcalá de Henares *(p. 131)*, la **Casa de Cisneros** présente sur la calle de Sacramento une façade principale qui offre un bel exemple du style plateresque du début de la Renaissance.

Un arc relie la maison à l'**hôtel de ville** *(ayuntamiento)*, dessiné en 1640 par Juan Gómez de la Mora, l'architecte de la Plaza Mayor, qui lui donna, comme aux immeubles de la place, un toit pentu percé de lucarnes, des tourelles d'angles et une austère façade en brique et en pierre. Il reçut avant son achèvement d'élégants portails baroques. Juan de Villanueva, l'architecte du Prado *(p. 80-83)*, ajouta postérieurement le balcon qui permettait à la famille royale d'assister aux processions religieuses.

Portail de la Torre de los Lujanes

Basílica Pontífica de San Miguel ❺

Calle de San Justo 4. **Plan** 4 D3.
📞 91 548 40 11. Ⓜ Sol.
🕐 10 h-13 h, 18 h-20 h 30 t.l.j. 📷

Destinée à Don Luis de Borbón y Farnesio, le plus jeune fils de Philippe V nommé archevêque de Tolède dès l'âge de cinq ans, la basilique San Miguel, l'un des rares édifices baroques bâtis sous les Bourbons du vieux Madrid, se dresse sur le site d'une ancienne église romane consacrée à deux enfants mis à mort par les Romains.

Plusieurs architectes participèrent à sa construction entre 1739 et 1746. Son fronton et ses deux tours jumelles sont des ajouts postérieurs. Des sculptures à l'effigie des deux jeunes martyrs, Justo et Pastor, et quatre statues allégoriques représentant la Charité, la Force morale, la Foi et l'Espoir ornent son élégante façade animée par un jeu subtil de courbes et de contre-courbes.

L'intérieur à nef unique abrite un décor mêlant curieusement l'ancien et le moderne. Les fresques du plafond et l'orgue au-dessus de l'entrée datent du XVIIIᵉ siècle, mais beaucoup de peintures et de vitraux sont contemporains.

Statue de la Charité ornant la Basílica Pontífica de San Miguel

C'est l'influente association catholique Opus Dei qui administre aujourd'hui l'église, l'utilisant pour certaines de ses activités. L'une des chapelles latérales renferme une statue du fondateur espagnol de cette organisation créée en 1928 : Monsignor José María Escrivá de Balaguer (1902-1975), un prêtre d'origine aragonaise béatifié en 1992.

Autel de l'Iglesia de San Isidro

Iglesia de San Isidro ❻

Calle de Toledo 37. **Plan** 4 E3.
📞 91 369 20 37. Ⓜ La Latina.
🕐 7 h 30-13 h, 18 h-20 h 45 lun.-sam., 8 h 30-14 h 30, 17 h 45-20 h 45 dim.

Entreprise en 1622, l'ancienne église du collège de la Compagnie de Jésus connut un remaniement intérieur commandé à Ventura Rodríguez par Charles III après l'expulsion des jésuites d'Espagne en 1767 *(p. 16)*. Le sanctuaire baroque fut alors dédié au patron de la ville, saint Isidore, un laboureur mort en 1170, et il reçut ses reliques conservées auparavant dans l'Iglesia de San Andrés. Rendue aux jésuites pendant le règne de Ferdinand VII (1814-1833), San Isidro devint la cathédrale de Madrid de 1885 jusqu'à l'achèvement de Nuestra Señora de la Almudena *(p. 59)* en 1993, et la consécration de cette dernière par le pape.

Palacio de Santa Cruz ❼

Plaza de Santa Cruz. **Plan** 4 E3.
📞 91 379 97 00. Ⓜ Sol. 🕐 Sur r.-v. en écrivant au Ministerio de Asuntos Exteriores, Director General del Servicio, Pl. de la Provincia Nº 1, Madrid 28012.

Ce bâtiment édifié entre 1629 et 1643, l'un des joyaux du « Madrid de los Austrias », prit son nom en 1846 quand s'y installa le ministère de l'Outre-mer. Le palais avait abrité auparavant des tribunaux, mais il était à l'origine la Carcel de la Corte, la prison de la cour. C'est dans ses geôles qu'attendaient de connaître leur sort les malheureux participants aux autodafés, les procès organisés par l'Inquisition sur la Plaza Mayor voisine *(p. 44)*.

La prison compta parmi ses plus célèbres prisonniers le dramaturge Lope de Vega (1562-1635), incarcéré pour avoir calomnié son ancienne maîtresse, l'actrice Elena Osorio. Un écrivain anglais, George Borrow, y passa également trois semaines parce qu'on l'accusait de répandre des idées libérales. Le général Rafael de Riego, qui dirigea le soulèvement contre Ferdinand VII en 1820, y vécut ses dernières heures, à l'instar du célèbre bandit Luis Candelas. Ce dernier était un personnage haut en couleurs, une sorte de Robin des Bois. Cultivé, il avait appris le grec et le latin, il n'hésitait pas à se mêler à l'aristocratie dont il volait des bijoux. Un restaurant touristique porte son nom dans la cava de San Miguel voisine.

Le palais a connu deux importantes restaurations, l'une à la suite d'un incendie en 1846, l'autre après la guerre civile *(p. 18)*, mais il a gardé son style originel, proche de celui des bâtiments de la Plaza Mayor. Ses quatre tours d'angle

L'élégant Palacio de Santa Cruz bâti au XVIIᵉ siècle

dominent deux cours intérieures. Il abrite depuis 1901 le ministère des Affaires étrangères.

Plaza de Santa Ana ❽

Plan 7 A3. ⓜ *Sevilla, Antón Martin.*

Lieu de rendez-vous toujours animé, cette petite place se trouve à quelques pâtés de maisons au sud-est de la Puerta del Sol *(p. 44).* Son aménagement, pendant le règne de Joseph Bonaparte (1808-1813), entraîna la démolition du couvent de carmélites du XVIᵉ siècle dont elle porte le nom.

À une extrémité de la place, une statue du poète Federico García Lorca *(p. 26),* érigée en 1998, commémore le centenaire de sa naissance. À l'autre extrémité se dresse l'effigie en marbre de Pedro Calderón de la Barca (1600-1681), le plus grand dramaturge du *Siglo de Oro,* le Siècle d'or des arts et de la culture que connut l'Espagne à la fin du règne des Habsbourg. Né à Madrid, il écrivit plus de 200 œuvres. La plus célèbre s'intitule La *Vida es Sueño* (*la Vie est un songe*). Sculpté par Juan Figueras en 1878, le monument porte sur

Scène d'une pièce de Calderón de la Barca sur le socle de sa statue

son socle des scènes tirées de quatre pièces de Calderón et fait face au **Teatro Español** *(p. 76)* construit en 1745. Inauguré sous le nom de Teatro del Príncipe, il dut être restauré en 1980 après un incendie dévastateur.

Le théâtre occupe l'emplacement du Corral del Príncipe, l'un des plus populaires des *corrales de comedias* du Madrid du XVIᵉ siècle. Les représentations prenaient souvent un tour tumultueux dans ces théâtres de plein air et finissaient parfois en batailles rangées entre les acteurs et le public.

En face s'élève l'élégant hôtel Tryp **Reina Victoria** *(p. 147),* à la façade agrémentée de balcons vitrés. Avant son rachat par la chaîne Tryp, cet hôtel remanié en 1916 par Jesús Carrasco y Encina avait perdu son standing et recevait les toreros qui ne pouvaient s'offrir une chambre dans un établissement de luxe. Le thème taurin est resté.

Certains des bars et restaurants les plus appréciés de la ville bordent les deux autres côtés de la place et les rues voisines. Fréquentée pendant la guerre civile par Ernest Hemingway, et toujours bondée, la **Cervecería Alemana** date de 1904. Deux bars attirant une clientèle jeune, branchée et souvent

célibataire, **Viva Madrid** et **Los Gabrieles** *(p. 29 et 31),* méritent un coup d'œil pour leurs décors en céramique du XIXᵉ siècle. Des paysages en carreaux émaillés ornent aussi la **Villa Rosa,** située à l'angle de la plaza de Santa Ana et de la calle de Núñez de Arce.

Real Academia de Bellas Artes ❾

Calle de Alcalá 13. **Plan** 7 A2.
🅲 91 532 15 46. ⓜ *Sevilla, Sol.* ⬜ 9 h-19 h mar.-ven., 9 h-14 h 30 sam.-lun. et j. fériés. 🖼 ♿

Installée dans un bâtiment édifié en 1711 par Churriguera, l'Académie des beaux-arts eut notamment pour élèves Dalí et Picasso. Son musée présente une riche collection comprenant de superbes dessins par Raphaël et Titien et des tableaux de Rubens et Van Dyck. Les maîtres espagnols du XVIᵉ au XIXᵉ siècle sont particulièrement bien représentés avec des peintures, de Ribera, Murillo, El Greco et Velázquez notamment. Une série de portraits de moines par Zurbarán, dont celui de *Fray Pedro Machado,* constitue un des fleurons de l'exposition.

Une salle entière est consacrée à Goya. On y admire un portrait de Manuel Godoy *(p. 16), L'Enterrement de la sardine (p. 35), La Maison de fous* et un autoportrait peint en 1815.

Fray Pedro Machado de Zurbarán

Gran Vía ⑩

Au milieu du XIXᵉ siècle, alors que l'on repoussait les limites de Madrid en rasant des quartiers pauvres pour ouvrir des espaces résidentiels à une classe moyenne en pleine croissance, les responsables de l'urbanisme décidèrent de doter la cité d'une nouvelle artère dont la construction ne devrait rien au hasard : la Gran Vía. Ce projet fut proposé dès 1860 mais approuvé seulement en 1904, et il devint bientôt le sujet d'une *zarzuela* (*p. 75*) satirique. Inaugurés en 1908 par Alphonse XIII (*p. 17)*, les travaux

Ornement de l'Edificio Metrópolis

se firent en trois étapes, chaque tronçon portant un nom différent aujourd'hui tombé en désuétude. Le premier et le plus élégant, l'avenida Conde de Peñalver, nommée d'après le maire, courait de la calle de Alcalá à la Red de San Luis. La deuxième tranche de construction, jusqu'à la plaza de Callao, s'acheva en 1922. Le percement de la troisième partie, jusqu'à la plaza de España, dura de 1925 à 1929. Les architectes profitèrent des opportunités créées par ce vaste chantier, et la Gran Vía offre un large aperçu des styles du début de ce siècle.

Le Museo Chicote, *un bar à cocktails installé au n° 12 de la Gran Vía, possède un intérieur Art déco superbement préservé. Ouvert en 1932, il eut pour clients Salvador Dalí, Frank Sinatra, Ava Gardner et Orson Welles.*

Des immeubles Art déco tels que celui-ci donnèrent à la Gran Vía la majesté qui sied à la principale artère de la ville. Beaucoup de ce style abritaient des cinémas, en particulier autour de la plaza de Callao.

La Gran Peña, *dont la façade convexe domine le n° 2, abrite un luxueux club masculin. La candidature de Franco en 1926 causa tant de remous que la milice occupa ses locaux pendant la guerre civile (p. 18).*

L'Edificio la Estrella *offre au n° 10 un bon exemple du style éclectique inspiré du néo-classique, qui caractérise les premiers immeubles élevés sur la Gran Vía.*

La Gran Vía, *que bordent théâtres, cinémas, hôtels, boutiques et restaurants, reste aujourd'hui une avenue très commerçante.*

L'Edificio Grassy et son couronnement à colonnades

Edificio Grassy ⑪

Gran Vía 1. **Plan** 7 B1. 📞 91 532 10 07. Ⓜ Banco de España, Sevilla. ⭕ 10 h-13 h, 17 h-20 h lun.-sam.

Construit par Eladio Laredo sur un terrain triangulaire entre la Gran Vía et la calle de Caballero de Gracia, cet immeuble possède, comme l'Edificio Metrópolis *(p. 74)* voisin, une extrémité arrondie évoquant une tour. Un kiosque à double étage de colonnades la couronne. Bien qu'édifié en 1917, le bâtiment ne prit son nom actuel que dans les années 50, quand s'y installa la bijouterie qui occupe le rez-de-chaussée. Cette enseigne prestigieuse, fondée en 1923, a pour spécialité l'horlogerie et, au sous-sol, le **Museo de Reloj Grassy** présente une collection de quelque 500 pièces datant des XVIe-XIXe siècle. Elles comprennent des pendules d'une grande rareté fabriquées pour des têtes couronnées européennes.

Pendule du Museo de Reloj Grassy

Telefónica ⑫

Gran Vía 28. **Plan** 4 F1, 7 A1. **Musée** 📞 91 522 66 45. Ⓜ Callao. ⭕ 10 h-14 h, 17 h-20 h mar.-ven., 17 h-20 h sam.-dim. et j. fériés. ⚲ ♿

Bien que l'architecte espagnol Ignacio de Cárdenas en assuma officiellement la responsabilité pour contourner les résistances de l'administration, c'est un Américain, Louis S. Weeks, qui dessina le Telefónica, construit entre 1926 et 1929 pour la compagnie de téléphone nationale, et l'édifice possède un air de famille indéniable avec les gratte-ciel new-yorkais de l'époque. Cárdenas lui donna son peu d'ornementation extérieure pour qu'il paraisse moins déplacé au milieu des immeubles du quartier. Une tour centrale de 81 m domine sa façade en décrochés, et il était le plus haut bâtiment de Madrid à son achèvement. Ses étages supérieurs offrent une vue dégagée. Ils permirent aux défenseurs républicains de la capitale de surveiller les mouvements des forces nationalistes qui les assiégeaient pendant la guerre civile *(p. 18)*.

Une partie des niveaux inférieurs abrite des expositions temporaires et, au premier étage, une collection permanente illustrant l'histoire des télécommunications, depuis de vieux téléphones, dont celui qu'utilisa Alphonse XIII pour inaugurer la mise en service de l'automatique en 1926, jusqu'à la reconstitution complète d'un standard. Les salles entourent la galerie, au-dessus de l'entrée principale, qu'occupait jadis la remarquable collection d'art moderne du Telefónica. Elle est aujourd'hui prêtée au Centro de Arte Reina Sofía *(p. 86-89)*.

Le Telefónica, gratte-ciel à l'américaine des années 20

Plaza del Callao ⑬

Plaza del Callao. **Plan** 4 E1. Ⓜ Callao.

Cette place située à la jonction de la Gran Vía et de la calle de Preciados doit son nom à une bataille navale qui se déroula au large de Callao, au Pérou, en 1866. Elle constitue le cœur du quartier des cinémas de Madrid et pas moins de sept salles l'entourent, dont le Capitol installé dans un bâtiment construit en 1933 par Martínez Feduchi. Il offre un superbe exemple d'architecture Modernista (Art déco). De grands panneaux peints à la main annoncent les films. Parmi les autres édifices dignes d'intérêt bordant la place figurent le Palacio de la Música et le siège de l'Asociación de la Prensa (association de la presse). Le n° 1 abrite l'Alliance française.

Le cinéma Capitol, bel exemple d'architecture Art déco

Autel de la chapelle, Monasterio de las Descalzas Reales

Monasterio de las Descalzas Reales ⓮

Plaza de las Descalzas 3. **Plan** 4 E2.
🕿 91 542 00 59. Ⓜ Sol, Callao.
⬜ 10 h 30-12 h 30, 16 h-17 h 30
mar.-jeu. et sam., 10 h 30-12 h 30
ven., 11 h-13 h 30 dim. 🎦

Ce magnifique édifice
religieux est un des rares
exemples d'architecture du
xviᵉ siècle à avoir survécu
dans la capitale.

Ancien palais où naquit
Jeanne d'Autriche, la sœur de
Philippe II, il fut aménagé
vers 1560 en couvent de
clarisses. Le rang des dames
de la cour qui s'y retirèrent
explique la richesse de sa
décoration.

Sous un plafond peint par
Claudio Coello et ses élèves,
l'escalier principal conduit à la
galerie supérieure du petit
cloître. Œuvres et objets d'art
abondent dans les chapelles
qui l'entourent. La principale
renferme le tombeau de
Jeanne d'Autriche. La Gran
Sala de Tapices contient une
série de tapisseries exécutées
à Bruxelles en 1627 d'après
des cartons de Rubens pour la
fille de Philippe II, Isabelle
d'Autriche. À voir également :
des tableaux de Pieter Bruegel
l'Ancien, Titien, Zurbarán,
Murillo et Ribera.

Calle de Preciados ⓯

Plan 4 F2. Ⓜ Sol, Callao.

Cette rue piétonne reliant la
Puerta del Sol à la plaza
de Callao est devenue un des
hauts lieux du lèche-vitrines
de la capitale espagnole, mais
n'était à l'origine qu'un
modeste sentier qui conduisait
du centre du vieux Madrid
jusqu'aux vergers et aux aires
de battage du couvent San
Martín. Celui-ci fit face
jusqu'en 1810 au Monasterio
de las Descalzas Reales.

Au xviiᵉ siècle, deux frères,
les Preciados, qui avaient la
charge du contrôle officiel des
poids et mesures utilisés pour
commercer, achetèrent du
terrain au couvent pour
construire leurs demeures.

La calle de Preciados prit
son visage moderne au milieu
du xixᵉ siècle dans le cadre du
programme de rénovation
urbaine appelé *Ensanche*.
C'est ici qu'ouvrit la chaîne de
grands magasins El Corte
Inglés. La modeste boutique
de prêt-à-porter ouverte en
1840 par Ramón Areces s'est
transformée en un
établissement de huit étages

situé à l'extrémité sud de la
rue. À l'extrémité nord s'élève
l'immeuble moderne de la
FNAC. Entre les deux, des
boutiques chic voisinent avec
des vitrines au décor suranné.

Museo Cerralbo ⓰

Calle de Ventura Rodríguez 17.
Plan 1 C5. 🕿 91 547 36 46.
Ⓜ Plaza de España, Ventura
Rodríguez. ⬜ 10 h-14 h mar.-sam.,
10 h 30-13 h 30 dim. 🎦 🚫

Cet hôtel particulier de
la fin du xixᵉ siècle, proche
de la plaza de España, est un
monument à la mémoire
d'Enrique de Aguilera y
Gamboa, le dix-septième
marquis de Cerralbo. Ce
collectionneur passionné légua
en 1922 à l'État les œuvres et
objets d'art qu'il avait réunis
au cours de sa vie, depuis des
poteries ibères jusqu'à des
armes japonaises. Il exigea
toutefois qu'ils restassent
exposés tels qu'il les laissait.

Un *Saint François d'Assise*
par le Greco orne la chapelle,
tandis que la pinacothèque
abrite des œuvres plus
mineures de Ribera, Zurbarán,
Alonso Cano et Goya.

Escalier de l'exubérant Museo Cerralbo

Monument à Miguel de Cervantes, plaza de España

Plaza de España ⓱

Plan 1 C5. Ⓜ *Plaza de España.*

Important carrefour routier et lieu de rencontre apprécié des Madrilènes, la place d'Espagne descend en pente douce vers le Palacio Real *(p. 54-57)* et les jardins de Sabatini. Aux xviiie et xixe siècles, avant que le développement de la ville ne conduisît à ouvrir un espace public, une caserne occupait cet emplacement proche du palais.

La place prit son aspect actuel sous Franco avec la construction, entre 1947 et 1953, du massif **Edificio de España,** haut de 26 étages, entrepris par la société Metropolitana. Alors que l'Espagne subissait l'ostracisme des autres pays occidentaux, il fut présenté par le régime comme un succès de la politique d'autarcie. Dans l'aile est, le bâtiment abrite aujourd'hui l'hôtel Crowne Plaza *(p. 147)*. La Metropolitana édifia aussi, à l'angle de la plaza de España et de la calle Princesa, la **Torre de Madrid,** achevée en 1957. Surnommée *La Jirafa* (« la Girafe »), elle fut un temps le plus haut édifice en béton du monde.

Au centre de la place, un jardin entoure le monument à Cervantes élevé en 1927. Sous la statue du célèbre écrivain *(p. 131)*, Don Quichotte chevauche Rossinante, à côté de son valet Sancho Pança monté sur un âne. À gauche est représentée Dulcinée, paysanne dont le chevalier fit la « dame de ses pensées ».

Palacio del Senado ⓲

Plaza de la Marina Española. **Plan** 3 C1.
🕿 *91 538 10 00.* Ⓜ *Plaza de España, Ópera.* 🔲 *visites sur accord préalable.* 🚫 ♿

Créée en 1837, la chambre haute des Cortes, le Parlement espagnol, a pour siège un couvent du xvie siècle, remanié en 1814 pour remplir des fonctions laïques.

Cette adaptation comporta la couverture des cours du monastère pour créer des salles de réunion. Certaines, comme le Salón de los Pasos Perdidos (« salle des pas perdus »), abritent d'immenses peintures représentant de grands moments de l'histoire espagnole tels que la reddition de Grenade en 1492 ou le serment par la reine Marie-Christine de défendre la Constitution de 1897.

De style gothique anglais, la magnifique bibliothèque date du tournant du siècle. Ses rangs de meubles en métal noir ouvragé renferment 14 000 volumes, dont la première grammaire espagnole, la *Gramática* de Nebrija.

Le palais du Sénat a connu dès l'origine des problèmes de manque de place, et il a reçu en 1991 une aile circulaire moderne en granite et en verre. La vieille salle de réunion, aménagée dans l'ancienne église du couvent, ne sert plus que pour les grandes occasions.

Une ancienne église abrite une des salles de réunion du Sénat espagnol

Entrée imposante du Monasterio de la Encarnación

Monasterio de la Encarnación ⓳

Plaza de la Encarnación 1. **Plan** 3 C1.
🕿 *91 547 05 10.* Ⓜ *Ópera, Santo Domingo.* 🔲 *10 h 30-12 h 30, 16 h-17 h 30 mar.-jeu. et sam. ; 10 h 30-12 h 30 ven. et dim.* 📷 ♿

Fondé en 1611 par Marguerite d'Autriche, épouse de Philippe III, ce couvent dessiné par Juan Gómez de la Mora, l'architecte de la Plaza Mayor *(p. 44)*, borde une charmante place ombragée.

Des augustines occupent toujours le monastère. Il abrite une intéressante collection de peintures du xviie siècle comprenant notamment des œuvres de José de Ribera et Vincente Carducho. Parmi les statues en bois polychrome, remarquez le *Christ à la colonne* par Gregorio Fernández.

C'est toutefois la salle des reliques, au plafond peint par Carducho, qui constitue le principal intérêt de la visite. Des centaines de reliquaires aux décors très variés couvrent les parois. Une ampoule renferme le sang coagulé de saint Pantaléon supposé se liquéfier chaque 27 juillet, jour anniversaire de sa mort. Reconstruite en 1767 par Ventura Rodríguez après un incendie, l'église est ornée notamment de fresques par Francisco Bayeu, le beau-frère de Goya.

Palacio Real ⓴

Conçu pour impressionner, le Palais royal de
Madrid se dresse sur une hauteur dominant
le río Manzanares, à l'emplacement
qu'occupa pendant des siècles la forteresse
de l'alcazar, détruite par un incendie en 1734.
Philippe V commanda alors un
édifice grandiose. Sa construction
dura vingt-six ans, et la majeure
partie de sa riche ornementation
reflète les goûts de Charles III et
Charles IV (p. 16). Le Palacio Real
resta résidence royale jusqu'à
l'abdication d'Alphonse XIII en
1931. Il continue d'accueillir des réceptions
officielles, mais Juan Carlos Ier habite hors de Madrid
le palais de la Zarzuela, plus modeste.

Statue de Charles III

★ **La salle
à manger**
*Aménagée en 1879
et décorée de
magnifiques tapisseries
de Bruxelles, sa longue
table peut accueillir
145 convives.*

★ **La salle de
porcelaine**
*Les murs et le plafond
de cette salle, aménagée
sur l'ordre de Charles III,
sont entièrement couverts
de porcelaine de la
manufacture de Buen
Retiro.*

**Premier
étage**

**Le salon des
Colonnes,** orné
de bronzes du
xve siècle et de bustes
de la Rome impériale,
servait aux banquets
royaux.

★ **Le salon Gasparini**
*Nommé d'après son
créateur napolitain,
le salon Gasparini
présente une somptueuse
décoration rococo.
Un portrait de Charles IV
par Goya orne
l'antichambre voisine.*

À NE PAS MANQUER

★ La salle à manger

★ La salle de porcelaine

★ Le salon Gasparini

★ La salle du Trône

Plaza de la Armería
La place qui s'étend devant l'entrée principale doit son nom à l'Armurerie royale, dont la collection exceptionnelle comprend les armures de Charles Quint et Philippe II.

Entrée
Près d'une statue de Charles III, un escalier en marbre par Sabatini, dont le plafond est orné de scènes allégoriques par Giaquinto, conduit à l'étage principal.

Salle de billard

Salle des Hallebardiers

Entrée

Plaza de la Armería

Armurerie royale

MODE D'EMPLOI

Calle de Bailén. **Plan** 3 C2.
91 542 00 59. Ópera, Plaza de España. 3, 25, 33, 39, 148.
avr.-sept. : 9 h-18 h lun.-sam, 9 h-15 h dim. et j. fériés. ; oct.-mars : 9 h 30-17 h lun.-sam., 9 h-14 h dim. et j. fériés. pour les réceptions officielles.

Pharmacie
Elle a conservé ses tiroirs destinés aux herbes médicinales et des bocaux en faïence de Talavera. Son musée abrite des recueils de remèdes prescrits à la famille royale.

LÉGENDE

- ☐ Salles d'exposition
- ☐ Entrées
- ☐ Appartements de Charles III
- ☐ Chapelle
- ▨ Appartements de Charles IV

Billetterie

★ La salle du Trône
Elle possède un magnifique plafond peint par Tiepolo. Les deux trônes sont des reproductions exactes de ceux de Charles V.

À la découverte du Palacio Real

L e majestueux Palais royal occupe entre le vieux Madrid et le río Manzanares l'emplacement de l'alcazar, l'ancienne forteresse maure conquise par les chrétiens en 1085 *(p. 13)*. Après un important remaniement en 1561, elle devint la résidence de Philippe II jusqu'à l'achèvement d'El Escorial *(p. 122-125)* en 1584. Un incendie la ravagea la veille de Noël 1734, pendant le règne de Philippe V. Le premier souverain Bourbon d'Espagne n'en eut aucune peine. Il s'empressa de commander la construction d'un palais ressemblant plus à celui de Versailles où il avait grandi.

Le grand escalier compte 72 marches en marbre de Tolède

Façade principale du Palacio Real sur la plaza de la Armería

LE PALAIS

D essiné, pour l'essentiel, par l'Italien Giovanni Battista Sachetti, le bâtiment principal, bâti en granite et en calcaire blanc, forme un quadrilatère de 140 m de côté. Quelques éléments baroques agrémentent son architecture néo-classique. Le projet était si ambitieux que la construction, commencée en 1738, dura jusqu'en 1764, bien après le décès de Philippe V. C'est son fils Charles III qui fut le premier à s'installer au palais. Celui-ci resta la résidence officielle de la famille royale jusqu'au départ en exil d'Alphonse XIII en 1931, et les monarques qui s'y succédèrent apportèrent des modifications à la décoration intérieure et l'organisation des pièces. Le général Franco aimait prononcer des discours depuis le balcon dominant la plaza de Oriente *(p. 58)*.

La façade principale donne sur la **plaza de la Armería** qu'encadrent deux ailes commandées par Charles III et la cathédrale de la Almudena *(p. 59)*. Le fronton au-dessus de l'entrée porte une horloge et deux cloches. L'une d'elles, fondue en 1637, a survécu à l'incendie qui détruisit l'ancien alcazar.

L'ENTRÉE

L 'escalier d'apparat en marbre de Tolède donne immédiatement le ton du décor intérieur, avec son plafond allégorique peint par Giaquinto. Au 1er étage, des tapisseries et des peintures murales ornent le **Salón de los Alabarderos** (salle des Hallebardiers) qui jouxte le **Salón de Columnas** (salle des Colonnes), la pièce où se tenaient les banquets jusqu'à l'aménagement d'une nouvelle salle à manger au XIXe siècle. Le traité d'adhésion de l'Espagne à la Communauté européenne fut signé sur sa table aux pieds en forme de sphinx. Au mur, cinq tapisseries exécutées d'après les cartons de Raphaël et commandées à l'origine par le Vatican représentent des actes des apôtres.

Le **Salón del Trono** (salle du Trône) qui mène aux appartements de Charles III a conservé sa décoration rococo achevée en 1772. Les murs sont ornés de hauts miroirs aux riches dorures, sous un plafond baroque dû à Tiepolo. Les deux trônes sont récents (1977), mais les lions de bronze doré qui en gardent l'accès datent de 1651. La salle reste utilisée pour des cérémonies officielles comme l'audience royale du Día de la Hispanidad, la fête nationale célébrée le 12 octobre, ou l'accueil annuel du corps diplomatique en poste à Madrid.

Salle du Trône au plafond peint par Tiepolo

LES APPARTEMENTS DE CHARLES III

Les trois pièces visitées après la salle du Trône portent le nom du Napolitain Mattia Gasparini, qui en conçut la décoration. Elles faisaient partie des appartements du roi. Celui-ci prenait ses repas dans la **Sala de Gasparini.** L'**Antecámara de Gasparini** abrite quatre portraits par Goya de Charles IV et de Marie-Louise de Parme. La Cámara de Gasparini, où le roi s'habillait en présence de ses courtisans, est la seule à avoir conservé son aspect d'origine avec ses murs couverts de soie brodée.

Une petite pièce, la **Tranvía de Carlos III,** mène à l'ancienne chambre de Charles III. Dans la **Sala de Porcelana** (« salle de porcelaine »), de style baroque, de la porcelaine de la manufacture de Buen Retiro couvre murs et plafond. La **Salita Amarilla** (« salle jaune »), ornée de tapisseries, conduit à la salle à manger de gala.

Portait de Charles IV par Goya dans l'Antecámara de Gasparini

LA SALLE À MANGER

Aménagée en 1879, pendant le règne d'Alphonse XII, en réunissant plusieurs pièces des appartements de la reine, la salle de banquet du Palais royal possède une superficie de 400 m². Dorures, plafond peint, lustres de cristal,

Salle à manger de gala aménagée dans les anciens appartements de la reine

tapisseries flamandes, vases chinois et rideaux brodés composent une riche décoration. La table peut accueillir jusqu'à 145 convives. Les salles qui l'entourent abritent des médailles commémoratives, l'imposant milieu de table utilisé lors des réceptions, de l'argenterie, de la vaisselle et de la verrerie, ainsi qu'une très belle collection d'instruments de musique. Elle a pour fleurons des créations d'Amati et Stradivarius, les célèbres luthiers de Crémone.

LA CHAPELLE

Construite entre 1749 et 1757, la chapelle accueille toujours des offices religieux. Son décor somptueux présente surtout de l'intérêt pour les peintures de Giaquinto.

Les visiteurs passent ensuite par le **Salón de Paso** pour rejoindre les appartements de Marie-Christine (jadis ceux de Charles IV). Pendant le règne d'Alphonse XII, ces quatre petites pièces aveugles tenaient lieux de salle de billard, de fumoir, de chambre de la reine **(Salón de Estucos)** et de bureau **(Gabinete de Maderas de Indias).**

LA PHARMACIE ET L'ARMURERIE

Sur la plaza de la Armería, près de la billetterie, s'ouvre la **Botica Real** (pharmacie royale) fondée par Philippe II en 1594. Elle forme un dédale empli de pots et de fioles en verre et en porcelaine portant le nom de potions et de plantes médicinales.

De l'autre côté de la place, l'**Armería Real** (armurerie royale) occupe un pavillon bâti en 1897 après la démolition de l'armurerie d'origine. Ouverte au public depuis que Philippe II rapporta à Madrid la collection d'armes et d'armures de Charles Quint, elle peut être considérée comme le premier musée de la ville. Elle possède des pièces exceptionnelles, en particulier les armures personnelles de Charles Quint et de Philippe II, ainsi qu'un bel ensemble de fusils de chasse utilisés par les Bourbons.

Armure de Charles Quint

Statue équestre de Philippe IV, plaza de Oriente

Plaza de Oriente ㉑

Plan 3 C2. Ⓜ *Ópera.*

C'est Joseph Bonaparte qui fit détruire les immeubles situés à l'est du Palacio Real (p. 54-57) pour dégager cette place et ouvrir la perspective qu'elle offre sur le palais, mais les travaux d'aménagement ne s'achevèrent qu'en 1841 pendant le règne d'Isabelle II. Rois, reines et dictateurs utilisèrent le balcon qui domine la plaza de Oriente pour prononcer des discours lors de grandes occasions. Les effigies des premiers

souverains espagnols qui agrémentent les jardins devaient à l'origine décorer le toit mais se révélèrent trop lourdes. Pietro Tacca fondit à Florence en 1640 la statue équestre de Philippe IV, modelée d'après un portrait par Velázquez, qui orne le centre de la place.

Au sud-est, on trouve l'agréable **Café de Oriente** (p. 158).

Teatro Real ㉒

Plaza de Oriente. **Plan** 4 D2.
📞 91 516 06 00. Ⓜ *Ópera.*
📷 ♿ 🕙 10 h 30-13 h 30 sam., dim. et j. fériés. ⬤ août.

De style romantique, l'Opéra de Madrid obéit à un plan hexagonal irrégulier et dresse sa masse imposante en face du Palacio Real. Six niveaux en sous-sol servant de magasins complètent les neuf autres qui dominent d'un côté la plaza de Oriente, de l'autre la plaza Isabel II. S'il peut aujourd'hui représenter dignement la culture dans la trinité symbolique qu'il forme avec le Palais royal et la cathédrale de l'Almudena, c'est au prix de près de trois siècles d'efforts et d'obstination.
Une compagnie italienne

édifia dès 1708 un petit théâtre sur le site. Une salle plus ambitieuse le remplaça en 1735, mais le bâtiment souffrit de graves problèmes de fondations, causés par la présence de cours d'eau souterrains. À l'instigation de Ferdinand VII, il fut démoli en 1816 pour laisser place à un opéra moderne dont la construction fut si lente qu'Isabelle II eut le temps d'atteindre l'âge de vingt ans pour l'inaugurer en 1850, le jour de son anniversaire. Elle assista pour l'occasion à une représentation de *La Favorite* de Gaetano Donizetti. Il apparut toutefois que l'édifice n'échappait pas aux déboires de son prédécesseur et exigeait des réparations constantes.
Le Teatro Real resta néanmoins un des principaux pôles de la vie culturelle de la capitale jusque dans les années 20. Endommagé par une explosion pendant la guerre civile (p. 18),

Costume d'*Anne Boleyn*

il fut finalement fermé en 1988.

L'ambitieux projet de rénovation entrepris en 1991 connut à son tour des aléas. L'architecte succomba à une attaque cardiaque en inspectant les travaux, et c'est avec cinq ans de retard, et un gros dépassement de budget, que la grande salle ouvrit en octobre 1997 avec *Le Tricorne* de Manuel de Falla. En forme de fer à cheval, elle peut accueillir 1 630 spectateurs sur cinq niveaux et abrite une scène de 1 430 m². Un lustre pesant deux tonnes et demi éclaire son décor rouge et or.

Au deuxième étage du Teatro Real, quatre vastes foyers distribués autour du grand hall contiennent des tapisseries, des peintures, des miroirs et des antiquités. Les tapis étalés sur le sol ont été spécialement fabriqués pour le théâtre par l'atelier de Manuel Morón à Ciudad Real, au sud de Madrid.

La salle de l'opéra avec, au centre, la loge royale

Au même étage, le restaurant mérite également une visite. Il occupe l'ancienne salle de bal où Isabelle II organisa souvent d'élégantes réceptions. Des vitrines renferment des costumes d'*Aïda* composé par Giuseppe Verdi, et d'*Anne Boleyn* de Gaetano Donizetti. Le ciel étoilé du plafond a la même configuration que celui de Madrid la nuit de l'inauguration de l'Opéra. Le restaurant est ouvert à tout le monde du mardi au dimanche pour le thé (18 h 30) et le dîner (21 h), sauf les soirs de représentation où il faut assister au spectacle pour pouvoir y entrer.

Une agréable cafétéria offre du sixième étage une belle vue de la plaza de Oriente et du Palacio Real.

Iglesia de San Nicolás ㉓

Plaza de San Nicolás 1. **Plan** 3 C2. **C** 91 559 40 64. **Ópera.** ◯ 9 h-13 h 30, 18 h 30-20 h 30 lun. ; 18 h 30-20 h 30 mar.-sam. ; 10 h-14 h et 18 h 30-20 h 30 dim.

L a première mention de l'église San Nicolás apparaît dans un document de 1202. Sa tour en brique, le plus ancien édifice ecclésiastique de Madrid, qui

Tour en brique médiévale de l'Iglesia de San Nicolás

Nuestra Señora de la Almudena et le Palais royal

était peut-être à l'origine le minaret d'une mosquée, incorpore des éléments gothiques et mudéjars tels que des arcs en fer à cheval.

Nuestra Señora de la Almudena ㉔

Calle de Bailén 8-10. **Plan** 3 C2. **C** 91 542 22 00. **Ópera.** ◯ 10 h-13 h 30, 17 h-20 h lun.-sam. 10 h-14 h 30, 17 h-20 h dim. **&**

D édiée à la sainte patronne de Madrid, dont une image peinte au XVIᵉ siècle orne l'autel de la crypte, cette cathédrale ambitieuse, entreprise en 1879 sur des plans du marquis de Cubas, s'élève sur le site de la plus ancienne église de la ville. Sous la direction de plusieurs architectes, la construction du sanctuaire, de style néo-gothique derrière une façade néo-classique, a duré plus d'un siècle.

Plus loin dans la calle Mayor, des fouilles ont mis au jour des vestiges de murailles médiévales maures et chrétiennes.

Campo del Moro ㉕

Plan 3 A2. **Norte.** ◯ 10 h-20 h t.l.j.

L e Champ du Maure est un parc agréable aménagé sur la rive orientale pentue du río Manzanares. Il offre de belles vues du Palacio Real (*p. 54-57*).

Il doit son nom à l'armée conduite par Ali ben Yousouf qui bivouaqua en 1109 sur cet espace dégagé. Celui-ci servit ensuite aux chevaliers chrétiens pour leurs joutes, puis devint à la fin du XIXᵉ siècle une luxueuse aire de jeu pour les enfants de la famille royale. Transformé en parc à l'anglaise, avec des sentiers sinueux, des pelouses, des bosquets, des fontaines et des statues, il rouvrit au public en 1931 sous la Deuxième République (*p. 18*). Fermé pendant la dictature franquiste, il le resta jusqu'en 1983.

Dans sa partie inférieure, le Museo de Carruajes, fermé pour une durée indéterminée, abrite les anciens carrosses et véhicules royaux.

La Muralla Arabe, vestige des remparts maures

Muralla Arabe ㉖

Parque del Emir Mohamed I, Cuesta de la Vega. **Plan** 3 C3. Ⓜ *Ópera.* ◖ *de l'aube au coucher du soleil.*

En dehors de son nom, issu de l'arabe Mayrit, Madrid n'a guère conservé de son héritage maure que le petit pan de rempart appelé la Muraille arabe qui se trouve au sud de la cathédrale Nuestra Señora de la Almudena, au bas de l'abrupte rue Cuesta de la Vega. Les historiens pensent qu'une des portes principales de la forteresse musulmane s'ouvrait non loin. Le mur, construit avec des blocs de silex de taille et de forme variées, s'élève à plus de 3 m de hauteur le long d'un côté du Parque del Emir Mohamed, nommé d'après le chef maure qui fonda la ville.

Les fouilles qui en 1953 mirent au jour ce vestige du ıxᵉ siècle dégagèrent aussi un pan de rempart chrétien du xııᵉ siècle. De l'autre côté du mur, on peut découvrir depuis la Cuesta de la Vega des arcs en brique en forme de fer à cheval, un élément architectural hérité des Wisigoths qui occupèrent la péninsule du vᵉ au vıııᵉ siècle.

De l'autre côté de la rue, une plaque et une image de la Vierge indiquent l'endroit où aurait été retrouvée en 1085 la statue de la Virgen de la Almudena devenue la patronne de Madrid. « Almudena » dérive du mot arabe désignant un rempart extérieur.

L'été, des concerts en plein air ont lieu de temps en temps dans le Parque del Emir Mohamed I.

San Francisco el Grande ㉗

Plaza de San Francisco. **Plan** 3 B4. Ⓜ *La Latina, Puerta de Toledo.* ◖ *11 h–12 h 30, 16 h–18 h 30 mar.- ven.* **Capilla del Cristo de los Dolores** ◖ *11 h–13 h sam.* ✓

Ce majestueux sanctuaire néo-classique occupe l'emplacement d'un couvent franciscain qu'aurait fondé, selon la légende, saint François d'Assise en 1217. Le monastère prit de l'importance après que Philippe II eut fait

de Madrid la capitale de l'Espagne en 1561, et il se vit confier la « garde » des lieux saints conquis par les croisés.

Philippe III commanda en 1760 la construction d'une église beaucoup plus ambitieuse, et l'architecte Francesco Cabezas combla ses désirs en dessinant un édifice coiffé d'un dôme de 33 m de diamètre. Les problèmes que posa sa construction entraînèrent l'arrêt des travaux en 1768, et c'est Francesco Sabatini qui acheva l'édifice en 1784.

Transformée en caserne par le ministère des Affaires étrangères en 1835, la basilique devint peu après le Panthéon national. Les franciscains ne purent y revenir qu'en 1926.

Les tours jumelles qui dominent la façade abritent dix-neuf cloches dont onze forment un carillon. Juan Guas sculpta sous la direction d'Antonio Varela les scènes bibliques qui ornent les sept vantaux principaux en noyer. Le relief central au-dessus des portes montre la Foi et l'Espoir se prosternant aux pieds du Christ en croix, qu'encadrent les deux larrons crucifiés en même temps que lui.

À l'entrée de la nef, des anges en bronze supportent des bénitiers en marbre en forme de coquille Saint-Jacques. Les difficultés rencontrées pour restaurer les fresques et le plafond expliquent la présence d'échafaudages depuis 1973. La chapelle principale abrite cinq grandes peintures par Manuel Domínguez et Alejandro Ferrant, illustrant des épisodes de la vie de saint François. Les quatre évangélistes en bois et en plâtre imitant le bronze sont de Sanmartí et Molinelli. La

Sous la coupole de San Francisco el Grande, église riche en œuvres d'art plus intéressante des six chapelles latérales se trouve tout de suite à gauche de l'entrée. Elle renferme *Saint Bernardin de Sienne prêchant,* peinture où Goya s'est représenté (à droite), ainsi que des œuvres d'Andrés de la Calleja et d'Antonio González Velázquez. Sont également accessibles au public le cloître et la sacristie meublée de stalles platéresques du XVIe siècle provenant de la chartreuse d'El Paular.

Hermano Francisco Bautista dessina en 1562 la Capilla del Cristo de los Dolores nommée d'après une statue polychrome réputée pour ses miracles. Cette œuvre de Domingo de la Rioja se trouve aujourd'hui à Serradilla, après que Philippe V l'eut gardée quelque temps à l'alcazar, et la chapelle attenante à San Francisco del Grande en abrite une copie exécutée en 1643 par Diego Rodríguez.

Plaza de la Paja ㉘

Plan 4 D3. 🚇 *La Latina.*

Ancien pôle du Madrid médiéval, les environs de la plaza de la Paja ont gardé un certain cachet, malgré un environnement dégradé. Plusieurs édifices intéressants bordent cependant la place.

En montant depuis la calle de Segovia, un coup d'œil sur la gauche le long de la calle del Príncipe Anglona permet de découvrir la tour en brique de style mudéjar (XVe siècle) de l'**Iglesia de San Pedro.** Au-delà de la fontaine, les sobres murs en pierre de la **Capilla del Obispo** ferment la plaza de la Paja. Ce sanctuaire faisait jadis partie du Palacio Vargas voisin. Il abrite un superbe retable platéresque orné de sculptures par Francisco Giralte. Plus haut à gauche s'élève le dôme baroque de l'Iglesia de San Andrés.

Une succession de plusieurs places conduit à la plaza Puerta de Moros dont le nom rappelle qu'une communauté maure habitait jadis ce quartier. De là, la carrera de San Francisco descend jusqu'à l'imposante église San Francisco el Grande.

La Latina ㉙

Plan 4 D4. 🚇 *La Latina, Lavapiés.*

Les quartiers contigus de la Latina et de Lavapiés sont considérés comme le cœur du Madrid *castizo (p. 105),* terme qui désigne la culture traditionnelle des classes populaires de la ville, et leur attrait émane plus de leur atmosphère que de la qualité de leur architecture.

Bordées de hautes maisons étroites rénovées, le quartier a retrouvé une atmosphère agréable. Les rues pentues de la Latina courent à flanc de colline depuis la plaza Puerta de Moros jusqu'au marché aux puces d'El Rastro. À l'est, le quartier se mêle à celui de Lavapiés. De nombreux bars à l'ancienne subsistent aux alentours de la plaza de Tirso de Molina, ajoutant au charme de ce quartier de Madrid.

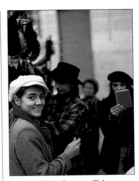

En quête d'une bonne affaire au marché aux puces d'El Rastro

El Rastro ㉚

Calle de la Ribera de Curtidores. **Plan** 4 E4. 🚇 *La Latina, Embajadores.* ⏰ 10 h-14 h dim. et j. fériés.

Fondé au Moyen Âge, le célèbre marché aux puces de Madrid *(p. 165)* s'étend depuis la plaza de Cascorro en direction du río Manzanares. Il a pour axe principal la calle de la Ribera de Curtidores, l'ancienne « rive des Tanneurs ».

Malgré ceux qui affirment que le Rastro a bien changé depuis son âge d'or au XIXe siècle, il attire toujours autant de Madrilènes et de visiteurs le dimanche matin. Ils y viennent souvent pour le simple plaisir de la promenade, et la foule est si dense vers midi qu'il vaut mieux vous y rendre de bonne heure si vous avez l'espoir de dénicher une bonne affaire sur les éventaires et dans les boutiques. Les stands proposent une immense gamme d'objets, des antiquités de prix à la fripe, en passant par des meubles neufs ou de l'artisanat.

Dans l'autre grande rue du marché, la calle de Ambajadores, se dresse la belle mais poussiéreuse façade baroque de l'**Iglesia de San Cayetano** (1722) dessinée par José Churriguera et Pedro Ribera. Ravagé par un incendie pendant la guerre civile, l'intérieur a été restauré. Plus loin, la **Real Fábrica de Tabacos,** entreprise d'État créée en 1809, occupe le n° 53. La combativité de ses employées est restée légendaire.

La plaza de la Plaja jadis au cœur du Madrid médiéval

LE MADRID DES BOURBONS

À l'est du vieux Madrid s'étendait jadis un espace de jardins connu sous le nom de Prado, la « Prairie ». Les Rois Catholiques *(p. 20)* y fondèrent au XVᵉ siècle un monastère près duquel les Habsbourg édifièrent un palais dont ne subsistent que quelques bâtiments, mais dont les jardins sont devenus le superbe Parque del Retiro *(p. 77)*. Les Bourbons choisirent ce quartier pour étendre et embellir la ville au XVIIIᵉ siècle. Autour du paseo del Prado, ils construisirent des places majestueuses ornées de fontaines, un arc de triomphe, l'hôpital qu'occupent les collections d'art moderne du Centro de Arte Reina Sofía et l'édifice qui allait devenir le Museo del Prado, l'un des plus grands et des plus riches musées d'art du monde.

LE QUARTIER D'UN COUP D'ŒIL

Bâtiments et monuments historiques
Ateneo de Madrid **17**
Banco de España **5**
Bolsa de Comercio **7**
Casa de Lope de Vega **20**
Círculo de Bellas Artes **13**
Congreso de los Diputados **16**
Edificio Metrópolis **15**
Estación de Atocha **30**
Hotel Palace **11**
Hotel Ritz **9**
Ministerio de Agricultura **27**
Observatorio Astronómico **28**
Palacio de Comunicaciones **3**
Palacio de Fernán Núñez **31**
Palacio de Linares **2**

Puerta de Alcalá **1**
Real Academia de la Historia **19**
Real Academia Española **23**
Teatro Español **18**

Musées
Centro de Arte Reina Sofía p. 86-89 **32**
Museo del Ejército **24**
Museo del Prado p. 80-83 **21**
Museo Nacional de Antropología **29**
Museo Nacional de Artes Decorativas **8**
Museo Naval **6**
Museo Thyssen-Bornemisza p. 70-73 **12**

Églises
Iglesia de San Jerónimo el Real **22**
Iglesia de San José **14**

Places et parcs
Parque del Retiro **25**
Plaza Cánovas del Castillo **10**
Plaza de Cibeles **4**
Real Jardín Botánico **26**

COMMENT Y ALLER
Le métro offre le meilleur moyen de circuler dans le Madrid des Bourbons. Les lignes 1, 2 et 4 desservent les principaux sites. Les bus les plus utiles comprennent le 14, le 15 et le 27.

LÉGENDE

Plan pas à pas *p. 64-65*

Ⓜ Station de métro

Gare ferroviaire

Arrêt de bus important

ℹ Information touristique

P Parc de stationnement

◁ **Le monument à Alphonse XII dans le parc du Retiro** *(p. 77)*

Le paseo del Prado pas à pas

Aménagée comme élégant lieu de promenade à partir de la fin du XVIIIᵉ siècle par Charles III, la large avenue plantée d'arbres du paseo del Prado attire aujourd'hui de nombreux visiteurs pour ses musées. Les amateurs d'art peuvent en effet admirer au Museo del Prado (juste au sud de la plaza Cánovas del Castillo) et au Museo Thyssen-Bornemisza deux des plus prestigieuses collections de tableaux du monde. Parmi les monuments grandioses construits sous Charles III figurent la Puerta de Alcalá et la Fuente de Cibeles qui se dressent au milieu de ronds-points où règne une intense circulation.

★ Plaza de Cibeles
Une statue de Cybèle, déesse de la Fertilité, domine sa fontaine ❹

Métro Banco de España

Iglesia de San José
Pedro Ribera dessina cette église baroque bâtie entre 1730 et 1742 ⓮

Banco de España
La Banque d'Espagne occupe un édifice dont une des trois façades donne sur la plaza de Cibeles ❺

Círculo de Bellas Artes
Cette institution fondée en 1880 abrite un théâtre, des ateliers d'artistes et un café dominant la calle de Alcalá ⓭

★ Museo Thyssen-Bornemisza
Le palais de Villahermosa, néo-classique (1806), abrite une collection exceptionnelle ⓬

Hôtel Palace
Cet élégant hôtel a eu pour clients de nombreux artistes, acteurs et hommes politiques ⓫

Museo del Prado

Plaza Cánovas del Castillo
Une statue de Neptune dans son chariot orne la fontaine au centre de cette vaste place ❿

À NE PAS MANQUER

★ Museo Thyssen-Bornemisza

★ Puerta de Alcalá

★ Plaza de Cibeles

0   100 m

★ Puerta de Alcalá
*Son éclairage rend
particulièrement belle
la nuit cette ancienne
porte de la ville
en granite* ❶

Palacio de Comunicaciones
*Ce bâtiment, siège des services
postaux espagnols, est souvent
comparé à une pièce montée* ❸

CARTE DE SITUATION
Voir l'atlas des rues, plans 7 et 8

Palacio de Linares
*Ce palais de la fin du
XIXe siècle, somptueusement
décoré, abrite désormais
la Casa de América,
maison de la culture
latino-américaine* ❷

**Museo Nacional de Artes
Decorativas**
*Ce musée fut fondé près du
Retiro en 1912 pour servir de
vitrine à la céramique et au
mobilier d'Espagne* ❽

Museo Naval
*Intégré au ministère de la
Marine, ce musée présente
une riche exposition
qui comprend des
reconstitutions de cabines
de navires* ❻

Bolsa de Comercio
*Dans l'élégant bâtiment
néo-classique de la Bourse,
les visiteurs peuvent assister
aux échanges depuis une
galerie* ❼

Hôtel Ritz
*Avec son intérieur Belle
Époque, le Ritz est un
des plus beaux palaces
d'Espagne* ❾

LÉGENDE

 Itinéraire conseillé

Perspective offerte par l'arche centrale de la Puerta de Alcalá

Puerta de Alcalá ❶

Plan 8 D1. 🚇 *Retiro.*

L e plus grandiose des monuments commandés par Charles III pour ennoblir l'est de Madrid se présente sous la forme d'un arc de triomphe néo-classique. Dessiné par Francesco Sabatini, il remplaça une porte baroque plus petite édifiée par Philippe III pour l'entrée dans la capitale de son épouse, Marguerite d'Autriche.

Décorée d'anges sculptés, la Puerta de Alcalá comprend cinq arches. Sa construction, en granite, commença en 1769 et dura neuf ans.

Jusqu'à la seconde moitié du XIXe siècle, la porte marqua la limite orientale de la ville, mais elle se dresse désormais au centre de la plaza de la Independencia. Son éclairage la rend particulièrement spectaculaire la nuit.

Palacio de Linares ❷

Paseo de Recoletos 2. **Plan** 8 D1.
📞 *91 595 48 00.* 🚇 *Banco de España.* 🕐 *11 h-19 h mar.-sam., 11 h-14 h dim.* 📷 🎦 🚫

E n 1873, Amédée Ier de Savoie *(p. 21)* remercia le banquier madrilène José de Murga de son soutien financier en lui accordant le titre de marquis de Linares ; ce dernier s'empressa de célébrer son entrée dans la noblesse en faisant construire une demeure au luxe le plus extravagant

jamais vu dans la capitale espagnole. Partout à l'intérieur, dorures, marqueteries, dallages de marbre, lustres étincelants, fresques allégoriques et nymphes dévêtues composent une exubérante décoration rococo.

Les pièces les plus remarquables, la salle à manger de gala, la salle de bal, le Salón China et la chapelle de style byzantin, se trouvent au premier étage. Le jardin renferme le Pabellón Romántico, un pavillon en bois digne d'un conte de fées, aussi appelé la Casa de Muñecas (« Maison de poupées »).

La fortune de la famille déclina après la mort du marquis et le palais était presque à l'abandon en 1977. Le gouvernement espagnol décida de le sauver quand Madrid remplit la fonction de capitale européenne de la culture en 1992. L'entrée principale borde la plaza de Cibeles mais ne sert qu'en de grandes occasions. L'accès du public se fait par l'entrée latérale du paseo de Recoletos. Le bâtiment abrite la **Casa de América,** une association culturelle qui s'efforce de promouvoir l'art, la littérature et le cinéma latino-américains, ainsi qu'un restaurant chic, **Paradis,** succursale d'une chaîne catalane qui possède un autre établissement dans la calle del Marqués de Cuba *(p. 160).*

Palacio de Comunicaciones ❸

Plaza de Cibeles. **Plan** 7 C2. 🚇 *Banco de España.* **Post Office** 🕐 *8 h-21 h lun.-ven., 8 h 30-14 h sam.* **Musée** 📞 *91 396 26 79.* 🕐 *9 h-14 h, 17 h-19 h lun.-ven., 9 h-14 h sam.*

L e siège des services postaux espagnols occupe, à l'angle de la plaza de Cibeles et de la calle de Alcalá, un bel édifice construit entre 1905 et 1917 par Antonio Palacios et

souvent comparé à une pièce montée. Il abrite la poste centrale qui conserve des pupitres en bois et en bronze sur lesquels rédiger son courrier ou remplir un formulaire. L'entrée du **Museo Postal y Telegráfico** se trouve dans la calle de

Boîte aux lettres du Palacio de Comunicaciones

Montalbán. Ce musée peu connu présente une collection variée illustrant l'histoire de la poste avec, entre autres, des timbres, des uniformes de postier, des bicyclettes et des boîtes aux lettres. Elle comprend aussi des pièces plus curieuses tels qu'un pigeon voyageur empaillé, une cage destinée à l'envoi d'abeilles et une lettre écrite sur du pain par un soldat à court de papier. Il y a aussi des enveloppes à l'adresse codée qui ne pouvaient être distribuées qu'après décryptage, une pratique interdite dans les années 70.

Salle de bal rococo du Palacio de Linares

Plaza de Cibeles ❹

Plan 7 C1. Ⓜ *Banco de España.*

Important carrefour de
circulation au croisement du
paseo del Prado et de la calle
de Alcalá, la plaza de Cibeles
est non seulement une des
places les plus célèbres de
Madrid, elle est aussi une des
plus belles.

Elle doit son nom à la
fontaine de Cybèle, devenue
un symbole de la ville, qui se
dresse en son centre. Dessinée
à la fin du XVIIIe siècle par
José Hermosilla et Ventura
Rodríguez, elle est ornée
d'une statue représentant la
Grande Mère des dieux dont
le culte, originaire d'Asie
Mineure, se répandit dans
l'Empire romain.

Quatre édifices importants
bordent la place. Le plus
impressionnant, le **Palacio de
Comunicaciones,** a reçu le
surnom ironique de « Notre-
Dame des Communications ».
Sur le côté nord-est de la
place se dresse la façade en
pierre du **Palacio de Linares.**
Dans l'angle nord-ouest, au
sein d'agréables jardins, le
**Cuartel General del Ejército
de Tierra** (« Quartier général
de l'armée de terre ») occupe
les bâtiments de l'ancien
Palacio de Buenavista
commandé en 1777 par la
duchesse d'Albe.

Dans l'angle opposé, la
Banco de España, de style
Renaissance, édifié entre 1884
et 1891, forme tout un pâté de
maisons.

Banco de España ❺

Paseo del Prado 2. **Plan** 7 C2. 📞 *91
338 53 65.* Ⓜ *Banco de España.*
🕐 *visites guidées seul. 9 h 30 et 11 h 30
lun., mer. et jeu. (écrire au moins une
semaine à l'avance au Servicio de
Protocol, Banco de España, Alcalá 50,
Madrid 28014).* 🚫

La construction de
l'immeuble de la Banque
d'Espagne, institution fondée
en 1856, se fit en trois étapes,
de nouvelles ailes venant
compléter la partie la plus
ancienne bâtie entre 1882 et
1891 à l'angle de la plaza de
Cibeles. L'entrée principale

La Fuente de Cibeles et el Palacio de Cinares à l'arrière-plan

borde le paseo del Prado et
ne sert que lors d'occasions
solennelles.

Des scènes mythologiques et
allégoriques en vitrail éclairent
le grand escalier en marbre de
Carrare. Il conduit au Patio de
Reloj, la vaste salle Art déco
qui abrite les guichets sous
une verrière. La bibliothèque,
ouverte aux chercheurs,
occupe une autre grande salle
entièrement décorée de
filigranes en fer forgé peintes
en blanc cassé. Il existe une
deuxième bibliothèque, plus
petite et plus ancienne,
meublée de rayonnages en
acajou.

La banque possède une
riche collection de
tapisseries, de peintures
et d'antiquités. Elles
ornent les salles de
réunion et les
corridors. Les
plus belles
œuvres
comprennent un
premier tirage de
la *Tauromaquia,*
une série de
gravures par Goya.
Une pièce circulaire
renferme également
huit tableaux du
maître dont des portraits de
Charles IV et de divers
gouverneurs de la banque. *Le
Comte de Fiorabinda dans
l'atelier de l'artiste* montre le
peintre regardant son visiteur
plutôt que le spectateur.

Sous le Patio del Reloj, une
salle enterrée à 30 m de
profondeur et inaccessible au
public abrite la chambre forte
contenant la réserve d'or. Une
douve l'entoure. Avant
l'installation d'équipement de

sécurité sophistiqué,
la conception de la salle
prévoyait qu'on puisse
l'inonder à la moindre menace
de vol.

Museo Naval ❻

Paseo del Prado 5. **Plan** 7 C2. 📞 *91
379 52 99.* Ⓜ *Banco de España.*
🕐 *10 h 30-13 h 30 mar.-dim.*
⬤ *août.* 🚫

Extension en verre teinté du
ministère de la Marine bâtie
en 1977, le Musée naval
retrace, dans 18 salles
d'exposition, la longue
histoire maritime de
l'Espagne au travers
d'objets tels que figures
de proue, amphores,
globes terrestres,
astrolabes,
sextants et
boussoles. Il
possède une
riche collection
de maquettes
souvent
contemporaines
des navires eux-
mêmes. Parmi les
cartes, ne manquez
pas celle dressée en
1500 pour Isabelle et
Ferdinand, les Rois
Catholiques *(p. 20),* la
première où figura l'Amérique.

Le musée abrite aussi des
armes utilisées lors de la
conquête du Nouveau Monde,
ainsi qu'un morceau de tronc
d'arbre sur lequel Hernán
Cortés se serait reposé après
La Noche Triste, la « nuit triste »
de 1520 où il dut fuir avec ses
hommes la capitale aztèque
de Tenochtitlán.

**Astrolabe
du Museo Naval**

La Bolsa de Comercio vue de la galerie

Bolsa de Comercio ❼

Plaza de la Lealtad 1. **Plan** 7 C2.
📞 91 589 14 08. 🚇 Banco de España. ⬡ visites guidées sur r.-v., 11 h lun.-ven. 🔴 sam., dim. et j. fériés. ⓧ

Fondée en 1831, la Bourse de commerce de Madrid déménagea onze fois, dans des locaux le plus souvent inadaptés (il y eut même un couvent), avant de s'installer en 1893 dans l'édifice bâti spécialement pour l'accueillir, qu'elle occupe toujours. Sa construction, sur des plans d'Enrique María Repullés y Vargas, prit plus de six ans et coûta environ trois millions de pesetas. La façade néo-classique et l'entrée principale décorée de six colonnes corinthiennes monumentales engloutirent à elles seules près d'un tiers de cette somme.
Les transactions ont lieu dans la **Sala de Contratación,** vaste espace voûté de près de 1 000 m² de superficie. Une horloge néo-baroque trône au centre sur un haut socle de marbre. Les visiteurs peuvent suivre les opérations depuis le

Salón de los Pasos Perdidos, une galerie au premier étage utilisée aussi pour des expositions sur l'histoire de l'institution.

Museo Nacional de Artes Decorativas ❽

Calle de Montalbán 12. **Plan** 8 D2.
📞 91 532 64 99. 🚇 Retiro.
⬡ 9 h-15 h mar.-ven., 10 h-14 h sam., dim. et j. fériés. 🈺 ♿

Installé dans un palais du XIXᵉ siècle dominant le Parque del Retiro, le musée national des Arts décoratifs présente sur cinq niveaux une intéressante collection de meubles et d'objets d'art dont les plus anciens remontent à l'époque phénicienne.
Une cuisine valencienne du XVIIIᵉ siècle ornée de 1 500 carreaux de Manises représentant une scène domestique constitue un des clous de la visite, mais l'exposition permet aussi de découvrir des céramiques de Talavera de la Reina ainsi que des bijoux et des ornements extrême-orientaux.

Hotel Ritz ❾

Plaza de la Lealtad 5. **Plan** 7 C3.
📞 91 521 28 57. 🚇 Banco de España. ⬡ ♿

Commandé en 1906 par Alphonse XIII, qui estimait manquer d'établissements de luxe où recevoir les invités à son mariage, l'hôtel Ritz a la réputation d'être le palace le plus somptueux d'Espagne.
Des tapis tissés à la main à la Real Fábrica de Tapices *(p. 112)* parent les chambres qui possèdent chacune une superbe décoration. Ce luxe a bien entendu une influence sur les tarifs pratiqués.
C'est au Ritz, transformé en hôpital au début de la guerre civile *(p. 18)*, que le leader anarchiste Buenaventura Durruti mourut de ses blessures en 1936.

Plaza Cánovas del Castillo ❿

Plan 7 C3. 🚇 Banco de España.

Ce rond-point où règne une intense circulation porte le nom du Premier ministre espagnol assassiné en 1897.
Une statue de Neptune debout dans un char tiré par deux chevaux domine la fontaine au centre de la place. Juan Pascual de Mena la sculpta en 1780 sur les dessins de Ventura Rodríguez dans le cadre du projet d'embellissement de la partie orientale de Madrid, décidé par Charles III *(p. 20)*.

Fuente de Neptuno

Élégance raffinée dans la Rotonde de l'hôtel Palace

Hotel Palace ⓫

Plaza de las Cortes 7. **Plan** 7 B3.
📞 91 360 80 00. 🚇 Sevilla. ♿

Alphonse XIII regrettait que sa capitale ne dispose pas d'hébergements aussi luxueux que les autres métropoles européennes, et il encouragea activement le projet de construction de cet hôtel, ouvert en 1912 sur le site de l'ancien palais du marquis de Medinaceli. Il abrita pendant la guerre civile un hôpital et un refuge pour les sans-abri, ainsi que l'ambassade d'Union soviétique.

Pendant de nombreuses années, Madrid n'eut pas d'autres hôtels de standing que le Palace et le Ritz, inauguré deux années plus tard, mais alors que le Ritz était réservé à ses hôtes, qui n'auraient jamais osé se risquer hors de leur chambre sans une cravate, le Palace, plus décontracté, devint un lieu de rendez-vous apprécié des Madrilènes car il était ouvert à tous. Il fut ainsi le premier établissement où des dames purent prendre le thé sans être accompagnées. Le **Palace Bar,** décoré de boiseries, et la **Rotonde,** éclairée par une immense verrière, restent très fréquentés.

Espions, hommes d'État et artistes se sont côtoyés et continuent de se croiser au Palace, et il eut entre autres pour clients Henry Kissinger, Mata Hari, Ernest Hemingway, Orson Welles, David Bowie, Richard Attenborough, Michael Jackson et Salvador Dalí. Ce dernier crayonna un soir des dessins lubriques sur les murs de sa chambre... La femme de chambre les effaça le lendemain.

En 1997, une importante rénovation a doté l'hôtel d'un solarium et d'un centre de remise en forme sur le toit.

Museo Thyssen-Bornemisza ⓬

Voir p. 70-73.

Café La Percera du Círculo de Bellas Artes

Círculo de Bellas Artes ⓭

Calle del Marqués de Casa Riera 2. **Plan** 7 B2. 📞 91 360 54 00. 🚇 Banco de España, Sevilla. 🕐 10 h-22 h. 🔴 août. 🎫 sur r.-v. 🚫

Le cercle des Beaux-Arts, fondation culturelle créée en 1880, occupe depuis 1926 un immeuble de six étages dessiné par Antonio Palacios, l'architecte du Palacio de Comunicaciones voisin (p. 66). L'édifice abrite un théâtre, une vaste salle de bal, des salles d'exposition et des ateliers mis à la disposition de peintres et de sculpteurs. L'institution propose un programme régulier d'expositions, d'ateliers et de conférences, et accueille des manifestations comme le bal masqué de carnaval qui a lieu en février.

Un droit d'entrée symbolique donne accès à certaines parties du bâtiment dont le café, baptisé **La Pecera** (« l'aquarium ») à cause de sa grande vitre panoramique, est un excellent poste d'observation d'où contempler la calle de Alcalá. Il y a aussi un cinéma qui possède une entrée séparée.

Iglesia de San José ⓮

Calle de Alcalá 43. **Plan** 7 B1. 📞 91 522 67 84. 🚇 Banco de España. 🕐 7 h-13 h 30, 18 h-20 h 30 t.l.j.

Cette église appartenait à l'origine à un couvent de carmélites fondé en 1605 et elle connut une première reconstruction pendant le règne de Philippe V (1724-1746). Le monastère fut démoli en 1863 pour faire place à un théâtre. Le 10 mars 1908, Alphonse XIII frappa symboliquement le sanctuaire avec une pioche pour inaugurer les travaux de percement de la Gran Vía. Ceux-ci entraînèrent un nouveau remaniement de l'Iglesia de San José. Une grande partie de ses trésors se trouve désormais au Prado (p. 80-83), mais une belle statue de la Virgen del Carmen orne sa façade. Le maître-autel néo-classique et les chapelles latérales baroques conservent quelques œuvres d'art intéressantes. Beaucoup sont du sculpteur français Robert Michel qui exécuta les lions de la fontaine de Cybèle (p. 67). La maison attenante, au n° 41, reste appelée la **Casa del Párroco** (« presbytère »).

Museo Thyssen-Bornemisza 12

À partir des années 20, le baron Heinrich Thyssen-Bornemisza, puis son fils Hans Heinrich, ont constitué un ensemble de peintures considéré par de nombreux spécialistes comme la collection d'œuvres d'art privée la plus importante du monde. Conçue dans le but d'illustrer l'histoire de l'art occidental depuis les primitifs italiens et flamands jusqu'aux mouvements picturaux modernes tels que l'expressionnisme et le pop art, la collection se compose de quelque 800 tableaux et comprend, à côté de toiles d'artistes moins connus, des chefs-d'œuvre de Titien, Goya, Van Gogh et Picasso. Installée en 1992 dans le palais néo-classique de Villahermosa (XVIIIe-XIXe siècles), elle fut cédée à l'État espagnol l'année suivante.

★ **Vierge de l'arbre sec** (v. 1450)
Sur ce petit panneau du maître de Bruges Petrus Christus, le « a » signifie « Ave Maria ».

★ **Arlequin au miroir**
Le personnage d'Arlequin revient souvent dans l'œuvre de Picasso. Selon certains avis, ce tableau de 1923, typique de sa période classique, serait un autoportrait.

À NE PAS MANQUER

★ *Vierge de l'arbre sec* **par Christus**

★ *Arlequin au miroir* **par Picasso**

★ *Vénus et Cupidon* **par Rubens**

SUIVEZ LE GUIDE !
Le musée occupe trois niveaux autour d'une cour intérieure couverte. L'exposition commence au deuxième étage où elle s'étend des primitifs italiens jusqu'à l'art du XVIIe siècle. Elle se poursuit, au premier étage, de la peinture hollandaise du XVIIe siècle à l'expressionnisme allemand. Le rez-de-chaussée est consacré au XXe siècle.

Chambre d'hôtel (1931)
Dans cette œuvre caractéristique de la démarche du réaliste américain Edward Hopper, la sobriété du décor renforce l'impression de solitude.

Portrait du baron Thyssen-Bornemisza
L'un des plus grands peintres actuels, Lucian Freud, a représenté entre 1981 et 1982 le collectionneur devant un tableau de Watteau.

★ **Vénus et Cupidon**
Toute la sensualité du maître flamand Rubens s'exprime dans cette image de la beauté idéale peinte après 1629.

MODE D'EMPLOI

Paseo del Prado 8. **Plan** 7 C2.
91 369 01 51. Banco de España, Sevilla. 1, 2, 5, 9, 14, 15, 20. 10 h-19 h mar.-dim.
http://www.offcampus.es/museo.thyssen-bornemisza

Saint Jérôme au désert
(v. 1575)
Les couleurs sombres dominent les dernières œuvres de Titien, tel ce tableau qui montre saint Jérôme en pénitent méditant sur la Passion du Christ.

Sainte Casilde *(v. 1630)*
Surtout connu pour ses portraits de moines, Francisco de Zurbarán fait preuve ici de sa maîtrise du clair-obscur pour mettre en relief les couleurs de la robe de la sainte.

Entrée principale

LÉGENDE

☐ Rez-de-chaussée
☐ Premier étage
☐ Deuxième étage
☐ Circulations et services

Paysage d'automne en Oldenburg
Karl Schmidt-Rottluff peignit ce paysage d'Allemagne du Nord deux ans après avoir fondé en 1905, le groupe expressionniste Die Brücke.

À la découverte du Thyssen-Bornemisza

L'exposition du musée Thyssen-Bornemisza offre en 800 tableaux un saisissant résumé de l'évolution de l'art occidental depuis le XIVᵉ siècle. La majorité des grandes écoles de peinture sont représentées et la collection, où le portrait tient une grande place, complète à merveille celle du Prado dans des domaines tels que les primitifs italiens, la peinture américaine du XIXᵉ siècle, l'impressionnisme et l'expressionnisme. L'itinéraire recommandé pour la découvrir suit l'ordre chronologique en partant du deuxième étage.

Jeune Chevalier dans un paysage **(1510) par Carpaccio**

Christ et la Samaritaine **(1311) par Duccio**

LES PREMIERS PAS DE LA RENAISSANCE

L a peinture des primitifs italiens de la salle 1 reste profondément marquée par le symbolisme religieux mais, en 1311, Duccio di Buoninsegna cherche déjà à donner réalisme et profondeur au *Christ et la Samaritaine*.

Les influences circulent dans l'Europe du Moyen Âge, et la salle 2 montre avec des œuvres telle l'*Assomption* (v. 1457) de Koerbecke comment l'école italienne marque alors l'art gothique. La salle 3 abrite deux joyaux hollandais de la collection : le *Diptyque de l'Annonciation* (v. 1435-1441) de Jan Van Eyck et la *Vierge de l'arbre sec* (v. 1450) de Petrus Christus.

La révolution esthétique de la Renaissance prend son essor en Italie au début du XVᵉ siècle. Elle puise aux sources de la sculpture antique comme l'illustre bien en salle 4 le *Christ ressuscité* de Bramantino. Les mécènes commandent des portraits et la salle 5 en contient de magnifiques, dont celui d'Henri VIII d'Angleterre (v. 1534-1536) par Holbein.

DE LA RENAISSANCE AU BAROQUE

A lors que l'art du Moyen Âge avait une vocation presque exclusivement religieuse, la Renaissance met en avant l'homme, même si le décor reste très empreint de symbolisme, tel celui du *Jeune Chevalier dans un paysage* (1510) de Carpaccio. Il se trouve dans la salle 7, qui renferme aussi un *Portrait de jeune homme* (v. 1515) par Raphaël.

Les salles 8, 9 et 10 sont consacrées aux peintres allemands et hollandais du début du XVIᵉ siècle. Dans la salle 11, le *Saint Jérôme au désert* (v. 1575) de Titien voisine avec des tableaux du Tintoret et du Greco.

La salle 12 illustre les débuts du baroque dont les représentants, tels le Caravage et le Bernin, donnent à leurs œuvres une dimension théâtrale. Ce style naît à Rome à l'époque de la Contre-Réforme, mais gagne bientôt une grande partie de l'Europe, comme le montre l'exposition des salles 13 à 15. Il profite en Espagne de l'effervescence créatrice du Siècle d'or. Murillo peint ainsi sa *Vierge à l'Enfant avec sainte Roseline de Palerme* vers 1670.

Les salles 16 à 18 consacrées à l'art italien du XVIIIᵉ siècle abritent notamment des vues du Grand Canal de Venise par Canaletto et Francesco Guardi.

PEINTURES HOLLANDAISES ET FLAMANDES

L a collection de peintures flamandes et hollandaises du XVIIᵉ siècle est très intéressante. La salle 19 réunit des tableaux

Ésaü vendant son droit d'aînesse **(v. 1627) par Hendrick ter Brugghen**

de maîtres flamands tels que Jan Bruegel et Van Dyck et compte parmi ses fleurons *Vénus et Cupidon* (v. 1629) de Rubens.

La différence grandissante entre l'école des Flandres et celle des Pays-Bas apparaît lorsqu'on compare ces œuvres avec les salles 20 et 21, qui ont pour thème l'influence italienne sur la peinture hollandaise. Elles renferment notamment *Ésaü vendant son droit d'aînesse* (v. 1627) de Brugghen. Au premier étage, les paysages, portraits et scènes de la vie quotidienne exposés dans les salles 22 à 26 comprennent la remarquable *Famille devant un paysage* (v. 1645-1648) de Frans Hals et *Le Tambour espiègle* (v. 1655) de Nicolas Maes, un élève de Rembrandt. La salle 27 abrite des natures mortes hollandaises du XVIIᵉ siècle.

Waverly Oaks (1864) par Winslow Homer

DU ROCOCO AU RÉALISME

L e style rococo conquiert l'Europe au début du XVIIIᵉ siècle. Surtout connu pour son influence sur les Arts décoratifs, le rococo privilégie en peinture la grâce et les sujets légers. *La Toilette* (1742) de François Boucher, et *Le Repos* (v. 1709) et *Pierrot content* (v. 1712) d'Antoine Watteau, accrochés en salle 28, en sont des exemples.

Les artistes américains du XIXᵉ siècle présentés en salles 29 et 30 restent marqués par leurs origines européennes.

Leurs toiles témoignent de la fascination qu'ils éprouvent pour les beautés naturelles du continent qu'ils conquièrent et dont ils cherchent, à l'instar de Thomas Cole, à rendre la majesté. Les premiers grands peintres américains ne s'imposent toutefois qu'après la guerre de Sécession. Winslow Homer utilise la couleur avec raffinement dans des scènes rurales telles que *Waverly Oaks* (1864). James Whistler et John Singer Sargent font carrière à Paris et à Londres.

L'Europe, pendant ce temps, entre en réaction contre la rigueur du néo-classicisme pour s'abandonner aux vertiges du romantisme. La salle 31 abrite aussi trois tableaux de Francisco de Goya et des œuvres qui montrent l'évolution vers le réalisme, en particulier *L'Écluse* (1824) de l'Anglais John Constable.

LES MAÎTRES MODERNES

L 'année 1874 est une des grandes dates de l'histoire de l'art. Refusé par les Salons parisiens officiels, un groupe de jeunes peintres expose alors dans la galerie du photographe Nadar. Leurs tableaux font scandale et la réaction outragée de la critique leur vaut le surnom d'impressionnistes. Ils viennent d'ouvrir à la création picturale un espace de liberté qu'elle n'avait jamais connu. Les plus grands artistes de cette époque, de Manet à Renoir, Sisley et Monet, sont représentés dans les salles 32 et 33 par des œuvres d'une qualité exceptionnelle telles que *Danseuse se baissant* (1877-1879) par Degas, *Les Vessenots à Auvers* (1888) de Vincent Van Gogh, *Gaston Bonnefoy* (1891) de Toulouse-

***Danseuse se baissant* (1877-1879) par Degas**

Lautrec, *Mata Mua* (v. 1892), un Gauguin de la période polynésienne, et *Portrait d'un paysan* (v. 1900) de Cézanne.

La salle 34 offre un aperçu du fauvisme, école éphémère du début du XXᵉ siècle que caractérisent de violents contrastes de couleurs.

Né en Allemagne autour du groupe Die Brücke (« le Pont ») fondé à Dresde en 1905, le mouvement expressionniste réunit des peintres qui cherchent, en puisant dans leurs propres émotions, à en susciter chez le spectateur. Avec plus de 50 tableaux (salles 35 à 40), la collection lui accorde une place particulièrement importante. On remarquera, entre autres, *Paysage d'automne en Oldenburg* (1907) de Karl Schmidt-Rottluff.

Consacrées à l'art moderne et contemporain, les 8 salles du rez-de-chaussée (41 à 48) développent trois thèmes : « avant-garde expérimentale », « la synthèse du moderne » et « surréalisme, tradition figurative et pop art ». C'est là qu'on peut admirer l'*Arlequin au miroir* (1923) de Picasso et *Chambre d'hôtel* (1931) d'Edward Hopper.

Coupole de style parisien de
l'Edificio Metrópolis

Edificio Metrópolis **⑮**

Calle de Alcalá 39. **Plan** 7 B1.
Ⓜ *Sevilla.* ● *au public.*

D'influence
indiscutablement
française, cet immeuble, qui
ne déparerait pas un grand
boulevard parisien, se dresse
comme une proue de navire à
la jonction de la calle Alcalá et
de la Gran Vía *(p. 48)*. Jules et
Raymond Février le
construisirent en 1911 pour
une compagnie d'assurances,
l'Unión y el Fenix Español.
Les colonnes jumelées qui
ornent ses étages supérieurs
supportent des sculptures
allégoriques du Commerce, de
l'Agriculture, de l'Industrie et
de l'Exploitation minière. Le
sommet de la coupole
d'ardoise noire parée de

dorures, qui couronne la tour
d'angle, est coiffé d'une
victoire ailée. À l'origine,
s'élevait une statue en
bronze du phénix, l'oiseau
mythologique, que
chevauchait une figure
humaine aux bras levés
représentant Ganymède,
l'échanson des dieux. C'était le
symbole de l'Unión y el Fenix
Español et la compagnie
décida de le transporter
jusqu'à son nouveau siège du
paseo de La Castellana quand
elle vendit le bâtiment au
début des années 70 à son
actuel propriétaire, l'assureur
Metrópolis. La sculpture trône
maintenant dans le jardin de
l'immeuble moderne de
l'Unión y el Fenix Español.
Devant la tour ronde de
l'Edificio Metrópolis, « La
Violetera », petite statue d'une
jeune femme portant un panier
de violettes, passe presque
inaperçue. Elle évoque un
personnage populaire : une
vendeuse de violettes qui, à la
sortie de l'hiver, proposait ses
bouquets après la
représentation au public
fréquentant les théâtres de la
Gran Vía. Elle a inspiré une
zarzuela dont fut tiré un film
qu'interprétait Sarita Montiel.
Le socle de la sculpture porte
une inscription : « Como ave
precursora de primavera, en
Madrid aparece la violetera ».
(« Comme un oiseau
annonçant le printemps,
apparaît à Madrid la vendeuse
de violettes ».)

Congreso de los Diputados **⑯**

Plaza de las Cortes. **Plan** 7 B2.
📞 *91 390 60 00.* **Ⓜ** *Sevilla.*
● *10 h-12 h 30 lun.-sam. sur r.-v.*
∅ ♿

A chevé en 1850 sur le site
d'un ancien couvent,
l'imposant édifice où siège le
Parlement espagnol est
également connu sous le nom
de Palacio de las Cortes. En
1981, un colonel de la garde
civile y prit en otage les
députés dans l'espoir de
déclencher un coup d'État
militaire *(p. 19)*. L'intervention
du roi Juan Carlos entraîna
son échec et affirma le
caractère irréversible de la
démocratie en Espagne.

Lion gardant le Parlement

Ateneo de Madrid **⑰**

Calle del Prado 21. **Plan** 7 B2.
📞 *91 429 17 50.* **Ⓜ** *Antón Martín,
Sevilla.* ● *9 h-13 h lun.-sam., 9 h-22 h
dim. et j. fériés.* **▨**

F ondée officiellement en
1835, cette association
littéraire, artistique et
scientifique a toujours
défendu des valeurs libérales
qui l'obligèrent à fermer en
période dictatoriale. À
l'intérieur du bâtiment, le
grand escalier, le hall orné de
portraits d'anciens membres,
les bibliothèque et salles de
lecture donnent une
atmosphère studieuse à un
club où se retrouvent
politiciens et intellectuels.

LA TERTULIA

Intérieur du Café Comercial

L'Ateneo de Madrid fut l'un
des nombreux cadres où
prospéra une institution
spécifiquement madrilène,
la tertulia, groupe de gens
partageant des intérêts
communs qui se réunissaient
pour parler de sujets aussi
divers que la politique, l'art ou
la tauromachie. Sans atteindre
le formalisme de véritables
clubs, tout en dépassant le
cadre de la simple discussion entre amis, les *tertulias* étaient
au XIXᵉ siècle une source importante de nouvelles, d'idées,
de ragots... Et de complots ! Nombre des grands cafés où se
retrouvaient leurs membres ont disparu, tels le Pombo, l'El
Oriental ou la Paix. Parmi ceux à avoir survécu, le Café
Comercial sur la glorieta de Bilbao et le Café Gijón *(p. 94)*
de la calle Recoletos font partie des plus célèbres.

La zarzuela – l'opérette espagnole

Descendante directe de l'opéra, comique italien, la *zarzuela* était à l'origine un divertissement royal, puis le petit peuple se l'est appropriée pour en faire une forme d'art dramatique caractéristique de Madrid. Son nom dérive du Palacio de la Zarzuela, situé à l'extérieur de la ville, où réside actuellement Juan Carlos Ier. Les premières *zarzuelas* furent données pendant le règne de Philippe IV au XVIIe siècle, mais elles perdirent les faveurs de la cour à l'avènement des Bourbons *(p. 15)* qui préféraient le véritable opéra, et c'est dans les

Statue de La Violetera

corrales de comedias, les théâtres populaires de la capitale espagnole, que le genre évolua pour devenir le spectacle léger que nous connaissons aujourd'hui. Bien qu'il n'y ait pas eu de créations depuis des décennies, les *zarzuelas* conservent à Madrid un public. Les plus réputées datent de la fin du siècle dernier. Elles comprennent *Agua, azucarillos y aguardiente* et *La Gran Via* de Federico Chueca et, de Ruperto Chapí, *La Revoltosa* qui met en scène les relations entre les habitants d'un *corral de vecinos,* logements modestes entourant une cour centrale.

Calderón de la Barca, *le célèbre dramaturge du XVIIe siècle, fut un des premiers à écrire des livrets pour cette forme d'opéra-comique. Parmi ses successeurs les plus éminents figure Tomás Breton, né en 1850, auteur de près de 40 zarzuelas dont* La Verbena de la Paloma.

Le thème central *des zarzuelas, où alternent chants, dialogues parlés et danses telles que les chotis, est la vie dans le Madrid castizo (p. 105) peuplé de majas (femmes) à la langue bien pendue et de chulos (hommes) insolents.*

Le succès *de la zarzuela était tel au milieu du XIXe siècle qu'il suscita la construction d'un théâtre spécialisé. D'une capacité de 1 200 places, le Teatro de la Zarzuela (p. 174) continue à en programmer. La Corrala (p. 113) propose en été des opérettes en plein air.*

Représentation de la Compañia de Zarzuela J. Tamayo

Façade néo-classique du Teatro Español

Teatro Español 🔟

Calle del Príncipe 25. **Plan** 7 A3.
📞 *91 429 62 97.* 🚇 *Sol, Antón
Martín.* 🕐 *pour les représentations à
partir de 19 h, mar.-dim.* 🈁 ♿

Sur la plaza Santa Ana, l'un des plus anciens et des plus beaux théâtres de Madrid fait face à la statue du poète Calderón (1600-1681). Il occupe l'emplacement du Corral del Príncipe où furent créées à partir de 1583 certaines des meilleures pièces du répertoire espagnol, écrites par des auteurs tels que Lope de Rueda. Juan de Villanueva dessina l'édifice actuel, datant de 1802. Sa façade néo-classique porte les noms de grands dramaturges espagnols, comme Federico García Lorca *(p. 26).*

Real Academia de la Historia 🔟

Calle del León 21. **Plan** 7 A3.
📞 *91 429 06 11.* 🚇 *Antón
Martín.* 🕐 *16 h-20 h lun.ven., avec
une lettre d'introduction de votre
ambassade.* ⬤ *en août.* 🚫

Installée dans un austère bâtiment de brique à parements de pierre, construit par Juan de Villanueva en 1788, l'Académie royale d'histoire n'et pas située dans le quartier surnommé le barrio de los Literatos tout à fait par hasard.
De 1898 à 1912, elle eut pour directeur le grand intellectuel Marcelino

Menéndez Pelayo. Accessible sur autorisation, sa bibliothèque possède plus de 200 000 ouvrages et des manuscrits importants.

Casa de Lope de Vega 🔟

Calle de Cervantes 11. **Plan** 7 B3.
📞 *91 429 92 16.* 🚇 *Antón Martín.*
🕐 *9 h 30-14 h mar.-ven., 10 h-14 h
sam.* ⬤ *j. fériés.* 🈁 🚫

Félix Lope de Vega, auteur majeur du Siècle d'or espagnol *(p. 26),* emménagea dans cette sombre maison en 1610. Il y écrivit plus des deux tiers d'une œuvre comptant 1 800 pièces profanes et 400 drames religieux, avant d'y mourir en 1635. Restaurée avec soin en 1935, et meublée en partie d'objets ayant appartenu à Lope de Vega, la demeure offre un aperçu de l'atmosphère castillane au début du XVIIᵉ siècle. Une

Félix Lope de Vega

chapelle aveugle en occupait le centre, communiquant avec la chambre de l'écrivain. Les arbres fruitiers et les fleurs qu'il mentionna dans ses récits ont été replantés dans le petit jardin.

Museo del Prado 🔟

Voir p. 80-83.

Iglesia de San Jerónimo el Real 🔟

Calle de Moreto 4. **Plan** 8 D3. 📞 *91
420 35 78.* 🚇 *Banco de España,
Atocha.* 🕐 *oct.-juin : 8 h-13 h 30, 17 h-
20 h 30 t.l.j. (18 h-20 h 30 juil.-sept.).*
⬤ *sam. de Pâques.* ♿

Construite au XVIᵉ siècle pour Isabelle Iʳᵉ *(p. 20),* cette église, attachée à l'origine à un monastère hyéronimite dont il ne subsiste que des ruines, devint pratiquement partie intégrante du Palacio del Buen Retiro, édifié par Philippe IV au XVIIᵉ siècle. Remaniée dans le style néo-gothique, elle est l'église royale de Madrid, celle où se marièrent Alphonse XIII et Victoria von Battenberg en 1906. En 1975, c'est là que fut célébrée la cérémonie religieuse du couronnement de Juan Carlos Iᵉʳ.

Real Academia Española 🔟

Calle de Ruiz de Alarcón 17.
Plan 8 D3. 📞 *91 420 14 78.*
🚇 *Banco de España, Retiro.* 🕐 *sur r.-v.*

L'Académie royale d'Espagne a une devise, « Limpia, brilla y da esplendor » (« nettoie, polis et fais briller ! »), qui résume bien la fonction d'une institution créée en 1713 pour préserver la pureté de la langue espagnole. Elle occupe depuis 1891 un édifice néo-classique dont un fronton sculpté, supporté par des colonnes doriques, agrémente l'élégante façade. Les 46 membres de l'Académie comprennent des érudits, des écrivains et des journalistes. Ils sont nommés à vie et ne reçoivent aucun émolument.

Ils se réunissent régulièrement pour décider des nouveaux mots ou tournures acceptés en espagnol.

Museo del Ejército 24

Calle de Méndez Núñez 1. **Plan** 8 D2. 91 522 89 77. Banco de España, Retiro. 10 h-14 h mar.-dim.

Le musée de l'Armée occupe l'un des bâtiments du Palacio del Buen Retiro (XVIIᵉ siècle) qui ont échappé à la destruction. Riches de 27 000 pièces, ses collections retracent l'histoire militaire de l'Espagne depuis l'époque des Maures. La plus grande salle, le Salón de Reinos, doit son nom aux royaumes, représentés au plafond, dont l'union forma l'Espagne.

Dans la Sala de Armas, l'épée du Cid, *La Tizona*, tient la place d'honneur. La Sala Árabe possède une décoration inspirée de l'Alhambra de Grenade, et abrite la tunique et l'épée de Boabdil, le souverain maure dont la chute en 1492 marqua la fin du pouvoir musulman dans la péninsule.

Dans la Sala Colonial se trouve un fragment de la croix plantée dans le sol par Christophe Colomb lorsqu'il découvrit le Nouveau Monde. Exposé dans la même salle, un autre souvenir rapporté par le conquistador Hernán

L'épée du Cid, *La Tizona*, au Museo del Ejército

Cortés : un morceau de l'arbre sous lequel il se réfugia lors d'une révolte des Aztèques au Mexique.

Bustes et drapeaux évoquent la guerre d'Indépendance *(p. 16)* dans la Sala del Dos de Mayo.

Parque del Retiro 25

Plan 8 E3. 91 409 23 36. Retiro, Ibiza, Atocha.

Dans l'élégant quartier des Jerónimos, près de la Puerta de Alcalá *(p. 66)*, le parc du Retiro offre aux Madrilènes un espace de verdure de plus de 100 ha. Ancien jardin royal du Real Sitio del Buen Retiro de Philippe IV, dont ne subsistent

que le Casón del Buen Retiro *(p. 83)* et le bâtiment abritant le Museo del Ejército, il était réservé à la famille royale au XVIIᵉ siècle, et on y organisait des reconstitutions de batailles navales et des spectacles en plein air. Il ouvrit entièrement au public en 1869.

Depuis son entrée nord, quelques pas le long d'une allée bordée d'arbres conduisent à l'Estanque Grande, lac artificiel où les promeneurs peuvent louer des barques. D'un côté s'élève le monument à Alphonse XII *(p. 21)*, composé d'une colonnade en hémicycle et d'une statue équestre du souverain. De l'autre, portraitistes et diseuses de bonne aventure proposent leurs services.

Au sud du lac se dressent deux édifices de Ricardo Velázquez Bosco, l'architecte du Ministerio de Agricultura *(p. 84)*. Pavillon consacré aux industries de l'exploitation minière, de la métallurgie, de la céramique, de la verrerie et des eaux minérales lors de l'Exposition nationale de 1884, le Palacio de Velázquez accueille aujourd'hui des expositions temporaires.

Gracieuse structure d'acier et de verre inspirée du Crystal Palace dessiné par sir Joseph Paxton pour l'Exposition universelle de Londres en 1851, le Palacio de Cristal offre un espace lumineux à diverses manifestations culturelles.

Monument à Alphonse XII (1901) bordant le lac du Parque del Retiro

Museo del Prado ㉑

Installé dans un édifice néo-classique
dessiné en 1785 par Juan de Villanueva
à la demande de Charles III, l'ancien
musée royal de Peinture et de Sculpture,
inauguré en 1819, possède aujourd'hui la
plus importante collection du monde de
peintures espagnoles du XIIᵉ au XIXᵉ
siècle. Elle est particulièrement riche en
tableaux de Velázquez et de Goya. Les
écoles étrangères, notamment italienne et
flamande, sont également très bien
représentées. L'annexe du Prado, le
Casón del Buen Retiro, abrite des œuvres
des XIXᵉ et XXᵉ siècles.

★ **La collection Velázquez**
Le Triomphe de Bacchus *(1628)*
fut le premier tableau à
thème mythologique de
Velázquez. On y voit
Bacchus au milieu
d'ivrognes.

Les Trois Grâces *(v. 1639)*
Le maître flamand Rubens
conserva dans sa collection
personnelle ce tableau,
l'un de ses derniers,
représentant les trois
filles de Zeus déesses
de l'art de plaire :
Aglaé, Thalie et
Euphrosyne.

L'Adoration des bergers
(1612-1614)
Dans cette toile peinte pour sa
propre chapelle funéraire,
le Greco pousse à l'extrême
l'allongement des corps,
caractéristique du maniérisme.

À NE PAS MANQUER

★ **Collection Velázquez**

★ **Collection Goya**

Le Jardin
des délices
(v. 1516)
Le Prado possède
plusieurs œuvres de
Jérôme Bosch,
l'un des peintres favoris
de Philippe II, notamment
cette représentation du
paradis et de l'enfer.

Entrée
principale

SUIVEZ LE GUIDE !
Les collections sont réparties par écoles. Les œuvres les plus anciennes sont situées aux étages inférieurs. Le deuxième étage, récemment ouvert au public, abrite les collections Goya et Velázquez.

MODE D'EMPLOI

Paseo del Prado. **Plan** 5 C2. *91 420 28 36. Atocha, Banco de España. 6, 10, 14, 19, 27, 34, 37, 45. 9 h-19 h mar.-sam., 9 h-14 h dim. et j. fériés. 1er janv., Ven. saint, 1er mai, 25 déc. gratuit le sam. apr. midi et dim.*
Casón del Buen Retiro : Calle de Alfonso XII 28. *91 420 26 28. pour travaux.*

★ La collection Goya
Avec La Maja vestida *et* La Maja desnuda, *Goya brava vers 1800 le tabou touchant la nudité dans l'art espagnol.*

Le Martyre de saint Philippe *(v. 1630) Né à Valence, José de Ribera séjourna longtemps à Naples où les violents contrastes entre ombre et lumière du Caravage influencèrent son travail.*

L'Annonciation
(v. 1430)
Les peintres italiens de la première Renaissance, comme ici Fra Angelico, jetèrent les bases de la perspective.

LÉGENDE

- École espagnole
- Écoles flamande et hollandaise
- École italienne
- École française
- École allemande
- Sculpture
- Expositions temporaires
- Circulations et services

À la découverte des collections du Prado

L es rois d'Espagne réunirent la collection de peintures du Prado, l'une des plus riches du monde, et les parts qu'y tiennent les écoles étrangères reflètent l'histoire de la couronne espagnole qui régna plusieurs siècles sur la Flandre et le sud de l'Italie. Après l'accession des Bourbons au trône, le XVIIIe siècle fut marqué par l'influence française. Le musée mérite plusieurs visites, mais si vous ne pouvez lui en consacrer qu'une, commencez par la peinture espagnole du XVIIe siècle.

Saturne dévorant l'un de ses enfants (1820-1823) par Goya

L'Intronisation de saint Dominique de Silos (1474-1477) par Bermejo

ÉCOLE ESPAGNOLE

J usqu'au XIXe siècle, où Goya (1746-1828) ouvrit la voie à l'art moderne en se lançant dans l'exploration des mystères de l'inconscient, la peinture espagnole s'attacha surtout aux thèmes religieux et à la représentation de la cour royale.

L'époque médiévale est comparativement peu représentée au Prado ; le musée possède néanmoins des pièces remarquables comme les peintures murales romanes de l'ermitage de Sainte-Croix de Maderuelo. Les œuvres gothiques d'artistes tels que Bartolomé Bermejo et Fernando Gallego témoignent de l'influence des maîtres flamands au XVe siècle.

Les premiers apports de la Renaissance apparaissent principalement dans les compositions de Pedro de Berruguete dont l'*Auto-da-fé* est à la fois inquiétant et plein de vie. *Sainte Catherine* par Fernando Yáñez de la Almedina, qui se forma en Italie, montre l'influence de Léonard de Vinci.

Ce qui est souvent considéré comme un style véritablement espagnol, mariant sens du tragique et représentation très travaillée des émotions, commença à émerger au XVIe siècle dans la peinture des maniéristes. L'âpre *Descente de Croix* de Pedro Machuca et les *Vierges* de Luis de Morales en offrent un bon exemple. Plus connu sous le nom du Greco (p. 139), Dhomínikos Theotokópoulos accentua encore dans ses œuvres l'allongement des silhouettes qui marque les personnages de Morales. Maints de ses chefs-d'œuvre sont restés à Tolède (p. 136), sa ville d'adoption, mais le Prado présente un bel ensemble de tableaux, dont *Le Chevalier à la main sur la poitrine*.

L'art espagnol se montra particulièrement productif pendant le Siècle d'or (p. 15). José de Ribera, qui travailla à Naples, suivit l'exemple du Caravage dans l'utilisation de violents contrastes entre ombre et lumière. Francisco Ribalta, auteur du *Christ embrassant saint Bernard*, fut également un maître de cette école « ténébriste ». La collection comprend aussi plusieurs toiles de Zurbarán qui s'illustra dans la nature morte et les portraits de moines et de saints.

C'est toutefois Diego Velázquez qui domine cette époque. Son génie s'exprime aussi bien dans les portraits que dans les scènes religieuses ou mythologiques. Le Prado possède un grand nombre de ses toiles, dont le chef-d'œuvre *Les Ménines* (p. 27).

À partir de la fin du XVIIIe siècle, Goya marque un tournant dans l'art espagnol. Peintre de cour, il devient aussi le chroniqueur des souffrances du peuple dans des tableaux comme *Le 3 Mai 1808* (p. 16), et celui des hantises de l'âme humaine dans les peintures noires, exécutées à la fin de sa vie.

Nature morte (v. 1658-1664) par Francisco de Zurbarán

CASÓN DEL BUEN RETIRO

Le Prado possède une annexe, installée sur la colline derrière le musée, dans un ancien pavillon du Palacio del Buen Retiro *(p. 77)*. Elle présente des œuvres de la fin XIXᵉ siècle et du début du XXᵉ, notamment des tableaux historiques et des peintures néo-classiques et romantiques. Toutefois la Cason del Buen Retiro est actuellement en réaménagement et ne devrait pas réouvrir avant juin 2000.

Enfants sur la plage (1910) par Joaquín Sorolla

ÉCOLES FLAMANDE ET HOLLANDAISE

Les rapports étroits qu'entretint l'Espagne des Habsbourg avec les Pays-Bas conduisirent naturellement à une profonde admiration pour les primitifs flamands dont le Prado possède des peintures exceptionnelles. Robert Campin témoigne du souci du détail dans sa *Sainte Barbe,* et *La Déposition* de Rogier Van der Weyden est incontestablement un chef-d'œuvre. Philippe II collectionna les étranges compositions de Jérôme Bosch et le musée présente plusieurs de ses créations majeures comme *La Tentation de saint Antoine* et *La Charrette de foin.* Parmi les tableaux du XVIᵉ siècle figure le superbe *Triomphe de la Mort* par Bruegel l'Ancien. Rubens est représenté par près de 100 toiles dont l'*Adoration des Mages.* Du Hollandais Rembrandt, on peut admirer *Artémise* et un autoportrait.

David vainqueur de Goliath (v. 1600) du Caravage

ÉCOLE ITALIENNE

Le Prado possède une magnifique collection de peintures italiennes. Elle comprend des œuvres de maîtres de la Renaissance comme Raphaël, représenté entre autres par la *Sainte Famille à l'agneau,* et Botticelli qui illustra dans les trois panneaux de l'*Histoire de Nastagio degli Honesti* un conte de Boccace dont le héros se voit condamné à pourchasser à jamais sa bien-aimée pour la tuer. Les artistes vénitiens jouirent d'une grande estime auprès des souverains espagnols, en particulier Titien, qui exécuta le portrait de l'*Empereur Charles Quint* à Mühlberg, le Tintoret, auteur du magnifique *Lavement des pieds,* Véronèse *(Moïse sauvé des eaux)* et Tiepolo, figure marquante du baroque. À remarquer également, des tableaux du Caravage et de Luca Giordano.

ÉCOLE FRANÇAISE

Les unions entre les dynasties françaises et espagnoles au XVIIᵉ siècle, qui conduisirent à l'accession au trône d'un Bourbon en 1700, ouvrirent l'Espagne à l'art français. La collection du Prado possède ainsi 8 œuvres attribuées à Poussin, dont le *Parnasse* et un *Paysage avec saint Jérôme.* *L'Embarquement de sainte Paule Romaine à Ostie* est le plus beau des tableaux de Claude Lorrain exposés. Parmi les peintres du XVIIIᵉ siècle représentés figurent Watteau et le portraitiste précieux Louis Michel Van Loo.

ÉCOLE ALLEMANDE

Assez pauvre, la collection de peinture allemande inclut néanmoins plusieurs tableaux de Dürer dont un remarquable *Autoportrait,* des œuvres de Cranach l'Ancien et des portraits, notamment celui de Charles III, par l'artiste du XVIIIᵉ siècle Anton Raffael Mengs.

Déposition (v. 1430) par Rogier Van der Weyden

Real Jardín Botánico ㉖

Plaza de Murillo 2. **Plan** 8 D4.
📞 *91 420 30 17.* Ⓜ *Atocha.*
🕐 *10 h-20 h t.l.j.* 🔲 ♿

A u sud du Prado, le Jardin
botanique royal
commandé par Charles III
(p. 21) et créé en 1781 par le
botaniste Gómez Ortega et
l'architecte Juan de Villanueva
offre un lieu agréable où se
reposer après une visite du
musée. Des espèces végétales
d'une grande variété voisinent
dans ses parterres au tracé
rigoureux. Elles témoignent de
l'intérêt manifesté en Espagne
à l'époque des Lumières pour
les plantes originaires des
colonies d'Amérique du Sud et
des Philippines.

**Statue du roi Bourbon Charles III,
Real Jardín Botánico**

Ministerio de Agricultura ㉗

Paseo de la Infanta Isabel 1.
Plan 8 D5. 📞 *91 347 57 24.*
Ⓜ *Atocha.* 🕐 *sur r.-v.*

C et imposant édifice
commandé pour abriter
le siège du ministère du
Développement, organisme
créé pour apporter un soutien
à la croissance économique,
industrielle et scientifique de
l'Espagne à la fin du
XIXᵉ siècle, est aujourd'hui
occupé par le ministère de
l'Agriculture, et sert souvent
de cible aux paysans et aux
producteurs d'huile d'olive.

**Imposante façade du Ministerio de
Agricultura**

Construit entre 1884 et 1886
par Ricardo Vezlázquez
Bosco, à qui l'on doit
également le Palacio de
Velázquez du Parque del
Retiro *(p. 77)*, le bâtiment
associe des éléments néo-
classiques et romantiques.
L'artiste Ignacio Zuloaga
participa à sa décoration.
Des parements de brique et
des carreaux vernissés
animent les espaces entre les
colonnes corinthiennes
monumentales qui
soutiennent un fronton
sculpté aux armoiries de
l'Espagne. Agustín Querol
dessina les statues
allégoriques qui dominent la
façade. Les trois figures
centrales représentent la
Gloire accordant des lauriers à
la Science et à l'Art. Deux
effigies de Pégase, symbole
de l'inspiration poétique,
l'encadrent. Les sculptures
étaient à l'origine en marbre
mais la pierre se détériora et
on dut les remplacer par des
répliques en bronze.

Observatorio Astronómico ㉘

Calle de Alfonso XII 3. **Plan** 8 E5.
📞 *91 527 01 07.* Ⓜ *Atocha.*
🕐 *9 h-14 h lun.-ven.* 🔲 *j. fériés.* 🔲

I l n'existait en Europe que
trois observatoires, à
Londres, Paris et Berlin, lors
de l'inauguration en 1790 de
celui de Madrid. Dessiné par
Juan de Villanueva dans le
style néo-classique, il possède
une coupole soutenue par

une colonnade. Elle servait
alors aux observations
climatiques.
La salle ouverte au public
abrite des instruments
d'observation astronomique
des XVIIIᵉ et XIXᵉ siècles, et un
pendule de Foucault
moderne. Une visite organisée
une fois par mois, selon les
conditions climatiques,
permet en outre de découvrir
les plus gros télescopes et une
collection d'horloges
anglaises, ainsi que de
regarder à travers une lunette
fabriquée en 1790 par sir
Frederick William Herschel,
le savant qui repéra la planète
Uranus en 1780.

**Colonade coiffée d'une coupole
de l'Observatorio Astronómico**

Museo Nacional de Antropología ㉙

Calle de Alfonso XII 68. **Plan** 8 D5.
📞 *91 530 64 18.* Ⓜ *Atocha.*
🕐 *10 h-19 h 30 mar.-sam. ; 10 h-14 h
dim.* 🔲 *j. fériés.* 🔲 🔲 *réserver
15 jours à l'avance.*

L 'ancien Museo Nacional de
Etnología occupe un
édifice dessiné par Francisco
de Cubas, inauguré en 1875.
Distribuées autour d'un grand
hall central, ses collections
anthropologiques réunissent
des objets provenant des cinq
continents.
L'exposition du rez-de-
chaussée accorde une large
place aux Philippines et
comprend une pirogue de
10 m de long, creusée dans
un unique tron. Elle se
trouvait jadis au Palacio de
Velázquez *(p. 77)*. On peut
aussi voir des crânes déformés

du Pérou et des Philippines, une momie guanche de Tenerife et le squelette de Don Agustín Luengo y Capilla, géant de 2,35 m qui vécut en Estrémadure à la fin du XIXᵉ siècle et mourut à l'âge de 26 ans.

Le premier étage consacré à l'Afrique renferme, outre des vêtements, des armes, des bijoux, des outils et des céramiques, la reproduction d'une hutte rituelle bubi de Guinée-Équatoriale. Elle servait aux réunions avec le *boeloelo* (guérisseur).

La section américaine du deuxième étage illustre les modes de vie de plusieurs tribus indiennes.

Estación de Atocha ⓪

Plaza del Emperador Carlos V. **Plan** 8 D5. 🔴 *91 506 68 46.* Ⓜ *Atocha* RENFE. 🔘 *5 h 30-minuit t.l.j.* ♿

La première ligne de chemin de fer d'Espagne, reliant Madrid à Aranjuez, fut inaugurée en 1846. Elle partait de la gare d'Atocha qu'un nouvel édifice remplaça en 1891. Il reçut une extension moderne dans les années 80. La partie la plus ancienne de la gare, l'une des premières grandes structures d'acier et de verre construites à Madrid,

Entrée de la gare d'Atocha, construite en 1891

abrite désormais une palmeraie. À côté se trouve le terminus des trains à grande vitesse (AVE) reliant la capitale espagnole à Cordoue et Séville *(p. 196).*

Palacio de Fernán Núñez ③

Calle de Santa Isabel 44. **Plan** 7 B4. 🔴 *91 527 18 12.* Ⓜ *Atocha.* 🔘 *sur r.-v.* 📷 🚫

Également connu sous le nom de Palacio de Cervellón, ce bâtiment possède une façade qui ne révèle rien de la richesse de sa décoration intérieure. Construit en 1847 pour le duc

et la duchesse de Fernán Núñez, il resta la résidence familiale jusqu'en 1936. Réquisitionné par la milice républicaine pendant la guerre civile *(p. 18),* il servit d'abri. Une organisation de jeunesse socialiste occupait l'étage. Quand les Fernán Núñez le récupérèrent, ils découvrirent qu'aucun de ses trésors n'avait été pillé.

Le palais devint en 1941 la propriété de la Société des chemins de fer espagnols, dont la fondation profite de ce cadre somptueux pour organiser des expositions.

L'aménagement intérieur se fit en deux temps, et les vastes et sobres pièces de la partie la plus ancienne, meublée d'intéressants tapis de la Real Fábrica de Tapices *(p. 112),* d'antiquités, de vieilles pendules et de copies de tableaux de Goya, offrent un contraste vif avec l'exubérante décoration rococo de la section la plus récente, souvent utilisée pour des réceptions officielles. La salle de bal est particulièrement spectaculaire avec ses dorures, son immense lustre, ses miroirs et ses chérubins se détachant en haut relief.

Près du palais, le Convento Santa Isabel, fondé en 1595 par Philippe II, possède une coupole octogonale.

L'opulente salle de bal rococo du Palacio de Fernán Núñez

Centro de Arte Reina Sofía ❷

L'ancien hôpital général de Madrid, entrepris en 1758, abrite ce musée d'art moderne inauguré en 1986. Les cages en verre de deux ascenseurs installés en 1992 apportent une note futuriste à sa façade austère. Outre le *Guernica* de Picasso, la collection permanente comprend également des œuvres marquantes des grands courants de l'art du xxe siècle, par des artistes tels que Miró, Dalí ou Tàpies. Le musée propose en outre d'importantes expositions temporaires thématiques.

Portrait II *(1938) Joan Miró peigni cette grande toile plus de dix ans après la fin de sa période véritablement surréaliste.*

★ **Femme en bleu** *(1901) Picasso renia ce tableau n'ayant remporté qu'une mention honorable dans un concours national. L'État espagnol le retrouva et l'acquit des dizaines d'années plus tard.*

Guernica

Paysage à Cadaqués
Né à Figueras en Catalogne, Salvador Dalí séjourna fréquemment à Cadaqués, sur la Costa Brava. Il peignit ce paysage au cours de l'été 1923.

2e étage

Accident
Ponce de León peignit ce tableau prémonitoire en 1936, année où il mourut dans un accident de voiture.

À NE PAS MANQUER

★ *Femme en bleu* **par Picasso**

★ *La Tertulia del Café de Pombo* **par Solana**

★ **La Tertulia del Café de Pombo** *(1920)*
José Gutiérrez Solana a représenté une
réunion d'intellectuels (tertulia) *dans un*
célèbre café de Madrid qui n'existe plus.

Ascenseur

Entrée

El Espíritu de
los Pájaros I *(1952)*
Cette sculpture en fer
forgé monté sur de la pierre du Basque
Eduardo Chillida est exposée, avec plusieurs
autres de ses œuvres, au 4e étage.

MODE D'EMPLOI

Calle Santa Isabel 52. **Plan** 7 C5.
91 467 50 62. Atocha.
6, 14, 18, 19, 27, 45, 55, 68.
10 h-21 h lun. et mer.-sam.,
10 h-14 h 30 dim. 1er janv., 24,
25, 31 déc. et j. fériés. sauf
sam. apr. midi et dim.
www.mcu.es/mncars

SUIVEZ LE GUIDE !

Organisé autour d'une cour
intérieure, le musée présente
sa collection permanente aux
2e et 4e étages. Vouée à l'art de
la première partie du
xxe siècle, l'exposition du
2e étage comporte des salles
consacrées à des artistes
marquants tels que Dalí,
Picasso et Miró. Le 4e étage
propose un aperçu de grands
mouvements qui ont marqué
l'après-guerre comme
l'abstraction, le pop art et l'art
minimaliste.

LÉGENDE DU PLAN

Espace d'exposition

Circulations et services

Visiteurs admirant *Guernica*

★ *GUERNICA* DE PICASSO

En peignant cet immense tableau
pour le pavillon du gouvernement
républicain espagnol de l'Exposition
internationale de Paris de 1937,
Picasso exprima toute sa révolte
après le bombardement meurtrier,
perpétré la même année sur la ville
basque de Guernika-Lumo, par les
pilotes allemands au service des
nationalistes. Conformément aux
vœux de l'artiste, qui refusait qu'elle
fût rapatriée en Espagne avant le
rétablissement de la démocratie,
l'œuvre resta au musée d'Art
moderne de New York jusqu'en 1981.

Découvrir le Centro de Arte Reina Sofía

Le XXᵉ siècle fut sans conteste la période la plus brillante de l'histoire de l'art espagnol depuis le Siècle d'or, et le centre d'art Reine Sophie propose un fascinant aperçu des mouvements qui se développèrent alors, depuis le modernisme catalan du tournant du siècle jusqu'aux tendances les plus contemporaines. Les œuvres d'artistes étrangers tels qu'Yves Klein ou le sculpteur britannique Henry Moore montrent comment des influences extérieures marquèrent l'art espagnol, et comment il influença à son tour le reste du monde.

Guitarra ante el mar par **Juan Gris (1925)**

LES DÉBUTS DE L'ART MODERNE ESPAGNOL

Au début du XXᵉ siècle, l'Espagne a deux principaux pôles culturels : la Catalogne et le Pays basque, où la bourgeoisie offre un débouché à des artistes tels qu'Ignacio Zuloaga, Hermenegildo Anglada-Camarasa et Isidro Nonell exposés dans la salle 1 à côté de María Blanchard, une amie intime du cubiste Juan Gris et l'une des rares femmes représentées dans la collection. À Madrid, un peintre sort du lot à cette époque : Gutiérrez Solana. Puisant aux racines de la tradition picturale espagnole jusqu'à Goya, il invente une forme très personnelle d'expressionnisme, prenant souvent pour sujet les fêtes et la vie quotidienne des habitants de la ville. La salle qui lui est consacrée abrite quelques œuvres majeures comme *La Tertulia del Café de Pombo* (1920) et *Procesión de la Muerte* (1930).

Avec des tableaux et des sculptures de María Blanchard, Sonia Delaunay et Jacques Lipchitz, la salle 3 offre une bonne introduction au travail de Juan Gris (salle 4). Après avoir commencé sa carrière dans l'illustration graphique, il s'installe à Paris en 1906 où il développe sa propre déclinaison du cubisme sous l'influence de Picasso avec des tableaux tels que *Portrait de Josette* (1916) et *Guitarra ante el mar* (1925). Figure de premier plan de la sculpture espagnole d'avant-garde, Pablo Gargallo, travailla dans ses œuvres métalliques sur le jeu entre vides et surfaces courbes. Les pièces de la salle 6 datent de l'entre-deux-guerres et offrent une bonne illustration de sa démarche, notamment *Masque de Greta Garbo à la mèche* (1930) et *El Gran profeta* (1933).

PABLO PICASSO

L'exposition de la salle 6 survole cinquante ans de la vie d e l'artiste probablement le plus important du XXᵉ siècle. Né en 1881 à Málaga, Pablo Picasso passa ses années de formation à Barcelone où il subit l'influence du symbolisme, comme en témoigne *Femme en bleu* (1901), l'un des premiers tableaux de sa période dite bleue. L'œuvre la plus célèbre reste néanmoins *Guernica*, peinte

Grand Prophète de **Pablo Gargallo (1933)**

en 1937 pour le pavillon espagnol de l'Exposition internationale de Paris en réaction au bombardement, par une escadrille allemande alliée aux nationalistes, de la ville de Guernika-Lumo. Malgré son sujet, aucune arme ou avion n'apparaît ni sur la toile ni dans les esquisses préparatoires exposées à côté. Elle tire en fait toute sa force d'expression de motifs, tels que le cheval et le taureau, qui hantaient déjà l'imaginaire de Picasso dans des œuvres antérieures comme *Minotauramachie* (1935), gravure offrant un brutal éclairage de ses obsessions. Des sculptures telles que *La Femme au jardin* (1929-1930) et *L'Homme au mouton* (1943) permettent d'apprécier une autre facette de son immense talent.

JULIO GONZÁLEZ

Contemporain et ami de Pablo Gargallo et de Picasso, Julio González est considéré comme le père de la sculpture moderne

Minotauramachie de **Pablo Picasso (1935)**

espagnole. Né à Barcelone, il s'installe à Paris au début du siècle. Une période de doute l'éloigne de la création artistique, et c'est aux usines Renault qu'il apprend la soudure. Elle jouera un rôle essentiel dans son œuvre exécutée en majeure partie en fer. Il se sert de ce matériau jusqu'ici considéré comme hors du champ de l'art pour créer des formes où l'espace joue un rôle essentiel. Outre un autoportrait humoristique, *Tête dite « Lapin »*, la salle 8 qui lui est consacrée abrite des sculptures de sa période la plus mûre.

Muchacha en la ventana de Salvador Dalí (1925)

MIRÓ, DALÍ ET LES SURRÉALISTES

Né à Barcelone en 1893, Juan Miró fréquente le mouvement surréaliste après s'être établi à Paris en 1920, et il utilise notamment la technique de la peinture automatique. Les influences de cette période restent sensibles dans des toiles comme *Portrait II* (1939). Salvador Dalí fréquente également les surréalistes, en particulier Luis Buñuel à qui la salle 12 est consacrée. Ils réalisent ensemble *Un chien andalou* en 1929. La palette de Dalí est d'une extrême variété et la salle 10 abrite aussi bien des toiles d'influence cubiste qu'un tableau réaliste comme *Muchacha en la ventana* (1925) ou *El Gran masturbator* (1929), exemple des recherches du peintre de l'expression des ressorts de l'inconscient. Ces recherches le conduiront à développer une technique personnelle d'investigation de l'irrationnel, la « méthode paranoïaque-critique », pour accéder par le détour à ses désirs les plus refoulés.

L'exposition met de surcroît en parallèle les œuvres de surréalistes espagnols tels qu'Oscar Dominguez et Benjamin Palencia (*Toros*, 1933) avec celles d'importants représentants étrangers de ce mouvement tels que l'Allemand Max Ernst, le Belge René Magritte ou le Français Yves Tanguy.

Toros de Benjamin Palencia (1933)

L'ÉCOLE DE PARIS

L'histoire mouvementée de l'Espagne au XXᵉ siècle *(p. 18-19)* a provoqué l'émigration de beaucoup de ses plus grands créateurs, tels Picasso, Dalí, Juan Gris et Miró. Tous passèrent par Paris, la capitale occidentale de l'art au début du siècle, et certains y vécurent plusieurs années. La Ville Lumière attira aussi des artistes d'autres horizons, de l'Europe de l'Est à l'Amérique, comme l'Allemand Hans Hartung et le Russe Nicolas de Staël. La salle consacrée à ce qui fut appelé l'« école de Paris » permet de constater les influences mutuelles à l'intérieur de ce groupe, en perpétuel renouvellement, d'artistes d'origines très variées. Elle permet aussi de découvrir le travail d'un large éventail de peintres peu connus tels que Daniel Vázquez Díaz et Francisco Bores.

L'APRÈS-GUERRE

Le 4ᵉ étage du musée abrite la collection d'art contemporain, de la fin de la guerre civile (1936-1939) à aujourd'hui.

Le régime franquiste imposa une sévère censure et les créateurs espagnols, évoluant dans un environnement difficile, eurent tendance à se soutenir au sein de groupes tels que Dau al Set, proche du surréalisme, ou Pórtico, influencé par les abstraits de l'école de Paris. El Paso et Grupo 57 comptèrent parmi leurs membres des figures majeures tels qu'Antonio Saura, dont *Grito n° 7* (1959) offre un bon exemple de l'expression rageuse, et Eduardo Chillida, grand sculpteur dont on peut admirer *El Espíritu de los pájaros I* (1952).

Antoni Tàpies est sans doute le plus célèbre artiste espagnol vivant. Il est en particulier connu pour ses recherches sur la matière qui le rapprochent de l'Arte povera.

Les œuvres plus récentes de l'Equipo Crónica, de Luis Gordillo et d'Eduardo Arroyo, comme *Toute la ville en parle* (1982), illustrent la période de transition qui commença avant même le décès du dictateur en 1975.

Toute la ville en parle par **Eduardo Arroyo (1982)**

Autour de La Castellana

L'axe principal du Madrid moderne, le paseo de la Castellana, permet de découvrir la ville dans sa dimension de grande capitale commerciale et administrative européenne. Au XIXe siècle, l'aristocratie madrilène se fit édifier le long de l'artère, au nord de la plaza de Colón, d'élégants hôtels particuliers.

Détail de l'Iglesia de Santa Barbara

On peut en apprécier le luxe dans l'un des plus beaux musées d'art de Madrid : le Museo Lázaro Galdiano, installé dans l'ancienne demeure du financier José Lázaro Galdiano. La Castellana longe à l'est le barrio de Salamanca, un quartier chic de boutiques et d'immeubles de standing qui porte le nom du marquis et homme d'affaires du XIXe siècle à l'origine de sa création. Au sud-ouest, Chueca et Malasaña possèdent une atmosphère plus populaire.

Dans la partie sud du boulevard, appelée paseo de Recoletos, se trouvent le Museo Arqueológico, fondé en 1867 par Isabelle II, et le Café Gijón, un rendez-vous d'intellectuels ouvert au début du XXe siècle.

Les sites d'un coup d'œil

Musées
Fundación Juan March ⑪
Museo Arqueológico
  Nacional p. 96-97 ⑧
Museo de Cera ⑥
Museo de Escultura
  al Aire Libre ⑭
Museo Lázaro Galdiano
  p. 100-101 ⑫
Museo Municipal ⑯
Museo Romántico ⑮
Museo Sorolla ⑬

Église
Iglesia de Santa Bárbara ④

Rues, places
et quartiers
Calle de Serrano ⑨
Calle del Almirante ②
Malasaña ⑰
Plaza de Chueca ③
Plaza de Colón ⑦
Salamanca ⑩

Bâtiments historiques
Café Gijón ①
Cuartel del Conde Duque ⑱
Palacio de Liria ⑲
Tribunal Supremo ⑤

Comment y aller
Les lignes 1, 4, 5, 6, 8, 9 et 10 du métro desservent le quartier et offrent le moyen le plus pratique d'y circuler. Les bus les plus utiles sont le 5, le 7, le 12, le 13, le 40, le 45 et le 150. Le 27 suit toute La Castellana. Le terminus des bus pour l'aéroport se trouve sous la plaza de Colón.

Légende

- Plan pas à pas *p. 92-93*
- Ⓜ Station de métro
- Arrêt de bus important
- Ⓟ Parc de stationnement

0   250 m

Le paseo de Recoletos pas à pas

Deux rues où abondent des boutiques de mode, la calle de Goya et la calle de Serrano, bordent la plaza de Colón que dominent le Museo Arqueológico Nacional et la Biblioteca Nacional. Au sud de la place commence le paseo de Recoletos où se trouvent le Museo de Cera et le Café Gijón. Entre la calle del Almirante, et la calle de Génova, le Tribunal Supremo occupe un ancien couvent près de l'Iglesia de Santa Bárbara. Le dédale du quartier de Chueca abrite des bars pittoresques.

Iglesia de Santa Bárbara
Ce beau sanctuaire baroque renferme les tombeaux de Ferdinand VI (p. 21) et de son épouse Bárbara de Braganza ❹

Tribunal Supremo
L'ancien couvent et collège attenant à l'Iglesia de Santa Bárbara abrite la Cour suprême espagnole ❺

La calle de Barquillo renferme les meilleurs magasins de Madrid de matériel électronique et de hi-fi.

0   100 m

CALLE SAN LUCAS

CALLE DEL GENERAL

CALLE BÁRBARA

CALLE LUIS DE GÓNGORA

PLAZA DE CHUECA

CALLE DE LA LIBERTAD

CALLE DEL BARQUILLO

CALLE CONDE DE XIQUENA

CALLE DEL ALMIRANTE

CALLE AUGUSTO FIGUEROA

CALLE DE PRIM

À NE PAS MANQUER

★ **Museo Arqueológico Nacional**

★ **Plaza de Colón**

Plaza de Chueca
Au cœur d'un quartier très vivant la nuit, la Bodega de Angel Sierra n'a quasiment pas changé depuis sa construction en 1897 ❸

Calle del Almirante
Jadis renommée pour ses vanneries, cette rue bourgeoise est devenue un des hauts lieux de la mode ❷

Museo de Cera
Le musée de Cire représente des personnages historiques ❻

CARTE DE SITUATION
Voir atlas des rues, plan 6.

★ **Plaza de Colón**
Sur cette vaste place se dresse un monument à Christophe Colomb ❼

El Espejo a le plus beau décor des bars et restaurants Belle Époque de Madrid.

★ **Museo Arqueológico Nacional**
Le Musée archéologique possède près de 100 000 pièces illustrant la riche histoire de l'Espagne ❽

Calle de Serrano
Les grands noms de la mode tiennent boutique sur cette rue ❾

Café Gijón
Des intellectuels se retrouvent toujours pour discuter dans ce café du tournant du siècle ❶

LÉGENDE

– – – Itinéraire conseillé

Café Gijón ❶

Paseo de Recoletos 21. **Plan** 5 C5. 📞
91 521 54 25. 🚇 Banco de España.
🕐 8 h-1 h 30 dim.-ven., 8 h-2 h sam.
et j. fériés. ♿

Du début du xxᵉ siècle
jusqu'à la guerre civile,
l'atmosphère des cafés fut un
des grands attraits de Madrid.
Des nombreux établissements
où se retrouvaient les
intellectuels (p. 74), peu ont
survécu en dehors du Café
Gijón. Même si son décor est
original, avec ses colonnes en
fonte couleur crème et ses
tables noires et blanches, il est
surtout renommé pour son
ambiance, et il continue
d'attirer une clientèle animée
de literati.

Le Café Gijón

Calle del Almirante ❷

Plan 5 C5. 🚇 Banco de España,
Colón.

La rue de l'Amiral, qui court
d'ouest en est entre la calle
Barquillo et le paseo de
Recoletos, fut appelée
pendant une grande partie du
xxᵉ siècle calle de Cesterías
(rue des Vanneries), et ses
boutiques vendant paniers,
fauteuils et autres objets en
rotin avaient une telle
renommée qu'elles reçurent la
visite des épouses de Winston
Churchill et du shah d'Iran.
Une seule de ces enseignes a
subsisté jusqu'à aujourd'hui,
celle d'Antonio del Pozo
fondée en 1891.
　La rue abritait aussi plusieurs
tavernes où se retrouvaient les
habitants du quartier et, après
la mort de Franco en 1975,

elle acquit une certaine
notoriété lorsque deux bars
gays ouvrirent et que des
prostitués se mirent à racoler
ouvertement sur les trottoirs.
Une situation qui fit scandale
dans un quartier alors plutôt
bourgeois. Elle n'empêcha
toutefois pas Jesús del Pozo,
styliste et frère d'Antonio, de
créer à cette époque une
boutique de haute couture à
côté du magasin familial.
L'effervescence culturelle de la
Movida lança, dans les années
80, la mode de ce quartier, et
d'autres magasins de prêt-à-
porter et de décoration
intérieure de luxe ouvrirent
dans la calle del Almirante, qui
a désormais pris le surnom de
« calle de la Moda » (« rue de la
Mode »). Elle attire une
clientèle aisée, travaillant dans
le quartier d'affaires voisin.
　Jesús del Pozo est devenu
célèbre et propose dans ses
salons du premier étage, au
n° 9, des tenues destinées aux
mariages et aux grandes
occasions.
　Mais la calle del Almirante
a aussi conservé quelques
commerces traditionnels.
La famille de Manolo Huerta
tient ainsi la panadería
(« boulangerie ») depuis 1910,
et Juan Encinas permet depuis
1972 de se restaurer sur le
pouce de bocatas (sandwichs)
à la Cafetería Almirante.
　Les amateurs d'antiquités
et de curiosités anciennes
ne doivent pas manquer
Regalos Originales, installé
au n° 23.

L'élégante calle del Almirante

Sur la plaza de Chueca

Plaza de Chueca ❸

Plan 5 B5. 🚇 Chueca.

Cette place portait à
l'origine le nom de plaza
de San Gregorio, et une statue
de saint Grégoire se dresse
dans la calle San Gregorio à
l'entrée principale de l'hôtel
particulier des marquis de
Minaya. Elle fut rebaptisée en
1943, en hommage à Federico
Chueca (1846-1908), pianiste
et chef d'orchestre qui
composa de nombreuses
zarzuelas (p. 75), dont Agua,
azucarillos y aguardiente et,
avec Joaquín Valverde Sanjuán
(1846-1910), La Gran Vía.
　Boutiques et bars entourent
la plaza de Chueca, dont la
Bodega de Angel Sierra (p. 92),
une taberna typique qui existe
depuis 1897. À l'extérieur, à
l'angle de la calle San Gregorio
et de la calle de
Gravina, un décor
en carrelage de style
andalou fait la
réclame d'apéritifs,
de bières et de vins.
L'intérieur a
conservé son ancien
long comptoir.
　Le dédale des
ruelles des
alentours est un des
hauts lieux de la vie
nocturne madrilène,
apprécié
notamment par la
communauté
homosexuelle de la
ville. Il renferme de
nombreux bars
branchés et des
restaurants chic.

Iglesia de Santa Bárbara ❹

Calle General Castaños 2. **Plan** 5 C5.
🚇 *Alonso Martínez, Colón.*
🕐 *9 h-13 h, 17 h-21 h lun.-ven.,
10 h-13 h, 17 h-21 h j. fériés.*

C'est Bárbara de Braganza, l'épouse de Ferdinand VI, qui commanda la construction de cette belle église baroque, et elle ne recula devant aucune dépense. Elle confia le couvent attenant (aujourd'hui le Tribunal Supremo) et son école destinée aux filles de la noblesse à l'ordre des Visitandines, fondé en 1610 à Annecy par saint François de Sales et sainte Jeanne de Chantal, et le sanctuaire est parfois appelé l'Iglesia de las Salesas Reales.

François Carlier (1707-1760), dont le père participa à la création des jardins de La Granja de San Ildefonso *(p. 127)*, en dessina les plans. Commencés en 1750, les travaux s'achevèrent en 1757 sous la direction du maître d'œuvre Francisco de Moradillo qui ajouta les tours du toit.

Il faut traverser un agréable jardin aménagé en 1930 pour atteindre l'entrée principale. En médaillon central sur la façade, Doménico Olivieri a représenté la *Visitation,* visite de la Vierge enceinte à sa cousine Élisabeth, la mère de saint Jean-Baptiste.

Doménico Olivieri se vit aussi confier l'exubérante décoration intérieure. À droite de l'entrée, une peinture de Corrado Giaquinto montre saint François de Sales et sainte Jeanne de Chantal. Une *Sainte Famille* par Francesco Cignaroni lui fait face.

À droite de la nef centrale se trouve le tombeau de Ferdinand VI, œuvre néo-classique de Francesco Sabatini, ornée de rangs d'anges exécutés par Francisco Gutiérrez. Un portrait de Francisco Javier et Santa Bárbara domine l'autel voisin. Il est dû à Francesca de Mora, à l'instar de la *Visitación* du maître-autel que décorent des sculptures de San Fernando et Santa

Intérieur baroque de l'Iglesia de Santa Bárbara

Bárbara. Jerónimo Suñol exécuta le tombeau du général O'Donnell, un Premier ministre mort en 1867, qui se trouve à gauche à côté de la *Reddition de Séville,* une œuvre du Français Charles Joseph Flipart. Une chapelle à droite de l'autel abrite le tombeau de Bárbara de Braganza.

Tribunal Supremo ❺

Plaza de la Villa de Paris. **Plan** 5 C5.
📞 *91 397 12 62.* 🚇 *Alonso Martínez, Colón.* 🕐 *sur r.-v. en écrivant au Gabinete Técnico, Plaza de la Villa de Paris, Madrid 28004.*

C onstruit au XVIIIᵉ siècle par François Carlier pour abriter le couvent et l'école de l'Iglesia de Santa Bárbara voisine, ce majestueux édifice baroque resta occupé par des nonnes de l'ordre des Visitandines jusqu'à son expropriation par le gouvernement en 1870. Il devint alors le Palais de justice, mais souffrit de manque d'entretien, décrépitude aggravée en 1907 et 1915 par des incendies qui ne touchèrent heureusement pas l'église attenante. Joaquin Rojí

dirigea entre 1991 et 1995 la restauration qui permit au bâtiment d'accueillir la Cour suprême.

Devant le palais s'ouvre la vaste plaza de la Villa de Paris, agrémentée par un jardin et ornée en son centre de statues de Ferdinand VI et de son épouse Bárbara de Braganza. De l'autre côté se dresse l'immeuble moderne de l'Audiencía Nacional (cour d'État). Au n° 12 de la calle Marqués de Ensenada, un bâtiment du début du siècle abrite l'Institut français.

Statue de Bárbara de Braganza sur la plaza de la Villa de Paris

Museo Arqueológico Nacional ❽

Fondé en 1867 par Isabelle II et couvrant une période allant de la préhistoire au XIXᵉ siècle, le Musée archéologique contient des objets mis au jour dans toute l'Espagne, ainsi que des antiquités égyptiennes, grecques et étrusques.

Les collections comprennent en particulier des objets de la civilisation d'El Argar (1800-1100 av. J.-C.) d'Andalousie, des sculptures ibériques, des mosaïques romaines, des couronnes votives wisigothiques et de la poterie musulmane. Devant l'entrée du musée, des marches conduisent à une réplique de la grotte d'Altamira en Cantabrie.

Copie d'une peinture rupestre dans la réplique de la grotte d'Altamira

Sous-sol

★ Couronne wisigothique

Ce bijou du VIᵉ siècle en or, perles, saphirs et grenats fut découvert à Guarrazar dans la province de Tolède. L'inscription « RECCESVINTHVS REX OFFERET » révèle qu'il fut offert par le roi Recesvinto.

Arc maure

Cet arc en stuc du XIᵉ siècle, ayant surtout une fonction décorative, ornait l'Aljaferia, palais construit par les musulmans à Saragosse.

À NE PAS MANQUER

★ **Dama de Baça**

★ **Mosaïque romaine**

★ **Couronne**

Peintures et icônes médiévales

Crucifix en ivoire

Ce petit crucifix sculpté en 1063 et offert à la Basilica de San Isidro de León à sa consécration devint la propriété de Ferdinand Iᵉʳ. Un vide, à l'arrière, permettait d'y loger une relique de la Vraie Croix.

Épée de cérémonie
Découverte à Guadalajara (p. 131), cette épée de la culture d'El Argar (XIXe-XIVe siècles av. J.-C.) date de l'âge du bronze et possède une poignée en or.

MODE D'EMPLOI

Calle de Serrano 13. **Plan** 6 D5.
☎ 91 577 79 12. Ⓜ *Serrano, Retiro.* 🚌 *1, 19, 51, 74.*
🕐 *9 h 30-20 h 30 mar.-sam., 9 h 30-14 h 30 dim.* ● *j. fériés, 1er, 3 et 10 nov., 6, 24 et 31 déc.* 🎫 *(gratuit sam. après-midi et dim.).*
♿ 🛍 📷 ⊡

Bols celtiques en or
Ces bols à décor martelé de la fin de l'âge du bronze (XIIIe-XIIe siècles) avaient été cachés à Axtroki au Pays basque, probablement par un culte solaire.

Rez-de-chaussée

★ **Mosaïque romaine**
Sur cette mosaïque du IVe siècle d'une villa romaine de Cuevas de Soria, des allégories des mois (ici avril) entourent le monogramme de la famille qui habitait la demeure.

★ **Dame de Baça**
Trouvée à Grenade, cette déesse en pierre du IVe siècle av. J.-C. comporte à l'arrière une niche destinée aux cendres mortuaires.

Entrée principale

Réplique de la grotte d'Altamira

LÉGENDE

☐ Du paléolithique à l'âge du fer

☐ Cultures ibérique, phénicienne et punique

☐ Rome antique

☐ Afrique et Moyen-Orient

☐ Grèce antique et Étrurie

☐ Art wisigothique, roman et mudéjar

☐ Circulations et services

SUIVEZ LE GUIDE !
L'exposition suit l'ordre chronologique à partir du sous-sol, consacré à la préhistoire et aux premiers colonisateurs. Le rez-de-chaussée est principalement dédié à la période allant de l'occupation romaine à l'Espagne mudéjare, mais abrite aussi des pièces phéniciennes, puniques et médiévales. Le 1er étage, qui renferme des objets modernes, est en cour de réaménagement. La reconstitution de la grotte d'Altamira se trouve devant le musée.

Museo de Cera ⑥

Paseo de Recoletos 41. **Plan** 6 D5. 🛂
91 308 08 25. Ⓜ *Colón*. ◻ *10 h-
14 h 30, 16 h 30-20 h 30 lun.-ven.,
10 h-20 h 30 sam.-dim.* 🎦 ♿

L e musée de Cire de
Madrid abrite quelque
450 mannequins de célébrités
espagnoles et étrangères pour
la plupart mises en situation,
tel Miguel de Cervantes,
l'auteur de *Don Quichotte*,
représenté assis à son bureau
devant une peinture de
moulins. Une autre scène
reproduit la célèbre toile de
Goya, *Le 3 Mai 1808*,
dénonçant la répression
exercée par les troupes
napoléoniennes après une
révolte anti-française à Madrid
(p. 16). D'autres tableaux
illustrent la Cène, le retour du
Nouveau Monde de
Christophe Colomb, l'histoire
des colonies espagnoles ou le
Far West américain.
   L'époque contemporaine
n'est pas oubliée avec les
effigies de stars du rock, de
vedettes de Hollywood,
d'athlètes ou du pape. Dans
une reconstitution de café, les
visiteurs sont invités à
reconnaître des intellectuels
espagnols du passé et
d'aujourd'hui. Certains tableaux
risquent toutefois de choquer
les enfants, tel cet accident de
corrida où la corne du taureau
crève l'œil du torero.
   À l'étage, *Multivision* utilise
simultanément 27 projecteurs
pour résumer en une heure
l'histoire de l'Espagne.

**Mannequin en cire de Miguel de
Cervantes au Museo de Cera**

**Monument moderne à Christophe
Colomb, plaza de Colón**

Plaza de Colón ⑦

Plan 6 D5. Ⓜ *Serrano, Colón.*

D e hauts immeubles
construits dans les
années 70, à l'emplacement
de demeures du XIXᵉ siècle,
dominent cette vaste place
dédiée à Christophe
Colomb, qui renferme
les Jardines del
Descubrimiento (« jardins
de la Découverte »).
   Au sud, un palais
massif édifié en 1892
abrite la Bibliothèque
nationale et le Musée
archéologique. Au terme
du paseo de la Castellana
s'élève le gratte-ciel post-
moderniste de la société
Heron.
   Deux monuments
rendent hommage sur la
place au découvreur du
Nouveau Monde. Le plus
esthétique, et le plus
ancien, une flèche néo-
gothique érigée en 1885,
porte au sommet une
statue de Christophe
Colomb le doigt tendu
vers l'ouest. Le
second, moderne, se
compose de quatre
masses de béton
gravées de silhouettes
et de citations
évoquant le voyage
du célèbre
explorateur.
   La circulation qui règne en
permanence sur la plaza de
Colón n'en fait apparemment
pas un lieu adapté aux

**Statue de
Colomb, plaza
de Colón**

manifestations culturelles. Son
sous-sol renferme cependant
le Centro Cultural de la Villa
de Madrid qui comprend le
centre municipal d'art, un
théâtre, un café et des salles
d'exposition et de conférence.
   Le terminus des bus pour
l'aéroport *(p. 192)* est aussi
situé au sous-sol.

Museo
Arqueológico
Nacional ⑧

Voir pages 96-97.

Calle de Serrano ⑨

Plan 8 D1. Ⓜ *Serrano.*

P ortant le nom d'un politicien
du XIXᵉ siècle, la plus chic
des rues commerçantes de
Madrid relie la plaza del
Independencia à la plaza del
Ecuador et traverse le quartier
cossu de Salamanca.
   Installés dans des immeubles
datant souvent de la fin
du XIXᵉ siècle, de
nombreux magasins de
luxe la bordent.
   Certains des stylistes les
plus en vue du pays, tels
Adolfo Domínguez et
Roberto Verino, ont des
boutiques dans sa partie
nord, près du Museo Lázaro
Galdiano *(p. 100-101)*,
tandis que les Italiens
Versace et Armani ont
ouvert des succursales dans
la calle de José Ortega y
Gasset. Plus bas dans la
calle de Serrano, vers la
station de métro Serrano,
un grand magasin de la
chaîne britannique Marks
& Spencer attire les
Madrilènes en grand
nombre. Ils
apprécient en
particulier les
sandwichs
typiquement anglais,
importés tous les
jours par avion de
Grande-Bretagne.
Sur une rue parallèle,
la calle de Claudio
Coello, plusieurs antiquaires
proposent des meubles et des
objets d'art, aux prix en rapport
avec le standing du quartier.

Statue du marquis de Salamanca dans le quartier qu'il fonda

Salamanca ❿

Plan 6 E3. Ⓜ *Velázquez, Serrano, Núñez de Balboa, Lista, Príncipe de Vergara, Goya, Diego de León.*

Le barrio de Salamanca porte le nom de l'homme d'affaires qui en dirigea l'aménagement en 1862. José « Pepito » Salamanca (1811-1883), marquis de Salamanca, siégea dès l'âge de 23 ans aux Cortes, le Parlement espagnol. Avocat de formation, il fit preuve d'un grand flair aussi bien en politique que dans le domaine financier, et amassa une grande fortune dans des activités aussi diverses que le commerce de sel, les chemins de fer ou la promotion immobilière. Il est aussi le fondateur de la banque de Isabel II, le précurseur de la banque de España *(p. 67)*.

Après l'achèvement en 1958 d'un superbe palais au n° 10 du paseo de Recoletos (aujourd'hui le Banco Hipotecario), le marquis commença à développer en 1862 le terrain qui s'étendait derrière. Le projet prévoyait un quadrillage de rues orientées nord-sud et est-ouest que borderaient immeubles d'appartements, églises, écoles, hôpitaux et théâtres. Salamanca ouvrit aussi les premières lignes de tramway de Madrid pour relier ce nouveau quartier au centre-ville. Une statue lui rend hommage au croisement d'Ortega y Gasset et de Príncipe de Vergara.

Le quartier, où dominent les immeubles d'appartements de six à huit étages, est aujourd'hui l'un des plus chic de la capitale. Il renferme certains des meilleurs magasins et marchés de Madrid, ainsi que de discrets restaurants gastronomiques. Les *pijos* (riches enfants gâtés) leur préfèrent souvent les *cervecerías* et les bars des alentours de la calle de Goya et de la calle de Alcalá.

Construite en 1884, la plus vieille église du quartier, San Andrés de los Flamencos (n° 99 calle de Claudio Coello), abrite désormais la Fundación Carlos de Amberes, un centre culturel qui a pour vocation d'entretenir les liens entre l'Espagne, les Pays-Bas et la Belgique. Derrière l'autel se trouve une peinture de saint André par Rubens. C'est l'Iglesia de la Concepción (n° 26 calle de Goya), que l'on repère à sa flèche en fer portant une statue de la Vierge, qui fait office d'église paroissiale. Au n° 25 de la calle de Hermosilla se dresse un charmant temple protestant dédié à saint Georges.

À l'angle de Velázquez et de Juan Bravo, le Palacio de Amboage néo-classique, bâti en 1918 par Joaquín Roji, est devenu l'ambassade italienne. Ne manquez pas non plus le restaurant Teatriz du n° 15 calle de Hermosilla dont le designer français Philippe Starck a dirigé la décoration intérieure. Les tables occupent la salle d'un ancien théâtre et cinéma. Sur la scène trône un comptoir de bar en onyx.

Fundación Juan March ⓫

Calle de Castelló 77. ☎ *91 435 42 40.* Ⓜ *Núñez de Balboa.* ⏰ *10 h-14 h, 17 h 30-21 h lun.-sam., 10 h-14 h dim. et j. fériés.* ♿

Fondée en 1955 grâce à une dotation du financier Juan March, cette institution culturelle et artistique est surtout connue pour ses expositions et ses concerts. Un immeuble en marbre et en verre du barrio de Salamanca abrite son siège depuis 1975. Elle possède aussi le Museo de Arte Abstracta de Cuenca et une galerie d'art moderne espagnol à Palma de Majorque.

Une boutique se trouve au rez-de-chaussée, occupé par le principal espace d'exposition. La collection permanente compte plus de 1 300 œuvres contemporaines espagnoles. Des concerts gratuits ont lieu dans l'auditorium de 400 places aménagé au sous-sol. On peut aussi écouter de la musique contemporaine aux pupitres installés dans la bibliothèque du 2ᵉ étage. Il existe également une bibliothèque consacrée au théâtre et aux arts vivants espagnols d'aujourd'hui.

Inaccessible au public, l'Institut Juan March d'étude et de recherches anime l'un des forums mondiaux du plus haut niveau dans le domaine de la biologie.

Sculpture par Chillida, Fundación Juan March

Sculpture par Barrocol, près de l'entrée de la Fundación Juan March

Museo Lázaro Galdiano ⑫

Pour son mariage, en 1903, avec l'héritière argentine Paula Florido, l'homme d'affaires et collectionneur José Lázaro Galdiano (1862-1947) fit construire un somptueux hôtel particulier de style néo-Renaissance. Celui-ci abrite toujours environ 5 000 œuvres et objets d'art patiemment réunis par Galdiano. La collection, léguée à l'État avec la demeure en 1948, couvre une période allant du VIIe siècle av. J.-C. au XXe siècle, et comprend des pièces archéologiques, des objets religieux, des émaux limousins, des ivoires médiévaux, des armes, de l'horlogerie, des bijoux et de nombreuses peintures de grands maîtres.

Grand hall central au parquet en marqueterie

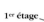
2e étage

★ Le Sabbat (1798)
Francisco de Goya s'est inspiré pour ce tableau d'une légende de sa province natale, l'Aragon. Il montre deux sœurs qui ont empoisonné leurs enfants pour attirer le diable.

1er étage

Doña Inés de Zúñiga
Juan Carreño de Miranda a peint ce portrait de la comtesse de Monterrey à la fin du XVIIe siècle. Elle porte une imposante robe de mariage espagnole.

Rez-de-chaussée

SUIVEZ LE GUIDE !
Le rez-de-chaussée abrite des pièces archéologiques, des émaux limousins, des objets religieux des XVe et XVIe siècles, des bijoux et des œuvres d'art de la Renaissance. Au 1er étage se trouvent l'argenterie, les meubles et les tableaux espagnols. Parmi les peintures du 2e étage figurent des toiles de Goya, de Jérôme Bosch et du Greco.

LÉGENDE DU PLAN

☐	Rez-de-chaussée
☐	Premier étage
☐	Deuxième étage
☐	Circulations et services

★ Jarre punique
Ce récipient carthaginois en bronze, à tête de félin, est l'une des plus belles pièces archéologiques de la collection. C'est aussi l'une des plus anciennes : elle date du milieu du VIIe siècle av. J.-C.

Entrée principale

MODE D'EMPLOI

Calle Serrano 122. **Plan** 6 E1.
📞 91 561 60 84. 🚇 Rubén
Darío, Gregorio Marañón. 🚌 9,
12, 16, 19, 51, 61. ⏰ 10 h-14 h
mar.-dim. ⬤ j. fériés, août, 1er, 3
et 10 nov., 6, 24 et 31 déc. 🎫
(gratuit le sam.). 🅿 ♿ 📷 ⬛
www.flg.es

Saint Jean-Baptiste
*Au tournant du XVIe siècle,
Jérôme Bosch a représenté
saint Jean-Baptiste plongé
dans la contemplation au
sein d'un paysage étrange
et d'animaux allégoriques.
L'agneau au premier plan
symbolise ainsi la vie
spirituelle.*

**Secrétaire en
marqueterie**
*Les ébénistes
d'Augsburg et de Nuremberg du
XVIe siècle exportèrent en Espagne beaucoup
de meubles très ouvragés comme celui-ci.
On sait que Philippe II acheta des secrétaires
similaires.*

Portrait d'une dame
*Joshua Reynolds
peignit ce portrait à la
fin du XVIIIe siècle. Le
musée possède aussi
des œuvres de
Constable, Romney et
Hoppner.*

★ Tête de crosse
*Fabriqué à Limoges au
XIIIe siècle pour orner
une crosse d'évêque,
ce splendide objet
émaillé est décoré de
plantes stylisées
évoquant l'arbre de vie,
et d'un personnage
tenant un livre, sans
doute saint
Matthieu.*

À NE PAS MANQUER

★ **Jarre punique**

★ **Tête de crosse**

★ *Le Sabbat*
par Goya

Ancienne maison de Joaquín Sorolla devenue un musée

Museo Sorolla ⑬

Paseo del General Martínez Campos 37.
Plan 5 C1. [91 310 15 84.
Ⓜ Rubén Darío, Iglesia. ◯ 10 h-
15 h mar.-sam., 10 h-14 h dim.
☒ sauf dim.

Transformée en musée,
la maison où vécut et
travailla l'artiste
valencien Joaquín
Sorolla, édifiée en
1910, est restée
pratiquement telle qu'elle
était à sa mort en 1923.
   Si Sorolla est surtout
connu pour son travail
sur la lumière dans
des scènes de bord de
mer écrasées de soleil
(p. 83), les tableaux exposés
au musée permettent de
découvrir également sa
période réaliste et son talent
de portraitiste. La demeure
abrite en outre divers objets
qu'il collectionna durant sa
vie, entre autres des carreaux
et des céramiques. Le peintre
dessina lui-même le jardin de
style andalou qui entoure la
maison, agrémenté de

Museo de Escultura al Aire Libre ⑭

Paseo de la Castellana. **Plan** 6 E2.
Ⓜ Rubén Darío.

Au début des années 70,
J. Antonio Fernández
Ordóñez et Julio Martínez
Calzón, architectes du pont
de la calle Juan Bravo,
meublèrent l'espace en
dessous de sculptures
abstraites d'artistes espagnols
du XXᵉ siècle. C'est une œuvre

du Basque Eduardo Chillida,
forme de béton suspendue à
quatre barres d'acier, qui
domine le côté situé à l'est du
paseo de la Castellana.
Elle s'intitule *Sirena
Varada* (« Sirène échouée »)
et date de 1972-1973. Aux
Toros Ibéricos d'Alberto
Sánchez répond un
pingouin par Joan Miró.
Les autres sculpteurs
représentés ici
comprennent Andrés
Alfaro, Julio González,
Rafael Leoz, Mariel
Martí, José María
Subirachs, Francisco
Sobrino, Martín
Chirino et Eusebio
Sempere.
Il faut affronter une circulation
toujours intense pour aller
admirer de l'autre côté du
paseo de la Castellana deux
bronzes de Pablo Serrano.

Toros Ibéricos,
Alberto Sánchez

Museo Romántico ⑮

Calle de San Mateo 13. **Plan** 5 A4.
[91 448 10 71. Ⓜ Tribunal,
Alonso Martínez. ◯ 9 h-15 h mar.-
sam., 10 h-14 h dim. et j. fériés.
● août. ☒ (gratuit le dim.).
♿ 11 h 30 et 12 h le dim. (en
espagnol).

Manuel Martín dessina en
1776 cette élégante
demeure néo-classique pour
le marquis de Matallana. Elle
fut transformée en musée en
1924 par le fondateur des
paradors (p. 145), le marquis
de la Vega-Inclán.
   Le marquis constitua le
noyau de la collection en
faisant don des peintures,
livres et meubles du XIXᵉ siècle

qu'il avait réunis. Racheté par
l'État en 1927, le musée fut
réorganisé pour ressembler à
la maison d'une riche famille
de la période romantique
(milieu du XIXᵉ siècle).
   L'exposition occupe
20 pièces du 1ᵉʳ étage. Outre
de nombreux objets tels
qu'instruments de musique,
photographies, poupées et
bibelots, elle compte plusieurs
portraits exécutés par de
grands noms de l'époque,
dont celui du *Général Prim*
par Esquivel et *Ferdinand VII*
et *Marie-Christine* par
Salvador Guttiérrez. Avec
*La Satire d'un suicide
romantique,* Leonardo Alenza
porte un regard plus incisif
sur cette période.
   Décorée de tapis provenant
de la Real Fábrica de Tapices
(p. 112), la salle de bal abrite,
sous un plafond peint par
González, un piano Pleyel qui
appartint à Isabelle II (p. 21).
   Le musée possède aussi un
bel ensemble de tableaux de
costumbristas – peintres de la
vie quotidienne en Andalousie
et à Madrid. Les amateurs de
peinture espagnole pourront
aussi contempler des tableaux
plus anciens, entre autres le
San Gregorio Magno de Goya
(p. 26).
   La salle Mariano José de
Larra est consacrée au grand
écrivain et journaliste satirique
du début du XIXᵉ siècle.
Parmi les souvenirs de
ce personnage tourmenté
figure le pistolet de duel avec
lequel il se suicida par dépit
amoureux à l'âge de
vingt-huit ans.

San Gregorio Magno par Goya,
chapelle du Museo Romántico

Portail baroque du Museo Municipal par Pedro de Ribera

Museo Municipal ⓰

Calle de Fuencarral 78. **Plan** 5 A4.
📞 91 588 86 72. 🚇 Tribunal.
🕐 9 h 30-20 h mar.-ven., 10 h-14 h sam.et dim. ● j. fériés. 🎫 gratuit mer. et dim.

Œuvre de Pedro de Ribera, le majestueux portail baroque de l'ancien hospice Saint-Ferdinand, sans doute le plus beau de Madrid, justifie à lui seul la visite de ce musée inauguré en 1929.

Le sous-sol abrite des collections archéologiques, tandis qu'à l'étage de nombreux documents montrent les changements radicaux que connut Madrid au fil des siècles. Ils comprennent la plus ancienne carte connue de la ville, établie en 1656 par Pedro Texeiro, et une maquette minutieuse achevée en 1830 par León Gil de Palacio.

Des témoignages plus récents sur la vie de la cité incluent la reconstitution du bureau de Ramón Gómez de la Serna, personnage de la *Movida* littéraires du Café de Pombo *(p. 87)*. Dans le jardin, la fontaine de la Renommée, baroque, est aussi de Ribera.

Malasaña ⓱

Plan 2 E4. 🚇 Tribunal, Bilbao, San Bernardo.

Connu sous le nom de barrio de Maravillas (« quartier des Miracles ») d'après une église du XVIIe siècle qui s'y dressait jadis, le quartier de Malasaña a gardé beaucoup d'authenticité. Ses étroites rues pavées descendent depuis la calle de Carranza et la calle de Fuencarral jusqu'à la **plaza des Dos de Mayos** qui en constitue le cœur. La place occupe l'emplacement de la caserne de Monteleón que les Madrilènes défendirent âprement lors du soulèvement de 1808 *(p. 16)*. Il ne reste du bâtiment qu'un arc devant lequel un monument par Antonio Solá rend hommage aux officiers d'artillerie Daoiz et Velarde.

Le quartier tomba en décrépitude dans les années 40 et 50, mais ses habitants résistèrent farouchement à tous les projets de démolition, et il acquit son atmosphère bohème dans les années 60 quand la modicité des loyers y attira des hippies. Il devint ensuite, après la mort de Franco, le pôle nocturne du bouillonnement créatif appelé la *Movida* *(p. 104)*.

Des antiquaires et des jeunes cadres ont commencé à s'y installer, mais artistes et écrivains y vivent toujours.

La **plaza de San Ildefonso**, l'une des nombreuses places que fit remodeler Joseph Bonaparte *(p. 17)*, renferme une jolie fontaine ornée de serpents s'enroulant autour de conques. Près de l'**Iglesia de San Ildefonso**, construite en 1827 dans le style néo-classique, la crèmerie **Vaquería** a peu changé depuis son ouverture en 1911. Des vaches encadrent la porte à l'extérieur et des tableaux des saisons de style Art déco ornent l'intérieur.

Dans la calle de la Puebla, l'**Iglesia de San Antonio de los Alemanes** date du XVIIe siècle. Juan Carreño, Francisco de Ricci et Luca Giordano ont paré de fresques sa nef elliptique. Non loin, l'**Iglesia de San Placido,** elle aussi du XVIIe siècle, possède une coupole peinte par Francisco Rizzi et des autels décorés par Claudio Coello.

Dans l'**Iglesia de San Martín**, édifiée dans la calle de San Roque en 1648, le retable du maître-autel représente saint Martin de Tours donnant la moitié de son manteau à un mendiant.

Maître-autel peint par Claudio Coello, Iglesia de San Placido à Malasaña

MANUELA MALASAÑA

Fille de Juan Manuel Malasaña, un artisan qui s'illustra lors du soulèvement de 1808, Manuela Malasaña était une jeune couturière. Selon la légende, elle fut exécutée à l'âge de seize ans par les troupes d'occupation napoléoniennes qui l'avaient surprise avec une paire de ciseaux et accusée de posséder une arme interdite. Depuis 1961, une rue parallèle à la calle de Carranza, entre la calle de Fuencarral et la calle de San Bernardo, porte le nom de cette héroïne locale.

Portail du Cuartel del Conde Duque, dessiné par Ribera

Cuartel del Conde Duque ⑱

Calle del Conde Duque 9-11.
Plan 2 D4. 🕿 91 588 58 24.
Ⓜ Noviciado, San Bernardo.
◯ 10 h-14 h, 17 h 30-21 h mar.-sam. 10 h 30-14 h 30 dim.

Ce vaste corps de bâtiments rectangulaire doit son nom à Gaspar de Guzmán (1587-1645), comte-duc d'Olivares, ministre et favori de Philippe IV pendant plus de vingt ans, qui se fit édifier sur le site un immense palais. Celui-ci tomba toutefois peu à peu en ruine après que la noblesse espagnole eut obtenu l'exil d'Olivares en 1643, et la parcelle de terrain finit par être divisée en deux. Sur une partie, Ventura Rodríguez bâtit le Palacio de Liria pour le duc d'Albe, sur l'autre, Pedro de Ribera éleva, entre 1717 et 1730, la caserne de Los Guardias de Corps qu'il dota d'une façade baroque.

La caserne resta en service pendant plus d'un siècle puis tomba à son tour en décrépitude après un incendie en 1869. Le conseil municipal de Madrid décida de restaurer l'édifice en 1969, et il abrite aujourd'hui un poste de police, une bibliothèque et des services municipaux, ainsi qu'un centre culturel qui possède deux salles d'exposition et accueille de grands concerts, généralement sous chapiteau dans l'une des trois cours intérieures. Il organise aussi des festivals de jazz et de flamenco. On y accède par la porte en face de la calle de Montserrat et non par le portail principal du Cuartel del Conde Duque, chef-d'œuvre baroque en pierre dû à Pedro de Ribera.

La Movida

Après la mort de Franco en 1975, l'Espagne, et tout particulièrement Madrid, connut avec la liberté retrouvée une période intensément créative. Dans les bars et cafés « branchés », artistes et intellectuels se retrouvaient pour échanger des idées et multiplier les expériences. Rendu célèbre par le succès du réalisateur Pedro Almodóvar, ce mouvement, la *Movida,* n'a plus la même vitalité, mais il a fortement marqué la société espagnole.

Affiche de *Femmes au bord de la crise de nerf* d'Almodóvar

Palacio de Liria ⑲

Calle de la Princesa 20. **Plan** 1 C4. 🕿 91 547 53 02. Ⓜ Ventura Rodriguez. ◯ sur r.-v.

Après avoir souffert des bombardements nationalistes pendant la guerre civile, l'ancienne résidence de la famille d'Albe, achevée en 1780 par Ventura Rodríguez, a été restaurée et appartient toujours à la duchesse. On ne peut la visiter que sur rendez-vous.

Les pièces ont retrouvé une élégante décoration qui met en valeur la riche collection d'œuvres d'art et de tapisseries flamandes, réunie par la famille au fil des siècles. Elle comprend en particulier des peintures du Greco, de Zurbarán et Velázquez, et le portrait de la duchesse d'Albe peint par Goya en 1795. Les tableaux accrochés aux murs, tendus de soieries, comportent aussi des œuvres de grands maîtres étrangers tels que Titien, Rubens et Rembrandt.

Élégant salon orné de peintures de Goya, Palacio de Liria

Les castizos de Madrid

Le terme *castizo* s'applique aux membres des classes populaires dont les familles habitent depuis des générations les quartiers du vieux Madrid, de Camberí et de Cuatro Caminos. Vers 1850, en pleine période romantique, alors que la bourgeoise était en train de s'approprier l'élan de fierté patriotique qu'avait déclenché la résistance à l'occupation des troupes napoléoniennes, les *castizos* décidèrent de revendiquer leur propre héritage.

Sur un char lors d'une célébration religieuse

Ils donnèrent une nouvelle vie aux fêtes de quartier, fondèrent de nombreuses associations toujours très actives aujourd'hui et, pour affirmer leur identité, réinventèrent des costumes traditionnels. C'est ainsi qu'à toutes les *fiestas* ou *romerías* (pèlerinages) de Madrid, les *manuelas* (femmes) arborent fièrement œillets dans les cheveux et longues robes à volant à côté de leurs *chulos* (hommes), aussi appelés *majos* (coquets), portant chemise blanche, gilet et casquette.

Le costume typique de la manuela *comporte un foulard arborant au moins un œillet sur le front, une* alfombra *(qui signifie littéralement « tapis »), ou* mantón de Manila, *passé sur les épaules, et une* falda vestida *(robe longue) à volants, couvrant parfois un jupon.*

Œillet dans le foulard

Alfombra aux longues franges

Robe longue (falda vestida)

Palpusa noire et blanche

Barbosa blanche

Alares noirs

La tenue masculine *se compose, en argot* castizo, *d'une* palpusa *(casquette), d'une* chupa *(veste) et d'*alares *(pantalons) noirs ou à carreaux noirs et blancs que complètent une* barbosa *(chemise) blanche, un* chupín *(gilet) noir, un* safo *(mouchoir blanc), un* petuco *(montre de gousset), un œillet rouge à la boutonnière, des* picantes *(chaussettes) et des* calcos *(chaussures).*

En mai, les castizos *sortent en force pour la fête du Dos de Mayo, puis le 15 pour la procession de la Romería de San Isidro qui part de la Puerta de Toledo pour rejoindre le río Manzanares. Les deux principales* fiestas *suivantes sont celles de San Antonio de la Florida le 13 juin et de la Virgen de Paloma le 15 août. Autres pèlerinages, la Romería de San Blas et la Romería de San Eugenio ont lieu respectivement le 3 février et le 14 novembre.*

EN DEHORS DU CENTRE

Situés à l'écart du centre, d'intéressants musées restent moins connus tels que le Museo de la Ciudad, qui offre un aperçu du développement de la ville illustré par des maquettes d'édifices et de quartiers. Consacré aux anciennes colonies espagnoles, le

Mosaïque de Miró au Palacio de Congresos y Exposiciones d'Azca

Museo de América possède de superbes objets d'art précolombien. D'autres bâtiments sont aussi à découvrir en périphérie, depuis le temple égyptien de Debod jusqu'aux gratte-ciel et immeubles de bureaux du quartier moderne d'Azca, en passant par la Puerta de Toledo, entreprise en 1813 sur ordre de Joseph Bonaparte, ou les arènes néomudéjares de la Plaza de Toros de Las Ventas. Si vous souhaitez échapper un moment à la pression urbaine, le vaste espace vert de la Casa de Campo propose à l'ouest du vieux Madrid l'ombre de ses pins, un lac où canoter, un parc d'attractions et un jardin zoologique.

LES SITES D'UN COUP D'ŒIL

Bâtiments historiques
Arco de la Victoria ❷
Estación de Príncipe Pío ⓱
La Corrala ⓫
Puente de Segovia et
　río Manzanares ⓭
Puerta de Toledo ⓬
Real Fábrica de Tapices ❾
Sala del Canal de Isabel II ❸
Templo de Debod ⓰

Église
Ermita de San Antonio de la
　Florida ⓯

Musées
Museo Casa de la Moneda ❽
Museo de América ❶
Museo de Ciencias Naturales ❺
Museo de la Ciudad ❻
Museo Nacional Ferroviario ❿

Quartier, arènes et parc
Azca ❹
Casa de Campo ⓮
Plaza de Toros de Las
　Ventas ❼

LÉGENDE

| | 0 | | 2 km |

☐ Principaux quartiers intéressants
☐ Parcs et espaces verts
🚉 Gare ferroviaire
═ Autoroute
═ Route principale
═ Route secondaire

LES SITES EN DEHORS DU CENTRE

Le Mirador del Faro, près de la tour du Museo de América

Museo de América ❶

Avenida de los Reyes Católicos 6.
📞 91 549 26 41. Ⓜ Moncloa.
🕐 10 h-15 h mar.-sam., 10 h-14 h 30
dim. et j. fériés. 📷 ♿

Situé dans un élégant bâtiment, ce musée abrite une collection unique d'objets liés à la colonisation de l'Amérique centrale et d'une partie de l'Amérique du Sud. Les pièces présentées couvrent une période allant de la préhistoire à l'époque actuelle. Beaucoup arrivèrent en Europe dans les bagages des premiers explorateurs du Nouveau Monde *(p. 14)*, dont les voyages dans l'Atlantique sont illustrés par divers documents.

L'exposition comprend des salles entièrement consacrées à des thèmes particuliers tels qu'organisation sociale, communication et religion. Un manuscrit maya, illustré de scènes de la vie quotidienne en hiéroglyphes, le *Códice Tro-cortesiano* (1250-1500) provenant du Mexique, constitue sans doute le fleuron de la collection, mais celle-ci inclut également des ornements funéraires en or précolombiens, le trésor des Quimbayas (500-1000), et des exemples d'art populaire contemporain.

Arco de la Victoria ❷

Avenida de la Victoria. **Plan** 1 A1.
Ⓜ *Argüelles.*

Cet arc de triomphe haut de 39 m, dominé par un groupe sculpté en bronze, fut érigé en 1956 pour célébrer la victoire des troupes nationalistes pendant la guerre civile *(p. 18)*, et le général Franco passait à proximité chaque fois qu'il se rendait à Madrid depuis son domicile du Palacio de El Pardo *(p. 134)*. Les architectes du monument, Pascual Bravo et Modesto López Otero, ont aménagé une salle dans sa partie supérieure. Elle est fermée au public mais renferme une maquette de 25 m² de l'université voisine et les plans de l'arc lui-même.

Non loin se dresse le **Mirador del Faro,** une tour d'observation aux lignes ultramodernes, inaugurée en 1992. Elle mesure 92 m de hauteur et offre un panorama exceptionnel de Madrid et de la sierra de Guadarrama.

Arco de la Victoria

Sala del Canal de Isabel II ❸

Calle de Santa Engracia 125. 📞 91
445 10 00. Ⓜ *Ríos Rosas.* 🕐 10 h-14 h,
17 h-21 h mar.-sam., 10 h-14 h dim. et
j. fériés. 🔒 1er janv. et 25 déc. ♿

Ce château d'eau restauré accueille des expositions temporaires de photographie, mais c'est pour découvrir le bâtiment que beaucoup de visiteurs se déplacent.

Sala del Canal de Isabel II, aujourd'hui lieu d'exposition

À la fin du xixe siècle, l'alimentation en eau de Madrid s'effectuait en majeure partie selon un shéma d'approvisionnement appelé le Canal de Isabel II *(p. 21)*, entrepris en 1851, nom que porte également aujourd'hui la compagnie des eaux madrilène.

Le premier barrage fut construit dans la vallée du Lozoya, à environ 80 km au nord de la capitale dans la sierra de Guadarrama, mais il ne suffit toutefois bientôt plus et il fallut créer de nouveaux lacs artificiels pour remplir les besoins toujours grandissants de la cité. En 1903, avec le développement des faubourgs de Chamberí et Cuatro Caminos, situés sur des hauteurs, ces réservoirs se révélèrent toutefois eux aussi inadaptés, et l'ingénieur Martín y Montalvo fut chargé de construire un château d'eau.

Il dessina une tour d'acier et de brique obéissant à un plan au sol hexagonal. Haute de 36 m, elle soutenait un réservoir de 1 500 m². Sa construction dura de 1908 à 1911 et coûta près de 350 000 pesetas. Le château d'eau resta en service jusqu'en 1952. En 1985, le gouvernement régional de Madrid décida de restaurer l'édifice en conservant la citerne. Dans la tour, des ascenseurs hydrauliques et des escaliers permettent aujourd'hui d'atteindre les niveaux d'exposition. L'un des principaux réservoirs modernes du Canal de Isabel II est toujours enterré à proximité.

Azca ❹

Lima, Nuevos Ministerios.

Entrepris en 1969, à l'ouest du paseo de la Castellana, pour doter Madrid d'un centre d'affaires situé hors du centre-ville, ce petit Manhattan part du complexe des **Nuevos Ministerios,** au sud, et s'étend jusqu'au **Palacios de Congresos y Exposiciones.** Quelque 30 000 personnes y travaillent aujourd'hui.

Les Madrilènes apprécient aussi ce quartier pour le shopping. El Corte Inglés *(p. 164),* un grand magasin, domine la gare et station de métro Nuevos Ministerios, tandis que le métro Lima dessert la galerie marchande Moda Centro Comercial.

De l'autre côté de la plaza de Lima, l'**Estadio Santiago Bernabeu,** siège du club de football du Real Madrid, date de 1950 mais a connu plusieurs ravalements, en particulier pour la Coupe du monde de 1982.

Azca renferme aussi des hôtels, des cinémas, des restaurants, des bars et des boîtes de nuit. Au centre du quartier, la **plaza Pablo Ruiz Picasso,** piétonne, est aménagée sur plusieurs niveaux agrémentés d'arbres, de bancs et de fontaines. Les voies routières qui courent sous la surface forment un dédale où il vous risquez de vous perdre si vous ne savez pas exactement comment atteindre l'endroit où vous comptez vous garer ou ressortir.

Avec ses 46 étages, la **Torre Picasso,** achevée en 1989, est le plus haut immeuble de bureaux de Madrid. Son architecte, Minoru Yamasaki, dessina aussi les tours jumelles du World Trade Center de New York.

Autre édifice marquant, la **Torre Europa,** terminée en 1982 sur des plans de Miguel Oriol et Ybarra, domine la plaza de Lima. Outre 28 étages de bureaux, elle comprend trois niveaux souterrains réservés aux boutiques.

À l'angle sud d'Azca, la **Banque Bilbao Vizcaya,** construite en 1980 par Francisco Javier Sáenz de Oiza, dresse sa façade couleur rouille au-dessus de la liaison ferroviaire souterraine entre Chamartín et Atocha.

Museo de Ciencias Naturales ❺

Paseo de la Castellana 80. 📞 *91 411 13 28.* Ⓜ *Gregorio Marañon, Nuevos Ministerios.* ⏰ *10 h-18 h mar.-ven., 10 h-20 h sam., 10 h-14 h 30 dim. et j. fériés.* ⏺ *1er janv., 1er mai, 25 déc.*

Bâti en 1897, le musée des Sciences naturelles de Madrid renferme, entre autres, 16 400 minéraux, 220 météorites et 30 000 oiseaux et mammifères. L'entrée de gauche mène à la section intitulée « Rythme de la nature ». Elle offre une riche

La Torre Europa, gratte-ciel du quartier d'Azca

Section consacrée aux origines de la vie du Museo de Ciencas Naturales

introduction à la zoologie avec des exemples d'animaux rares et exotiques, y compris des oiseaux, des insectes et des papillons. Lions, tigres et cerfs fixent les visiteurs depuis les murs, et lézards, poissons et serpents en bocaux emplissent des rayonnages. Dans une salle, des ordinateurs permettent de découvrir de manière interactive les habitats et les cris de diverses espèces.

Cette partie du musée abrite également une vue en coupe du site archéologique d'Atapuerca, près de Burgos au nord de Madrid, où furent découverts en 1997 les plus anciens fossiles humains d'Europe, vieux de quelque 780 000 ans. Il y a aussi un énorme éléphant africain abattu au Soudan en 1916 par le duc d'Albe, qui expédia la peau en Espagne pour faire naturaliser l'animal.

La section moderne propose des expositions consacrées aux origines de la Terre et de la vie. Elles ont pour fleuron le squelette vieux de 1,8 million d'années d'un *Megatherium americanum,* créature de la fin du cénozoïque évoquant un ours, découvert en Argentine en 1788. Il se trouve à côté d'un glyptodon (tatou géant) provenant lui aussi d'Argentine et d'une reproduction grandeur nature d'un squelette de diplodocus retrouvé au États-Unis.

Le bâtiment renferme également l'École d'ingénieurs industriels. Derrière s'élève le siège du CSIC, un institut scientifique d'État. Devant les entrées du musée, une agréable terrasse de café domine un petit parc.

Atrium central éclairant les salles du Museo de la Ciudad

Museo de la Ciudad ❻

Calle del Principe de Vergara 140.
📞 91 588 65 99. Ⓜ Cruz del Rayo.
🕐 10 h-14 h, 16 h-18 h (17 h-19 h juil.-août) mar.-sam., 10 h-14 h dim. ⬤ j. fériés. ♿

Situé au nord-est de Madrid, le musée de la Ville possède cinq niveaux modernes, autour d'un atrium polygonal que décore une réplique de la *Mariblanca*, la statue de Vénus de la Puerta del Sol *(p. 44)*. Le rez-de-chaussée et le premier étage accueillent des expositions temporaires.

Le deuxième étage décrit les services publics de la capitale. Un sujet intéresse tout particulièrement les nombreux écoliers qui visitent le musée : l'alimentation en eau de leur cité depuis les montagnes. Ce niveau renferme également une immense maquette de l'agglomération depuis l'aéroport Barajas jusqu'au terrain d'aviation de Cuatro Ventas.

Au troisième étage, des documents tels que livres et plans, et des maquettes de quartiers anciens, de certains monuments et du Palacio Real *(p. 54-57)* retracent l'histoire de Madrid de la préhistoire aux Bourbons.

Consacré au XIXᵉ et au XXᵉ siècle, le quatrième étage abrite une magnifique maquette de la partie de la ville s'étendant de la plaza de Colón *(p. 94)* à la Torre Europa *(p. 109)*.

Plaza de Toros de Las Ventas ❼

Calle de Alcalá 237. 📞 91 356 22 00. Ⓜ Ventas. 🕐 pour les corridas et les concerts. **Museo Taurino** 📞 91 725 18 57. 🕐 de mars à sept. : 9 h-14 h 30 lun.-sam., 10 h-13 h dim. ; d'oct. à fév. : 9 h 30-14 h 30 lun.-ven. ♿

Quelle que soit votre opinion sur les courses de taureaux, les arènes de Las Ventas font indiscutablement partie des plus belles d'Espagne. Construites en 1929 dans le style néo-mudéjar, elles remplacèrent celles de la Puerta de Alcalá. Elles offrent, avec leurs arcs en fer à cheval et leur parement de brique et d'*azulejos*, un cadre superbe pour assister, entre mai et octobre, à une corrida. Les statues qui ornent l'extérieur commémorent deux matadors renommés : Antonio Bienvenida et José Cubero.

Dans une aile des arènes, le **Museo Taurino** présente une collection de souvenirs comprenant les portraits et sculptures de célèbres toreros, ainsi que les têtes de plusieurs taureaux ayant combattu à Las Ventas. Sa visite permet d'examiner de près banderilles et épées.

Parmi les *traje de luces* (« habits de lumière ») exposés figure celui, taché de sang, que portait le légendaire Manolete lors de la corrida qui lui coûta la vie en 1947. À remarquer également, un costume ayant appartenu à Juanita Cruz, femme matador des années 30, contrainte à l'exil par les préjugés des Espagnols.

En septembre et octobre, les arènes accueillent des concerts de rock.

Museo Casa de la Moneda ❽

Calle del Doctor Esquerdo 36. 📞 91 566 65 44. 🕐 sept.-juil. : 10 h-14 h 30, 17 h-19 h 30 mar.-ven., 10 h-14 h sam. et dim. ⬤ août et j. fériés.

Il faut franchir un détecteur de métaux pour entrer et sortir de la Monnaie espagnole, vaste immeuble de granite où sont également imprimés les timbres-poste. Le musée, situé au nord du bâtiment, retrace l'histoire des supports qu'utilisèrent les hommes pour leurs échanges depuis le sel, les coquillages et les bracelets jusqu'à l'euro.

L'exposition comprend des matrices de billets de banque, des timbres, des médailles et divers documents, mais elle offre surtout de l'intérêt pour les pièces. Des photographies et des cartes complètent les présentoirs de monnaies grecques et romaines. Sur une pièce datant de 78 av. J.-C., l'image de la déesse Cybèle ressemble à la sculpture de la plaza de Cibeles *(p. 67)*. Des pièces frappées par les Wisigoths et les Maures rappellent que ces deux cultures dominèrent chacune un temps la péninsule.

La Plaza de Toros de Las Ventas, splendides arènes de Madrid

La tauromachie

Issue des sacrifices rituels de taureaux pratiqués à l'époque païenne autour de la Méditerranée, et des jeux qui les accompagnaient, la corrida reste, malgré les protestations des défenseurs des animaux, l'un des spectacles préférés des Espagnols, et un élément de leur culture qu'ils considèrent comme fondamental. Elle obéit à des règles fixées au XVIIIe siècle et se déroule en trois phases appelées

Affiche de corrida

tercios. Pendant la première, le *tercio de varas,* le torero, les *picadores* (lanciers à cheval) et les *peones* (assistants) fatiguent le taureau avant que les *banderilleros* ne lui plantent trois paires de banderilles pendant le *tercio de banderillas.* L'*estocada,* mise à mort de l'animal, conclut le *tercio de muleta* où le matador effectue des passes avec sa cape tenue par la *muleta.*

Le toro bravo *(taureau de combat), sélectionné pour son courage et son agressivité, vit en semi-liberté au moins jusqu'à l'âge de quatre ans.*

Manolete, *considéré comme l'un des plus grands matadors de tous les temps, succomba en 1947 à Linares à un coup de corne du taureau Islero.*

Le matador porte un *traje de luces* orné de paillettes dorées.

Les banderilles servent à affaiblir le taureau.

Joselito, *l'un des plus prestigieux toreros actuels, est célèbre pour sa démarche puriste et son extrême adresse avec* la capa *et la* muleta.

L'ARÈNE

Le public de la corrida prend place sur les *tendidos* (gradins) ou aux *palcos* (balcons) qui renferment la *presidencia* (loge du président). En face s'ouvrent l'*arrastre de toros* (sortie des taureaux) et la *puerta de cuadrillas* que franchissent le *matador* et ses aides pour entrer. Ils peuvent se réfugier dans le corridor appelé *callejón* ou derrière les *barreras* ou les *burladeros* (barrières). Les taureaux attendent dans les *corrales.*

Plan d'une arène

LÉGENDE

- Tendidos
- Palcos
- Presidencia
- Puerta de cuadrillas
- Arrastre de toros
- Callejón
- Barreras
- Burladeros
- Patio de caballos
- Corrales

Real Fábrica de Tapices ❾

Calle de Fuenterrabía 2. **Plan** 8 F5. 📞
91 551 34 00. ♦ Menéndez Pelayo.
🕐 9 h-12 h 30 lun.-ven. 📷

De toutes les manufactures royales créées par les Bourbons au XVIIIe siècle, seule a survécu celle des tapisseries fondée en 1721 par Philippe V. Elle occupe depuis 1889 le même édifice au sud du Parque del Retiro (p. 77).

Les visiteurs peuvent y assister à la fabrication de tapis et de tapisseries selon des procédés qui ont peu changé depuis l'époque où Goya et son beau-frère Francisco Bayeu réalisaient des cartons pour la manufacture. Celle-ci en a conservé plusieurs, d'autres se trouvent au Prado (p. 80-83), Le Palacio de El Pardo (p. 134) et le monastère de El Escorial (p. 122-125) abritent des œuvres tissées à partir de ces modèles.

Aujourd'hui, la création et la restauration des superbes tapis de l'hôtel Ritz (p. 68) constituent l'une des principales activités de la fabrique.

Museo Nacional Ferroviario ❿

Paseo de las Delicias 61. 📞 91 506 83 33. ♦ Delicias. 🕐 10 h-15 h mar.-dim. 📷 ♿ 📷 réserver à l'avance.

Bien que les premières liaisons en chemin de fer à l'intérieur de l'Espagne datent de 1848, Madrid n'eut de véritable gare qu'en 1880 avec la construction de celle de Delicias. Principal terminus des trains en provenance du Portugal, elle resta en fonction jusqu'en 1971.

Elle offre depuis 1984 un cadre idéal au Musée national ferroviaire, qui présente une collection de trains. Le matériel roulant exposé sur les rails bordant les quais comprend

Locomotive TALGO (1950), Musée ferroviaire

Café du Museo Nacional Ferroviario, dans un wagon des années 30

plus de 30 locomotives à vapeur, diesel et électriques. Des notices explicatives les décrivent et précisent les itinéraires qu'elles desservaient.

Parmi les plus intéressantes figure « La Pucheta », locomotive à vapeur fabriquée en Angleterre par Sharp Stewart en 1884. Installée au-dessus de la chaudière, sa réserve d'eau a la forme d'un chapeau melon. La plus lourde des motrices qu'utilisèrent les Chemins de fer espagnols (RENFE) était aussi la plus longue (environ 25 m). Fabriquée en Espagne en 1931, elle fonctionnait à l'électricité, pesait 150 t et portait le surnom de la « Lionne ».

Les trains express TALGO, mis au point dans les années 50, se révélèrent plus performants. Allégés et dotés de centres de gravité plus bas et de systèmes articulés, garantissant un contact plus sûr des roues avec le rail, ils permirent des déplacements beaucoup plus rapides qu'auparavant. Le modèle présenté circula jusqu'en 1971. La Mikado, fabriquée en 1960 et entièrement démontée pour révéler aux visiteurs les mystères de son mode de propulsion, ne prit sa retraite que quatre ans plus tard en 1975.

Il faut scruter à travers les fenêtres du Coche Salon ZZ-307 de 1928, la voiture plaquée de bois la plus luxueuse de la Compagnie des chemins de fer de l'Ouest, pour en découvrir l'intérieur : une salle à manger à table dressée avec élégance, des compartiments et un office minuscule. Un wagon-restaurant ayant conservé son décor des années 30 est en revanche accessible puisqu'il sert de café au musée.

Quatre grandes salles complètent l'exposition. Elles renferment des trains miniatures, des maquettes à l'échelle de gares, des photographies et des souvenirs tels que drapeaux et signaux lumineux.

La Corrala ⓫

Calle de Mesón de Paredes, entre Calle Tribulete et Calle del Sombrerete. **Plan** 4 F5. Ⓜ *Lavapiés.* ⬤ *au public.*

Les *corralas* sont des immeubles d'appartements à ossature en bois entourant une cour intérieure, dominée par des balcons desservant à chaque étage les logements. Ils furent surtout construits au XIXᵉ siècle dans les quartiers de la ville les plus modestes, en particulier celui de Lavapiés.

La Corrala offre un bon exemple de ce type d'habitation. Sa construction commença en 1871 avant l'obtention de toutes les autorisations nécessaires, ce qui explique sans doute pourquoi la moitié du corps de bâtiments semble manquer. Au lieu d'être entièrement fermée, la cour s'ouvre ainsi sur une place, ce qui donne du recul pour regarder l'édifice.

Déclaré monument historique en 1977, l'ensemble connut une entière restauration deux années plus tard et sert désormais de décor, certains soirs d'été, aux

Zarzuela utilisant La Corrala comme décor

représentations en plein air de *zarzuela*, l'opérette madrilène *(p. 75)*, organisées sur la place.

Il existe plusieurs autres *corallas* aux environs immédiats, notamment à l'angle de la calle de Miguel Servet et de la calle del Espino, au n° 12 de la calle de Provisiones et au n° 11 de la calle de la Esperanza.

Puerta de Toledo ⓬

Glorieta de Puerta de Toledo. **Plan** 4 D5. Ⓜ *Puerta de Toledo.*

Commandé en 1813, l'arc de triomphe de la porte de Tolède devait commémorer l'installation sur le trône d'Espagne de Joseph Bonaparte mais celui-ci,

bien qu'ayant pris le nom de José Iᵉʳ, ne put jamais faire oublier la sanglante répression exercée contre le peuple madrilène le 3 mai 1808, et il dut prendre la fuite dès 1814. Ferdinand VII *(p. 17)* retrouva alors sa couronne et c'est à lui que fut dédié le monument à son achèvement, en 1827, par l'architecte Antonio López Aguado.

La Puerta de Toledo est une des deux seules portes symboliques que conserve Madrid. Le groupe sculpté qui domine sa partie centrale représente une personnification de l'Espagne. De part et d'autre l'encadrent des allégories du Génie et des Arts. Ramón Barba et Valeriano Salvatierra exécutèrent ces œuvres en pierre de Colmenar.

Arc de triomphe de la Puerta de Toledo, l'une des deux portes symboliques de Madrid

Puente de Segovia et río Manzanares ⓭

Calle de Segovia. 🚇 *Puerta del Angel.*

Peu après avoir décidé d'établir sa cour à Madrid, Philippe II *(p. 20)* commanda la construction du pont de Ségovie, majestueux ouvrage d'art en granit franchissant le río Manzanares au pied du Palacio Real *(p. 54-57)*. Le pont devait servir de principal point d'entrée dans la capitale et le souverain en confia la conception à son architecte favori, Juan de Herrera. Les travaux commencèrent en 1582, mais le pont connut une reconstruction en 1682. Entre 1718 et 1732, Pedro de Ribera édifia pour Philippe V le superbe **Puente de Toledo** piéton situé en aval.

Le maigre cours du Manzanares n'a jamais justifié de telles constructions, et la rivière a suscité bien des railleries. Un ambassadeur allemand du nom de Rhebiner affirma même qu'aucune en Europe ne l'égalait, car elle offrait l'avantage d'être « navigable à cheval et en attelage ». Plusieurs barrages ont donné depuis un air plus présentable au cours d'eau, et les poissons et canards qu'on y a introduits ont survécu, ce qui prouve qu'il est relativement propre. Il prend sa source dans les montagnes de la sierra de Guadarrama et se jette au sud de Madrid dans le Tage, créant ainsi un lien entre la capitale de l'Espagne et celle du Portugal, Lisbonne.

Casa de Campo ⓮

Avenida de Portugal. 📞 *91 463 63 34.* 🚇 *Batán, Lago, Príncipe Pío.*

Boisée, l'ancienne chasse royale de la Casa de Campo offre, à l'ouest de la ville, un espace naturel de 1 740 ha très apprécié des Madrilènes. Ils viennent se promener dans les pinèdes, courir ou profiter d'équipements tels que courts de tennis et piscine. La Casa de Campo renferme aussi un lac où canoter, le **Parque de Attracciones** qui propose plus de cinquante attractions et le **Zoo-Aquarium.** En été, le parc accueille des concerts de rock.

Prendre le **Teleférico** qui relie le Parque del Oeste à la Casa de Campo permet d'avoir une vue panoramique de Madrid.

Tigre du zoo de la Casa de Campo

🦓 **Zoo-Aquarium**
📞 *91 512 37 70.* 🚇 *Batán.*
⏰ *10 h-21 h 30 t.l.j.* 🅿️ ♿

🎡 **Parque de Attracciones**
📞 *91 463 29 00.* 🚇 *Batán.*
⏰ *sept.-juin : 12 h-23 h dim.-ven., 12 h-13 h sam. ; juil.-août : 12 h-13 h dim.-jeu., 12 h-14 h ven.-sam.* 🅿️

🚠 **Teleférico**
Paseo del Pintor Rosales. 📞 *91 541 74 50.* 🚇 *Argüelles.* ⏰ *oct.-mars : midi-crépuscule sam., dim. et j. fériés ; avr.-sept. : 11 h- crépuscule t.l.j.* 🅿️ ♿

Ermita de San Antonio de la Florida ⓯

Glorieta San Antonio de la Florida 5.
📞 *91 542 07 22.* 🚇 *Norte.*
⏰ *10 h-14 h, 16 h-20 h mar.-ven., 10 h-14 h sam. et dim.* ● *j. fériés.* 🅿️ 🚫 ♿

Cette chapelle, construite pendant le règne de Charles IV, a conservé le nom d'un pré, la Florida, où furent édifiées les deux premières églises auxquelles elle a succédé.

En 1798, Francisco Goya passa quatre mois à décorer sa coupole d'une immense fresque. Elle représente saint Antoine de Padoue ressuscitant la victime d'un assassinat pour prouver l'innocence du père du saint, faussement accusé du meurtre. Considérée par de nombreux critiques comme l'une des plus grandes réussites de l'artiste, l'œuvre frappe par son réalisme. Ses personnages, gens du peuple,

Le Puente de Segovia franchissant el río Manzanares

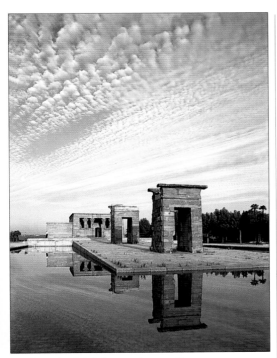

Temple égyptien de Debod avec ses deux portails

grands bourgeois, élégantes aristocrates ou demi-mondaines dressent un portrait saisissant de la vie quotidienne à Madrid à la fin du XVIIIᵉ siècle.

Goya mourut en exil à Bordeaux en 1828, mais il repose désormais dans la chapelle.

Templo de Debod ⓰

Paseo del Pintor Rosales. **Plan** 1 B5. 91 409 61 65. Ventura Rodriguez. 10 h-14 h sam. et dim. ; d'avril à sept. : 10 h-14 h et 18 h-20 h mar.-ven. ; d'oct. à mars : 10 h-14 h et 16 h-18 h mar.-ven. j. fériés.

Édifié au IVᵉ siècle av. J.-C., le temple égyptien de Debod fit partie des monuments sauvés de l'immersion lors de la construction du barrage d'Assouan, sur le Nil. L'Égypte en fit don en 1970 à l'Espagne, en remerciement de sa participation au sauvetage. Précédé de deux

de ses trois portails d'origine, il se dresse désormais sur une hauteur dominant le río Manzanares dans les jardins du **Parque del Oeste.** Les reliefs sculptés sur ses flancs évoquent Amen, le dieu thébain à tête de bouc, symbole de la vie et de la fertilité, à qui le sanctuaire était dédié. La colline offre une vue panoramique de la Casa de Campo, portant jusqu'aux sommets de la sierra de Guadarrama.

Le Parque del Oeste s'étend à l'emplacement de la caserne Montaña que les Madrilènes prirent d'assaut en 1936 pour se procurer des armes. Cette détermination populaire permit à la ville de résister jusqu'en 1939 aux troupes nationalistes du général Franco qui l'assiégeaient.

D'agréables terrasses de café jalonnent le **paseo del Pintor Rosales** qui longe le parc.

Estación de Príncipe Pío ⓱

Paseo de la Florida 2. **Plan** 3 A1. 91 248 87 16. Príncipe Pío.

Également connue sous le nom d'Estación del Norte, cette gare fut inaugurée en 1880 pour servir de terminus aux trains reliant Madrid et l'Espagne du Nord. Les ingénieurs français Biarez, Grasset et Mercier qui la conçurent lui donnèrent une structure principalement métallique.

Des pavillons néo-mudéjars, dessinés par Demetrio Ribes, améliorèrent son apparence en 1915. L'architecte Luis Martínez Ribes ajouta en 1926 la façade d'entrée. Des spéculateurs espèrent pouvoir transformer en centre commercial cette partie de l'édifice actuellement à l'abandon.

Remaniée, la majeure partie de la gare est devenue une importante correspondance entre trains, métro et bus. Un splendide dais en treillis surplombe les quais.

L'élégante entrée principale de l'Estación de Príncipe Pío

LES ENVIRONS DE MADRID

LES ENVIRONS DE MADRID

....

I l émane une austère beauté du vaste plateau central de la péninsule Ibérique, où champs de blé et terres ocre s'étendent à perte de vue. Une faune variée peuple ses reliefs, ses forêts et ses lacs, et l'histoire a façonné des villes encore riches de splendides monuments tels que la cathédrale gothique de Tolède, l'aqueduc romain de Ségovie et le château du XVᵉ siècle de Manzanares el Real.

Il est surprenant de voir à quel point on échappe rapidement aux banlieues résidentielles et industrielles de Madrid pour se retrouver en pleine campagne. Des sentiers de randonnée sillonnent les montagnes au nord de la ville où les citadins viennent pratiquer le ski en hiver et les sports nautiques en été. Dans la sierra Norte, les environs de Buitrago del Lozoya, village ceint de remparts maures, sont un paradis pour observer les oiseaux.

Philippe II fit construire sur les contreforts occidentaux de la sierra de Guadarrama le monastère d'El Escorial d'où il dirigea son empire. Non loin se dresse l'immense croix érigée par Franco dans la Valle de los Caídos. Deux palais méritent une visite, celui d'El Pardo, dans la périphérie de la capitale, et celui d'Aranjuez au sud.

L'histoire reste vivace dans des villes et villages tels qu'Alcalá de Henares, lieu de naissance de Cervantes, Sigüenza, qui conserve une cathédrale romane, et Chinchón où les Madrilènes viennent acheter le vin et l'*anís* locaux sous les galeries en bois d'une grand-place médiévale. Ségovie s'emplit les week-ends de visiteurs venus savourer agneau et cochon de lait rôtis, et admirer le plus important vestige romain d'Espagne.

Tolède est une véritable ville-musée. Elle doit son riche héritage architectural et artistique aux nombreux échanges entre les cultures musulmane, chrétienne et juive, au Moyen Âge et à la Renaissance.

Pittoresque monasterio de El Parral à Ségovie

◁ **Célébration de la messe dans l'église du Monasterio de Santa María de El Paular**

À la découverte des environs de Madrid

L a chaîne montagneuse de la sierra de
Guadarrama domine au nord la province de
Madrid. Elle culmine à 2 430 m d'altitude, et de
petites stations permettent d'y skier. Elle offre
surtout un vaste territoire à découvrir en
randonnée. Les amateurs d'architecture
apprécieront sur ses contreforts la ville historique
de Ségovie et le palais à la française de La Granja
de San Ildefonso, ainsi que le monastère d'El
Escorial. Au sud s'étend la *meseta,* l'immense
plateau central ibérique. Les rivières descendant
des reliefs y creusent des vallées fertiles où
pousse l'olivier. Au confluent du Jarama et du
Tage, ce sont de splendides jardins qui entourent
le palais d'été d'Aranjuez. Le Tage arrose ensuite
Tolède, qui se niche dans un de ses méandres.

Casa de los Picos *(p. 128)*
du xvᵉ siècle à Ségovie

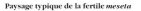

Paysage typique de la fertile *meseta*

LA RÉGION
D'UN COUP D'ŒIL

SEGOVIA

❼

**LA GRANJA DE SAN
ILDEFONSO** ❻

REVENGA ●

**MONAST
DE SANTA
DE EL PA**

N603

**SIERRA CENTRO DE
GUADARRAMA** ❹

● **NAVAC**

**MANZA
E**

GUADARRAMA
● VI

**SANTA CRUZ
DEL VALLE DE
LOS CAÍDOS** ❷

❶

EL ESCORIAL

MÓSTOL

Río Guadarrama

NV

Casa-Museo de El Greco
(p. 139), Tolède

N403

TOLEDO ⓲

CIRCULER

La voiture offre le meilleur moyen d'explorer les environs de Madrid, à condition d'avoir une bonne carte et d'éviter de circuler pendant les heures de pointe du week-end. Six routes à quatre voies gratuites et une autoroute à péage, la N401 pour Tolède, rayonnent depuis Madrid, reliées par la M30 et la M40, des boulevards circulaires permettant d'éviter la circulation du centre. Il existe aussi des visites organisées en autocar des principaux sites, et le train dessert les villes historiques.

SIERRA NORTE **9**

MAJAELRAYO

PRÁDENA DEL RINCÓN

Embalse de Alcorlo

SIGÜENZA **10**

Embalse de Belena

8 BUITRAGO DEL LOZOYA

...DRÓN
...YA

TAMAJÓN

Embalse de El Atazar

Río Jarama

Río Henares

JADRAQUE

PUEBLA DE BELENA

Río

NII

UCEDA

TORRELAGUNA

TORRE DEL BURGO

...SOTO DEL REAL
...se de
...ana

NII

...COLMENAR
...VIEJO

NI

LÉGENDE

GUADALAJARA

▬	Autoroute
▬	Route principale
▬	Route secondaire
▬	Parcours pittoresque
═	Cours d'eau
☼	Point de vue

...alse de
...ardo
...EL PARDO **13**

AZUQUECA DE HENARES

11

12 ALCALÁ DE HENARES

PALACIO DE EL PARDO
...MAJADAHONDA

MADRID

...SEO DEL AIRE

NIII

VOIR AUSSI

• **Hébergement** p. 150-151

• **Restaurants, cafés et bars** p. 163

NIV

...LEMPOZUELOS

15 CHINCHÓN

16

PALACIO REAL DE ARANJUEZ

...ajo

N400

0   10 km

Les paisibles Montes de Toledo

El Escorial ❶

Fresque par Luca Giordano

Sur les contreforts de la sierra de Guadarrama, l'imposant monastère gris de San Lorenzo de El Escorial a la forme d'un gril, instrument du martyre de saint Laurent à qui il est dédié. Construit de 1563 à 1584, il possède un style austère qui prit le nom de herrerien, ou *desornamentado,* et eut une grande influence sur l'architecture espagnole. Voulue par Philippe II, qui y installa son palais, cette rigueur marque aussi les appartements royaux, dont la simplicité contraste avec la richesse des collections d'art exposées dans les pièces décorées par les Bourbons et dans les musées, les salles capitulaires, l'église, le panthéon royal et la bibliothèque.

★ **Panthéon des rois**
Il abrite les sépultures de nombreux rois d'Espagne.

Entrée visiteurs

Palais des Bourbons

Musée d'Architecture

Sala de Batallas (fermée)

Patio de los Reyes

Entrée principale

Basilique
Dans cette immense église, un somptueux retable par Herrera domine le chœur. Les oratoires abritent des statues en bronze doré de Charles Quint et de Philippe II.

Collège Alfonso XII, internat fondé par les moines en 1875.

★ **Bibliothèque**
Constituée à partir de la collection personnelle de Philippe II, la bibliothèque compta jusqu'à 40 000 volumes et de très nombreux manuscrits. Tibaldi décora de portraits allégoriques le plafond de sa longue salle.

À NE PAS MANQUER

★ **Panthéon des rois**

★ **Bibliothèque**

★ **Musée d'Art**

Les appartements de Philippe II, au 2ᵉ étage, témoignent de son goût pour le dépouillement. Sa chambre donnait directement sur le maître-autel de la basilique.

MODE D'EMPLOI

Paseo de Juan de Borbón y Batemberg. 📞 *91 890 59 02.*
🚇 *depuis Atocha ou Chamartin.*
🚌 *661, 664 depuis Moncloa.*
🕐 *avr.-sept. : 10 h-18 h mar.-dim. ; oct.-mars : 10 h-17 h mar.-dim.*
🔴 *j. fériés.* 📷 ✝ *9 h 30 t.l.j. ; 19 h, 20 h sam. et dim.* 📱 🖥

★ **Musée d'Art**
Le Calvaire, *œuvre du xvᵉ siècle par Rogier van der Weyden, est un des fleurons de ce musée qui présente au 1ᵉʳ étage des tableaux italiens, flamands et espagnols.*

Le Patio de los Evangelistas
est un temple par Herrera. La cour est fermée au public.

Salles capitulaires
Elles abritent l'autel portable de Charles Quint et des fresques de style grotesque.

Le monastère, fondé en 1567 et dirigé par des augustins depuis 1885, est fermé au public.

Saint Laurent montant au ciel par Luca Giordano
Cette fresque au-dessus de l'escalier principal donne les traits de Charles Quint et de Philippe II à des compagnons du saint.

Construction de l'Escorial
Quand le premier architecte du monastère, Juan Bautista de Toledo, mourut en 1567, son élève, Juan de Herrera, poursuivit les travaux. Le style dépouillé qu'il donna au bâtiment prit le nom de desornamentado.

À la découverte d'El Escorial

Roi de Naples, de Sicile, de Milan, des Pays-Bas, d'Espagne et du Nouveau Monde, Philippe II décida de dédier le lieu où allait reposer son père, l'empereur Charles Quint mort en 1556, au saint dont la fête est célébrée le 10 août, date à laquelle il vainquit les Français à Saint-Quentin en 1557. L'architecte Juan de Toledo et son successeur Juan de Herrera édifièrent sur un site à 1 065 m d'altitude un immense édifice en granite planifié autour d'une basilique. La visite officielle passe par les Appartements royaux et le panthéon des rois, laissant libre d'explorer le reste à sa guise.

Infanta Isabel Clara de Bartolomé González, **Appartements royaux**

APPARTEMENTS ROYAUX

Jouxtant la basilique, le Palacio de los Austrias, où résidaient les Habsbourg, permettait à l'infante Isabelle, fille de Philippe II, de voir depuis son lit le maître-autel et le prêtre célébrant la messe. Sur le mur de droite, son portrait et celui de sa sœur Catherine, œuvres de Bartolomé González (1564-1627), encadrent celui de leur père peint par Sánchez Coello (1531-1588).

La **Sala de Retratos** abrite d'autres portraits. À partir de celui de Charles Quint accroché au-dessus de la cheminée, copie par Juan Pantoja de la Cruz (1553-1608) d'une peinture de Titien détruite par un incendie en 1604, l'ordre chronologique suit le sens inverse des aiguilles d'une montre avec un *Felipe II* par Antonio

Moro (1519-1576), *Felipe III* par Pantoja de la Cruz, *Felipe IV* jeune par Bartolomé González et *Carlos II* jeune par Juan Carreño de Miranda (1614-1685). Dans un angle, une vitrine protège la chaise à porteurs que la goutte imposait à Philippe II à la fin de sa vie.

De superbes portes allemandes en marqueterie ferment à ses deux extrémités la **Sala de los Paseos.** Des carreaux bleus de Talavera couvrent les murs ornés de fresques représentant de grandes victoires espagnoles, dont la bataille de Saint-Quentin. Des motifs incrustés en 1755 dans le dallage et dans celui de la salle à manger voisine servaient à régler les pendules d'après le soleil.

PANTHÉONS

Le **panthéon des rois,** achevé en 1654, renferme les tombeaux de presque tous les souverains espagnols depuis Charles Iᵉʳ. C'est une chambre octogonale,

Autel du panthéon où reposent presque tous les rois espagnols

richement revêtue de jaspe, de marbre et de bronze doré. 23 des 26 sarcophages sont occupés par les rois à gauche de l'autel, et à droite par les reines ayant laissé une succession.

Il existe 8 autres panthéons, dont celui de **Juan de Austria,** demi-frère de Philippe II qui devint un héros en battant la flotte turque à la bataille de Lépante. Surnommé **La Tarta,** le panthéon des infants abrite aussi les sépultures des reines sans succession.

SALLES CAPITULAIRES

Les quatre Salas Capitulares abritent, sous des plafonds décorés de grotesques aux motifs allégoriques, une riche collection de tableaux d'artistes espagnols et italiens tels que le Greco, Ribera, le Tintoret et Véronèse. Elle compte parmi ses fleurons des œuvres de Titien (1490-1576), dont un *Saint Jérôme en prière* et une *Cène* malheureusement retaillée pour un cadre trop exigu. Diego Velázquez (1599-1660) est représenté par *La Tunique de Joseph,* peinte en 1630 pendant un séjour à Rome.

Retable de Charles Quint, salles capitulaires

Philippe II appréciait beaucoup le Brabançon Jérôme Bosch (1450-1516), surnommé « El Bosco » en Espagne, et il gardait dans sa chambre *Le Jardin des délices,* exposé aujourd'hui au Prado *(p. 80),* avec *La Charrette de foin,* tableau qu'aurait inspiré un proverbe flamand : « Le monde est comme une charrette de foin et chacun prend ce qu'il peut. » Les salles capitulaires contiennent une copie d'un panneau du *Jardin des délices* et une version de *La Charrette de foin* exécutée par l'atelier de Bosch.

Ne pas manquer non plus le superbe retable en bois doré et émaillé que l'empereur Charles Quint emportait dans ses campagnes militaires.

Le Martyre de saint Maurice et de la légion thébaine par le Greco

MUSÉES

L'entrée conduit à la salle Saint-Maurice qui abrite *Le Martyre de saint Maurice et de la légion thébaine* par le Greco (1541-1614). Un escalier descend à côté au **musée de l'Architecture** qui présente des plans, des maquettes et des gravures du palais. À l'étage, le **musée d'Art** propose principalement des peintures des XVIᵉ et XVIIᵉ siècles. Après une première salle consacrée aux maîtres italiens, les deux suivantes contiennent des tableaux flamands, notamment par Michel Coxcie (1499-1592), le « Raphaël flamand ». Ne pas manquer le triptyque du *Martyre de saint Philippe*.

Un *Calvaire* de Rogier van der Weyden (v. 1400-1464) domine la quatrième salle entre une *Vierge* et un *Saint Jean*, reproduits par Juan Fernández Navarrete (v. 1538-1579). La cinquième salle renferme *Saint Jérôme en pénitence* de José de Ribera (1591-1652) et la *Présentation de la Vierge* de Francisco de Zurbarán (1598-1664).

BIBLIOTHÈQUE

En 1613, Philippe II ordonna par décret qu'une copie de tout ouvrage publié dans son immense empire fût envoyée à la bibliothèque de l'Escorial, et celle-ci abrita jusqu'à 40 000 volumes datant pour la plupart des XVᵉ et XVIᵉ siècles, ainsi que des manuscrits écrits pour les plus anciens au Vᵉ siècle.

La **salle d'imprimerie** possède un sol dallé en marbre, et un plafond voûté que Pellegrino Tibaldi (1527-1596) orna de fresques allégoriques représentant la Philosophie, la Grammaire, la Rhétorique, la Dialectique, la Musique, la Géométrie, l'Astrologie et la Théologie. Juan de Herrera (1530-1597) dessina les rayonnages en bois.

Des portraits de Charles Quint, Philippe II, Philippe III et Charles II sont accrochés sur les principaux piliers. Une sphère ptolémaïque de 1582 place la Terre au centre de l'univers.

BASILIQUE

L'église d'El Escorial était à l'origine réservée à l'aristocratie, et les fidèles du bourg devaient se cantonner au vestibule. Le chœur des Moines, au-dessus, reste fermé au public.

La basilique renferme 44 autels latéraux richement décorés d'œuvres d'art, dont un magnifique *Chist en croix*, sculpté en 1562 dans du marbre de Carrare par Benvenuto Cellini. Il se trouve dans la deuxième chapelle à gauche de l'entrée.

Les cénotaphes de Charles Quint et Philippe II encadrent le maître-autel, au-dessus des portes menant aux chambres royales du Palacio de los Austrias. Œuvres de Pompeo Leoni, les groupes sculptés en bronze doré représentent les souverains avec des membres de leurs familles.

Juan de Herrera dessina le retable en marbre, jaspe et onyx haut de 30 m. L'exécution du tabernacle central, qu'une fenêtre éclaire par l'arrière, demanda sept ans de travail à l'orfèvre italien Jacoppo da Trezzo (1515-1589). Les peintures sont de Federico Zuccaro (1542-1609) et Pellegrino Tibaldi.

PALAIS DES BOURBONS

Très différentes des austères appartements du Palacio de los Austrias, les pièces où résidèrent les Bourbons, aménagées par Charles IV qui régna de 1788 à 1808, abritent un mobilier somptueux et de très nombreuses tapisseries, certaines exécutées à la Real Fábrica de Tapices *(p. 112)* sur des cartons de Goya.

La vaisselle exposée comprend le service qui faisait partie du trousseau de Victoria Eugenia (petite-fille de la reine Victoria) qu'Alphonse XIII épousa en 1906.

Salle à manger du Palacio de los Borbones, décoré de précieuses tapisseries

L'immense croix érigée par Franco dans la Valle de los Caídos

Manzanares el Real ❸

Madrid. 🚶 13 700. 🚌 🅸 Plaza del Pueblo 1 (91 853 00 09). 🛒 mar. et ven. 🎭 Fiesta de Verano (début août) Cristo de la Nave (14 sept.).

La masse puissante de son château du XVe siècle domine le bourg de Manzanares el Real. Bien que l'édifice présente un aspect de forteresse avec ses remparts crénelés et ses tours à parements gothico-mudéjars, il servit principalement de palais résidentiel aux ducs d'Infantado. En contrebas du château se dressent une église du XVIe siècle et un portique Renaissance.

Derrière la ville, le chaos de blocs de granit de la **Pedriza,** très apprécié des grimpeurs, fait désormais partie d'une réserve naturelle.

Aux environs : à 12 km au sud-ouest, **Colmenar Viejo** possède une superbe église gothico-mudéjare.

Sierra Centro de Guadarrama ❹

Madrid. 🚆 Puerto de Navacerrada, Cercedilla. 🚌 Navacerrada, Cercedilla. 🅸 Navacerrada (91 856 00 06).

Depuis les années 20, le train relie Madrid à la partie centrale de la sierra de Guadarrama, et des résidences de villégiature s'accrochent entre les pins à ses pentes granitiques. Anciens villages, les stations de **Navacerrada** et de **Cercedilla** attirent skieurs, grimpeurs et adeptes du VTT et de l'équitation.

Santa Cruz del Valle de los Caídos ❷

Madrid. Nord d'El Escorial sur la M600. 📞 91 890 56 11. 🚌 depuis El Escorial. 🕐 mar.-dim. ⬤ certains j. fériés. 🖼

C'est à la mémoire des victimes de la guerre civile (p. 18) que le général Franco fit ériger, à 13 km au nord du monastère d'El Escorial (p. 122-125), la Sainte Croix de la vallée des Morts. Toutefois, pour de nombreux Espagnols, cette immense croix rappelle surtout sa dictature.

Haut de 150 m, le monument s'élève au-dessus d'une basilique creusée dans le rocher par des prisonniers de guerre républicains. Personne ne sait combien moururent pendant les seize ans que demanda la construction de ce sanctuaire qui s'enfonce de 250 m dans la montagne.

Près de l'autel se trouvent les tombeaux de Franco et de José Antonio Primo de Rivera, le fondateur de la Falange Española. 40 000 autres victimes du conflit, des membres des deux camps opposés dans la guerre civile, reposent dans des ossuaires.

Un funiculaire conduit jusqu'à la base de la croix, d'où s'offre un magnifique panorama des forêts de pins alentour.

Col de Navacerrada dans la sierra de Guadarrama

Cercedilla offre notamment accès à la **Valle de Fuenfría** où des itinéraires de randonnée permettent de découvrir les forêts d'une réserve naturelle et une ancienne voie romaine.

Détail du retable du Monasterio de Santa María de El Paular

Monasterio de Santa María de El Paular ❺

S.-O. de Rascafría sur la M604.
📞 91 869 14 25. 🚋 Rascafría.
🕐 ven.-mer. ✔

Jean Ier fonda en 1390 la première chartreuse de Castille sur le site d'un pavillon de chasse royal. Bâti dans le style gothique,

le monastère reçut plus tard des ajouts plateresques et Renaissance.

Abandonné en 1836 quand le ministre Mendizábal ordonna la vente des biens monastiques, Santa María de El Paular tomba en décrépitude jusqu'à sa restauration par l'État dans les années 50. Les bâtiments abritent aujourd'hui, dans un cadre aussi beau que paisible, une communauté bénédictine et un hôtel privé *(p. 151)*.

Dans l'église, un délicat retable en albâtre de style gothique fleuri (xve siècle), attribué à des artisans flamands, illustre des épisodes de la vie de Jésus. Francisco de Hurtado dessina en 1718 le somptueux *camarín* (petite chapelle) baroque situé derrière l'autel.

Tous les dimanches, les moines interprètent des chants grégoriens dans le sanctuaire. S'ils sont disponibles, ils vous montreront avec plaisir le cloître aux voûtes en brique mudéjares et son double cadran solaire.

Le monastère offre un bon point de départ pour partir à la découverte des villages de **Rascafría** et **Lozoya** dans la vallée du Lozoya. Au sud-ouest s'étend la réserve naturelle des **Lagunas de Peñalara.**

La Granja de San Ildefonso ❻

Segovia. 📞 921 47 00 19.
🚋 depuis Madrid ou Ségovie.
🕐 mar.-dim. 📷 ✔

Avec la sierra de Guadarrama en décor de fond, ce somptueux palais occupe l'emplacement d'un pavillon de chasse édifié par Henri IV au xve siècle. Philippe V entreprit sa construction en 1720, en voulant recréer le palais de Versailles de son grand-père Louis XIV. Plusieurs architectes et de nombreux artistes participèrent au projet. Un incendie ravagea toutefois une grande partie de l'édifice en 1918 et, bien que restauré et luxueusement meublé, l'intérieur ne retrouva jamais toute sa splendeur.

Les appartements privés renferment des tapisseries flamandes et des pièces exécutées d'après des cartons de Goya. Les lustres proviennent de la Fábrica de Cristales locale. Dans la chapelle, la Sala del Panteón renferme le tombeau de Philippe V et de son épouse.

Plantés de marronniers et agrémentés de statues et de nombreuses fontaines, les jardins occupent une superficie de 145 ha.

Palais et jardins de La Granja de San Ildefonso, inspirés de Versailles

Ségovie ❼

Tour de San Esteban

Le quartier médiéval de cette petite capitale provinciale occupe un site spectaculaire sur un promontoire qu'entourent le río Eresma et le río Clamores. Sa forme évoque un bateau dont l'Alcázar, perché sur un rocher, formerait la proue, l'aqueduc romain le gouvernail et dont les pinacles et la tour de la cathédrale dessineraient les mâts. Vu de la vallée, il offre au coucher du soleil un spectacle magique.

Aisément accessible depuis Madrid en voiture, en bus ou en train, Ségovie se prête bien, avec son dédale de rues pittoresques, à une visite d'un ou deux jours, ce qui en fait une destination très fréquentée par les visiteurs le week-end, en particulier l'été.

L'imposante cathédrale gothique de Ségovie

À la découverte de Ségovie

Ségovie est réputée pour ses églises romanes, dont **San Juan de los Caballeros** (XIᵉ siècle) au splendide portique sculpté, **San Esteban** (XIIIᵉ siècle) au gracieux clocher à cinq étages, et **San Martín** (XIᵉ siècle), remarquable pour ses magnifiques arcades et chapiteaux et son autel doré. Hors les murs, l'**Iglesia de San Millán** (XIIᵉ siècle) possède une tour mozarabe et un intérieur richement décoré, entre autres par un crucifix gothique du XIVᵉ siècle. L'**Iglesia de la Vera Cruz** polygonale date de 1208 et appartient à l'ordre de Malte.

🏛 Cathédrale

Plaza Mayor. 📞 921 46 22 05. ⭕ 9 h-18 h 45 t.l.j. 🈸 ♿
Entreprise en 1522 et consacrée en 1678, la cathédrale de Ségovie fut le dernier grand sanctuaire gothique bâti en Espagne.

Elle remplaçait une cathédrale détruite en 1511 lors de la révolte des villes castillanes et dont elle a conservé le cloître, déplacé de son site initial près de l'Alcázar. De vastes nefs aux voûtes à nervures donnent au sanctuaire un intérieur harmonieux. Sabatini dessina en 1768 le maître-autel. De belles grilles en fer forgé ferment les chapelles. La plus intéressante, la chapelle de la Pietà, doit son nom à une superbe mise au tombeau sculptée par Juan de Juni.

Un magnifique portail gothique par Juan Guas donne accès au cloître. Exécutées d'après des cartons de Rubens, les tapisseries flamandes du XVIIᵉ siècle présentées dans la salle capitulaire illustrent l'histoire de la reine Zénobie. Le musée diocésain présente des peintures, des sculptures, de l'argenterie, du mobilier, des livres et des pièces de monnaie.

🏛 Museo de Segovia

Casa del Sol, Calle Socorro 11. 📞 921 46 06 13. ⭕ sur r.-v. 🈸
Ce musée archéologique conserve des objets d'époques et de cultures variées, entre autres des gravures néolithiques vieilles de 15 000 ans, des pièces de monnaie romaines, des fragments de murs de maisons arabes, des armes, des outils, des poteries et, au centre, une intéressante collection de boucles de ceinture.

On pense que les deux énormes taureaux celtes, mis au jour dans la calle Mayor, avaient une fonction protectrice. Dans la province voisine d'Avila, ces objets sont liés aux funérailles.

🏛 Casa de los Picos

Derrière une façade du XVᵉ siècle, ornée de reliefs en pointe de diamant, cette maison abrite une galerie et une école d'art.

🛉 Aqueduc

Construit à la fin du Iᵉʳ siècle par les Romains qui transformèrent la colonie de Segobriga en une importante base militaire, ce splendide ouvrage d'art en pierre sèche atteint 28 m. Il alimentait la ville avec l'eau du río Frío, filtrée en chemin par plusieurs réservoirs, et resta en service jusqu'à la fin du XIXᵉ siècle.

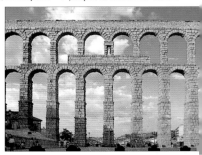

L'élégant aqueduc romain enjambant la vieille ville

L'Alcázar de Ségovie domine la ville depuis un promontoire

♙ Alcázar

Plaza del Alcázar. 📞 *921 46 07 59.*
🕐 *10 h-18 h t.l.j.* 🚫 *1ᵉʳ janv.,*
25 déc. 📷 ♿

Au sommet d'un promontoire qu'avaient déjà fortifié les Maures, ce château, édifié par Henri II de Castille entre 1352 et 1358, possède un donjon rectangulaire achevé au xvᵉ siècle pendant le règne d'Henri IV. Un panorama exceptionnel de Ségovie et de la sierra de Guadarrama récompense de leurs efforts les visiteurs qui gravissent l'escalier étroit menant à son sommet. Un incendie en 1862 imposa une importante reconstruction, à laquelle l'Alcázar doit une grande partie de son aspect actuel digne d'un conte de fées. De beaux plafonds à caissons ornent plusieurs des salles où

meubles anciens, tapisseries, peintures, céramiques de Talavera et armures recréent une atmosphère médiévale. Le chemin de ronde mène à un petit musée consacré aux armes.

🏛 Palacio Episcopal

Plaza de San Esteban. 📞 *921 46 09 63.*
🕐 *sem. de Pâques et juil.-sept. : mar.-sam. ; oct.-juin : ven. et sam.* 📷 ♿
Les armoiries de l'évêque Murillo, qui en devint propriétaire, dominent la porte de ce palais bâti pour la famille Salcedos au xvıᵉ siècle. Le musée contient des peintures, des sculptures et des pièces d'orfèvrerie.

♠ Monasterio de El Parral

Au nord des murs de la cité, le plus vaste monastère de Ségovie fut fondé en 1447.

MODE D'EMPLOI

Segovia. 🚶 *56 000.* 🚉 🚌
ℹ️ *Plaza Mayor 10 (921 46 03 34).*
🎭 *jeu.* 🎉 *San Juan (24 juin),*
San Pedro (29 juin), San Frutos
(25 oct.).

De style isabélin, l'église renferme les tombeaux plateresques du marquis de Villena, qui finança sa construction, et de son épouse María.

♠ Convento de los Carmelitas

Crta de Arévalo. 📞 *921 43 13 49.*
🕐 *10 h-14 h, 16 h-20 h 30 t.l.j.*
Appelé également Convento de San Juan de la Cruz, ce monastère, fondé dans une partie isolée de la vallée de l'Eresma par saint Jean de la Croix qui en fut prieur de 1588 à 1591, renferme sa sépulture.

La Plaza Mayor

SÉGOVIE : LE CENTRE-VILLE

Alcázar ⑨
Aqueduc ②
Casa de los Picos ③
Cathédrale ⑦
Iglesia de San Esteban ⑥

Iglesia de San Juan
  de los Caballeros ①
Iglesia de San Martín ④
Museo de Segovia ⑧
Palacio Episcopal ⑤

LÉGENDE

🅿 Parc de stationnement
ℹ️ Information touristique
✝ Église
✠ Couvent ou monastère

Remparts de Buitrago del Lozoya

Buitrago del Lozoya ➑

Madrid. 🏠 1 400. 🚌 🛈 Calle Tahona 11 (91 868 00 56). 🚆 sam. 🎉 La Asunción y San Roque (15 août).

Fondé par les Romains, ce village a conservé au bord d'un méandre du río Lozoya des fortifications arabes bâties au XIᵉ siècle. Il devint au Moyen Âge un marché important. Son château gothico-mudéjar du XIVᵉ siècle est en ruine et sert aujourd'hui aux courses de taureaux et à un festival de musique ancienne en été, mais les portes, des arcs et des pans de ses remparts originels, élevés également par les Arabes, subsistent.

À l'intérieur de l'enceinte fortifiée, le quartier ancien a gardé beaucoup de charme. L'église **Santa María del Castillo**, du XVᵉ siècle, possède une belle tour mudéjare et, dans la sacristie, un plafond provenant de l'ancien hôpital. Dans la partie plus récente de Buitrago, l'**hôtel de ville** *(ayuntamiento)* abrite une croix de procession du XVIᵉ siècle. Au sous-sol, le petit **Museo Picasso** présente les gravures, les dessins et les céramiques collectionnés par Eugenio Arias, ami et coiffeur de l'artiste.

🏛 Museo Picasso
Plaza de Picasso 1. 📞 91 868 00 56. ⬤ mar.

Sierra Norte ➒

Madrid. 🚌 Montejo. 🛈 Calle Real 1, Montejo (91 869 70 58).

Jadis appelée la sierra Pobre (« Montagne pauvre »), cette partie la plus sauvage de la province de Madrid recèle des hameaux d'ardoise noire au sein de superbes paysages.

Dans le plus gros village, **Montejo de la Sierra,** un centre d'information propose des promenades à cheval, des locations dans des maisons traditionnelles et des visites de la réserve naturelle voisine : le **Hayedo de Montejo de la Sierra.** Elle protège l'une des forêts de hêtres les plus méridionales d'Europe, vestige d'une époque où les conditions climatiques étaient plus propices aux feuillus. Depuis Montejo, on atteint les hameaux pittoresques de **La Hiruela** et de **Puebla de la Sierra** dont les environs permettent de belles randonnées.

Les collines plus arides du sud s'étagent jusqu'à l'**embalse de Puentes Viejas,** lac aux plages artificielles bordées de résidences d'été.

À l'est de la sierra Norte, le village de **Patones** dut à son isolement d'échapper aux troupes napoléoniennes.

Sigüenza ➓

Guadalajara. 🏠 5 000. 🚌 🛈 Plaza Mayor 1 (949 39 32 51). 🚆 sam. 🎉 San Juan (24 juin), San Roque (15 août).

Un parador *(p. 151)* occupe désormais l'imposant château qui domine cette petite ville étagée à flanc de colline. Sa **cathédrale** romane entreprise au XIIᵉ siècle reçut,

Tombeau d'El Doncel, le page d'Isabelle de Castille, dans la cathédrale de Sigüenza

entre autres ajouts, un cloître gothico-plateresque. Une chapelle du transept abrite le tombeau de Martín Vázquez de Arce, dit El Doncel (« le damoiseau »), page d'Isabelle la Catholique (p. 52) qui périt en 1486 dans une bataille contre les Maures à Grenade. La sacristie possède un plafond sculpté de rosaces et d'angelots par Alonso de Covarrubias.

Façade plateresque du Colegio de San Ildefonso, Alcalá de Henares

Guadalajara ❶

Guadalajara. 🏛 60 000. 🚌 🚆 🛈
Plaza Mayor 7 (949 22 06 98). 🗓 mar., sam. 🎉 Virgen de la Antigua (sept.).

La riche histoire de Guadalajara marque peu la ville moderne au caractère nettement industriel. Créée par les Romains, la colonie d'Arriaca reçut le nom de Wad-al-Hajarah à l'époque de la domination maure. Conquise par Alphonse VI en 1085, elle prit son essor au XIVe siècle, grâce à la puissante dynastie des Mendoza, ducs de l'Infantado.

Leur château, le **Palacio de los Duques del Infantado** construit entre le XVe et le XVIIe siècle, offre un magnifique exemple d'architecture gothico-mudéjare. De délicates sculptures ornent sa façade à pointes de diamant, dessinée par l'architecte d'origine bretonne Juan Guas, ainsi que son patio à deux étages de galeries. Endommagé pendant la guerre civile, le palais, restauré, abrite aujourd'hui le Museo Provincial.

Guadalajara conserve aussi quelques églises intéressantes. L'**Iglesia de Santiago** renferme une chapelle gothico-platéresque par Alonso de Covarrubias, et l'**Iglesia de San Francisco** (XVe siècle), le mausolée de la famille Mendoza. L'**Iglesia de Santa María,** (XIIIe siècle) possède un clocher mudéjar.

À 11 km à l'est, à **Lupiana,** le Monasterio de San Bartolomé remonte au XIVe siècle.

🏛 Palacio de los Duques del Infantado
Avenida del Infantado del Ejército. 📞 949 21 33 01. 🕐 t.l.j. 🏷

Détail de la façade du Palacio de los Duques del Infantando

Alcalá de Henares ❷

Madrid. 🏛 165 000. 🚆 🚌 🛈
Callejón Santa María (91 889 26 94).
🚌 lun. 🎉 Feria de Alcalá (fin août).

Désormais entourée d'une ville industrielle, l'**université** d'Alcalá fut l'une des plus renommées d'Espagne au XVIe siècle. Créée en 1508 par le cardinal de Cisneros, elle fonda sa réputation sur l'enseignement des langues et publia en 1517 une Bible en latin, grec, hébreu et chaldéen, la première Bible polyglotte d'Europe. Elle eut parmi ses élèves les plus prestigieux le dramaturge Lope de Vega (p. 26).

Transférée en 1836 à Madrid, elle a surtout conservé de ses bâtiments d'origine le **Colegio de San Ildefonso,** doté en 1543 par Rodrigo Gil de Hontañón d'une élégante façade platéresque.

La cité mérite également une visite pour sa pittoresque calle Mayor, sa cathédrale et la **Casa-Museo de Cervantes,** musée installé dans une reconstitution de maison du XVIe siècle édifiée à l'emplacement de la demeure où l'écrivain aurait vu le jour. Alcalá est aussi le lieu de naissance de Catherine d'Aragon, fille des Rois Catholiques (p. 20) et première épouse d'Henri VIII d'Angleterre.

🏛 Casa-Museo de Cervantes
Calle Imagen 2. 📞 91 889 96 54.
🕐 mar.-dim. 🔴 j. fériés.

MIGUEL DE CERVANTES

Miguel de Cervantes y Saavedra, figure majeure de la littérature espagnole (p. 26), naquit à Alcalá de Henares en 1547. Blessé à la bataille de Lépante en 1571, il est capturé par les Turcs en 1575 et reste détenu plus de cinq ans. Il ne connaît le succès qu'à près de 60 ans, après la publication en 1605 de la première partie de Don Quichotte. Il peut alors se consacrer à l'écriture jusqu'à sa mort à Madrid le 23 avril 1616, le jour où s'éteignit également Shakespeare.

Fine tapisserie du XVIIIᵉ siècle ornant le Palacio de El Pardo

Palacio de El Pardo ⓭

El Pardo, N.-O. de Madrid sur la N605.
📞 91 376 15 00. 🚌 depuis Moncloa.
🕐 10 h 30-18 h lun.-sam., 9 h 30-13 h 30 dim. et j. fériés. 🎫

Au cœur d'un parc boisé situé juste hors des limites de la commune de Madrid, le général Franco habita pendant 35 ans dans ce palais où les rois venaient chasser. Il sert aujourd'hui à l'accueil des chefs d'État étrangers. Une visite guidée parcourt l'aile originale, édifiée sous les Habsbourg, et l'agrandissement réalisé au XVIIIᵉ siècle par Francesco Sabatini. Des fresqués, des moulures dorées et plus de 200 tapisseries, dessinées pour certaines par Goya, composent une riche décoration intérieure.

Autour du palais et de l'élégant village d'El Pardo s'étend une immense forêt de chênes verts, fréquentée aussi bien par les pique-niqueurs que par le gibier.

Museo del Aire ⓮

Carretera de Extremadura, km 10,5.
📞 91 509 16 90. 🚌 depuis Estación del Príncipe Pío (Norte) tous les bus vers Alcorcón ou Móstoles. 🕐 10 h-14 h mar.-dim. ⚫ 1ᵉʳ janv., jeu. de Pâques, 8 sept., 25 déc. 🎫 ♿

Ce musée de l'Aviation compte parmi ses plus belles machines volantes un Vilanova-Acedo de 1911, l'un des plus anciens aéroplanes fabriqués en Espagne, le Breguet XIX *Jesús de Gran Poder*, le premier avion sur lequel un pilote espagnol traversa l'Atlantique en 1929, et l'unique Henkel 111, un appareil de guerre allemand, jamais sorti d'usine. À mi-chemin de l'avion et de l'hélicoptère, *La Cierva* ne manque pas non plus d'intérêt.

Certains aéronefs sont liés à un personnage historique. Ainsi du De Havilland *Dragon Rapide* qu'emprunta en 1936 le général Franco pour venir des Canaries à Tetuán donner le départ de la guerre civile, d'un Bell 47G que le roi Juan Carlos pilota seul et du T-Mentor sur lequel le prince Felipe fit son premier vol sans moniteur. Il y a aussi le Trener Master qui permit à Tomás Castaños de remporter le Championnat du monde d'acrobatie aérienne en 1964, et un F-104 Starfighter sur lequel des pilotes espagnols volèrent 10 000 heures sans accident, un record.

Sur la piste, vous verrez peut-être *Guppy*, le Boeing boursouflé qui sert au transport jusqu'à l'usine de montage en France d'éléments d'Airbus, fabriqués aux environs.

L'exposition comprend aussi des maquettes et des documents tels que photographies, plans de vol, films et vidéos.

Vieil appareil allemand au Museo del Aire

Chinchón

Madrid. 🏛 *4 200*. 🚉 🚌 *Plaza Mayor 3 (91 894 00 84).* 🚌 *sam.* 🎭 *Semana Santa (sem. de Pâques), San Roque (12-18 août).*

La Plaza Mayor de Chinchón entourée de maisons castillanes à galeries

Voici sans doute la ville la plus pittoresque de la province de Madrid. Entourée de maisons à plusieurs étages de galeries, sa Plaza Mayor typiquement castillane reste le lieu où se déroulent en août les courses de taureaux. À Pâques, les habitants de Chinchón y interprètent la Passion *(p. 34)*. L'église du XVIe siècle qui domine la place eut comme prêtre un frère de Goya et l'artiste peignit l'*Assomption de la Vierge* ornant l'autel. Près de la **Plaza Mayor,** un monastère augustinien du XVIIIe siècle abrite un parador. Le château du XVe siècle en ruine situé à l'ouest est fermé au public, mais la colline qu'il couronne offre une belle vue de la ville et de ses alentours.

Le week-end, Chinchón s'emplit de Madrilènes qui viennent déguster dans ses tavernes les spécialités réputées de la région comme l'*anís (p. 157)* et l'excellent chorizo.

Palacio Real de Aranjuez

Plaza de Parejas, Aranjuez. 📞 *91 891 07 40.* 🚉 🚌 ⏰ *d'avr. à sept. : 10 h-18 h15 mar.-dim. ; d'oct. à mars : 10 h-15 h 15 mar.-dim.* 🎫 ♿

Construit au confluent du Tage et de la rivière Jarama sur le site d'un pavillon de chasse médiéval, ce palais d'été apprécié des Habsbourg subit plusieurs incendies. L'édifice actuel, en pierre et en brique, date du XVIIIe siècle.

Une visite guidée traverse de nombreuses pièces de style baroque ou rococo. Parmi les plus remarquables figurent la salle du Trône, le charmant salon de Porcelaine et le fumoir aménagé à l'imitation d'une salle de l'Alhambra de Grenade. D'une superficie de 300 ha, les magnifiques jardins inspirèrent à Joaquín Rodrigo le célèbre *Concierto de Aranjuez*. Le petit jardin du

Le palais royal d'Aranjuez, au bord du Tage

Parterre à la française et le Jardín de la Isla, aménagé sur une île entre deux bras du Tage, existaient déjà au XVIe siècle.

Le long du fleuve s'étend le jardin du Prince dessiné au XVIIIe siècle, décoré de sculptures et de fontaines et planté de hauts arbres des Amériques. La Casa de Marinos y abrite une collection de barques utilisées par la famille royale pour naviguer sur la rivière. Au fond du parc, à l'est, la Casa del Labrador, bâtie par Charles IV, possède une décoration encore plus riche que celle du palais.

La qualité des produits des maraîchers de la région, notamment les asperges et les fraises, a fondé la renommée des restaurants de la ville. En été, un train à vapeur, mis en service au XIXe siècle pour acheminer les fraises vers les marchés de la capitale, relie Aranjuez à Madrid *(p. 196)*.

Illescas

Toledo. 🏛 *7 500.* 🚉 🚌 *Plaza Mayor 1 (925 51 10 51).* 🚌 *jeu.* 🎭 *Fiesta de Milagro (11 mars), Fiesta Patronal (31 août).*

Proche de la voie rapide Madrid-Tolède, Illescas servit de résidence d'été de la cour de Philippe II *(p. 15)*. La vieille ville a perdu de sa splendeur mais conserve deux églises intéressantes : la **Parroquial de la Asunción** élevée entre le XIIIe et le XVIe siècle, qui possède une tour mudéjare caractéristique, et l'église de l'**Hospital de Nuestra Señora de la Caridad** qui abrite une importante collection d'art. Elle comprend cinq tableaux majeurs du Greco *(p. 139)*, notamment *Saint Ildefonse écrivant sous la dictée de la Vierge*, *L'Annonciation* et *Le Couronnement de la Vierge*. Dans la chapelle des Reliques se trouve un portrait de Francisco Pacheco de Toledo par Pantoja de la Cruz. Un *Ecce Homo* par Luis de Morales orne la sacristie.

🏛 **Hospital de Nuestra Señora de la Caridad**
Calle Cardenal Cisneros 2.
📞 *925 54 00 35.*
⏰ *t.l.j.* 🎫 ♿

Tolède pas à pas ⑱

Coffret de Tolède damasquiné

Occupant un site magnifique dans un méandre du Tage, Tolède recèle dans le lacis de ruelles encloses dans son enceinte fortifiée maints témoignages de sa riche histoire. Ancienne colonie romaine dont la forteresse occupait l'emplacement de l'actuel Alcázar, elle devint au VIe siècle la capitale des Wisigoths qui ont laissé plusieurs églises. Creuset où se métissèrent au Moyen Âge les cultures chrétienne, juive et musulmane, la cité se para au XIIIe siècle de son plus prestigieux monument : la cathédrale. La ville conserve aussi de nombreuses œuvres du Greco.

Dans l'Iglesia de San Román d'origine wisigothique, un musée évoque la Tolède des Wisigoths.

Puerta de Valmardón

0   100 m

CARDENAL LORENZANA

CALLE DE SAN ROMÁN

CALLE DE ALFONSO X

CALLE DE ALFONSO XII

CALLE DE LA TRINIDAD

★ Iglesia de Santo Tomé
Cette église à la belle tour mudéjare abrite
L'Enterrement du comte d'Orgaz *par le Greco.*

Sinagoga de Santa María la Blanca et Monasterio de San Juan de los Reyes

Sinagoga del Tránsito et Casa-Museo de El Greco

Palais de l'archevêque

Taller del Moro
Un musée de céramique mudéjare occupe ce palais également mudéjar qui servit d'atelier aux maçons de la cathédrale.

À NE PAS MANQUER

★ Iglesia de Santo Tomé

★ Museo de Santa Cruz

★ Cathédrale

a Puerta del
a un double
rc mudéjar et
, deux tours.

Ermita del Cristo de la Luz
Cette petite mosquée bâtie en 980 est le seul édifice musulman à avoir subsisté.

Office de tourisme, Estación de Autobuses et RENFE

MODE D'EMPLOI

Toledo. 🏠 *65 000*. ✈ 🚉
*Paseo de la Estación, 925 22
30 99.* 🚌 *Avenida de Castilla-
La Mancha 3 (925 21 58 50).*
🛈 *Puerta de Bisagra, 925 22
08 43.* 🎪 *mar.* 🎉 *Fête-Dieu
(mai/juin), Virgen del Sagrario,
(15 août).* **Iglesia de San Román**
⬜ *mar.-dim.* 🎟 **Taller del
Moro** ⬜ *mar.-dim.* 🎟

La plaza de Zodocover,
grand-place de la ville
bordée de boutiques et de
cafés, doit son nom au
marché arabe dont elle
occupe le site.

LFILERITOS

PLAZA DE
ZOCODOVER

CALLE DEL COMERCIO

CUESTA DE CARLOS V

★ Museo de Santa Cruz
*Sa riche collection d'art
comprend 18 toiles du
Greco et plusieurs
tapisseries flamandes,
dont cette représentation
des signes du zodiaque
datant du XVᵉ siècle.*

RAMÓN PARRO

SIXTO

AL CISNEROS

LÉGENDE

– – – Itinéraire conseillé

★ Cathédrale
*Bâtie sur le site d'une
cathédrale wisigothique
transformée en mosquée,
c'est l'un des plus grands
sanctuaires chrétiens (p. 140-
141). Un retable de style
gothique flamboyant (1504)
orne le maître-autel.*

Alcázar
*Devant la forteresse, un
monument rend hommage
aux nationalistes qui
résistèrent à un siège de
70 jours en 1936.*

Le quartier médiéval de Tolède dominé par la cathédrale

À la découverte de Tolède

Facile à rejoindre depuis Madrid en train ou en autocar, Tolède est une cité qu'il est préférable de découvrir à pied, et plutôt en semaine que le week-end, pour éviter la foule. Il vous faudra au moins deux jours pour une visite complète mais il est possible d'explorer les vieux quartiers en une matinée prolongée. C'est à la tombée de la nuit, surtout en été, que la ville acquiert toute sa magie.

♣ Alcázar

Cuesta del Alcázar. █ 925 22 30 38.
○ mar.-dim.

Sur un site où Romains, Wisigoths et Arabes élevèrent successivement une forteresse, cet imposant château aux lignes sévères a retrouvé l'aspect que lui donnèrent Charles Quint et Philippe II. Il n'en restait pourtant pratiquement que des ruines en 1936, après que les cadets de l'Académie d'infanterie y eurent résisté pendant soixante-dix jours aux républicains qui tenaient la ville. Le sous-sol où se réfugièrent leurs familles fait partie du musée militaire installé dans le bâtiment. L'exposition exalte l'abnégation de ces partisans de Franco. Les nationalistes les délivrèrent en prenant Tolède le 28 septembre de la même année.

🏛 Museo de Santa Cruz

Calle Cervantes 3. █ 925 22 10 36.
○ t.l.j.

Fondé au XVIᵉ siècle par le cardinal Mendoza, représenté au-dessus de l'entrée agenouillé devant la croix, l'ancien hôpital qu'occupe ce musée conserve de superbes éléments platéresques, notamment le portail, le patio et l'escalier. Disposées en croix grecque, les quatre ailes principales abritent une collection particulièrement riche en tapisseries, peintures et sculptures du Moyen Âge et de la Renaissance. Elle comprend également près de 20 œuvres du Greco dont le magnifique retable de

L'Assomption (1613) par le Greco au Museo de Santa Cruz

L'Assomption (1613). L'exposition d'arts décoratifs inclut, entre autres, des armes et des armures damasquinées (incrustées de fils d'or), une forme d'artisanat qui reste traditionnelle à Tolède.

♙ Iglesia de Santo Tomé

Plaza del Conde 1. █ 925 21 02 09.
○ t.l.j.

Les origines de cette église remonteraient au XIIᵉ siècle, et sa tour offre un des meilleurs exemples d'architecture mudéjare de la ville. Elle abrite le chef-d'œuvre du Greco : *L'Enterrement du comte d'Orgaz*. Ce noble finança au XIVᵉ siècle une grande partie de la construction du sanctuaire actuel, et le tableau, commandé par un prêtre en son hommage, n'a jamais quitté son emplacement. Il dépeint l'apparition miraculeuse de saint Augustin et de saint Étienne aux funérailles du comte, un ange emportant l'âme du défunt vers l'assemblée céleste réunie autour du Christ. L'artiste s'est figuré à droite, levant les yeux au ciel. Le page dont le mouchoir porte la signature de l'œuvre pourrait être le fils du peintre, Jorge Manuel.

Non loin, la **Pastelería Santo Tomé** est réputée pour ses pâtes d'amande (*marzipans*) fabriquées à Tolède.

🕎 Sinagoga de Santa María la Blanca
Calle de los Reyes Católicos 4.
🕿 925 22 72 57. ⬤ t.l.j. 🈯
Fondée au XIIe siècle, la plus ancienne et la plus vaste des huit synagogues que compta la ville devint en 1405 une église de l'ordre militaire de Calatrava. Une restauration lui a rendu, autant que possible, son aspect initial : la blancheur des arcs en fer à cheval met en valeur la finesse des sculptures des chapiteaux et des ornements muraux. Un retable plateresque (XVIe siècle) décore la chapelle principale. En 1391, un massacre de juifs dans la synagogue marqua la fin de la tolérance religieuse à Tolède.

Arcs mudéjars dans la Sinagoga de Santa María la Blanca

🕎 Sinagoga del Tránsito
Calle Samuel Leví. 🕿 925 22 36 65.
⬤ mar.-dim. 🈯
Derrière une façade sans attrait particulier, cette ancienne synagogue, construite au XIVe siècle par Samuel Ha-Leví, le trésorier de Pierre le Cruel, cache le plus riche intérieur mudéjar de la ville. Dans la salle de prière au plafond à caissons incrusté d'ivoire, une frise associe motifs gothiques, arabes et hébraïques. Un musée attenant propose une intéressante exposition consacrée à la culture séfarade. Certains des manuscrits, pierres tombales, costumes de mariage et objets rituels présentés sont postérieurs à l'expulsion des juifs d'Espagne à la fin du XVe siècle.

Plafond à caissons au Monasterio de San Juan de los Reyes

🔒 Monasterio de San Juan de los Reyes
Calle de los Reyes Católicos 21.
🕿 925 22 38 02. ⬤ t.l.j. 🈯 ♿
Merveilleux exemple d'art isabélin où se marient style gothique et influences mudéjares, ce monastère commandé par les Rois Catholiques après leur victoire en 1476 sur les Portugais à Toro, près de Salamanque, devait à l'origine recevoir leurs sépultures. Ils reposent en fait dans la Capilla Real de Grenade. Achevée en 1492, l'église à nef unique présente un décor intérieur d'une étonnante richesse, sculpté principalement par Juan Guas. Dans le cloître de style gothique flamboyant (1510), l'un des plus beaux d'Espagne, un plafond polychrome mudéjar orne la galerie supérieure. Près de l'église subsiste une portion du mur d'enceinte du quartier juif.

🏛 Casa-Museo de El Greco
Calle Samuel Leví. 🕿 925 22 40 46. ⬤ mar.-dim. 🈯
Le Greco ne vécut peut-être pas dans cette maison au cœur du quartier juif, mais seulement à proximité. Transformée en musée, la demeure abrite une importante collection de ses œuvres, dont une *Vue de Tolède* offrant un tableau détaillé de la ville au Siècle d'or, et la magnifique série du *Christ et des douze apôtres*. Au rez-de-chaussée, sous le musée, une ancienne chapelle privée renferme des peintures de membres de l'école de Tolède tels que Luis Tristán, un élève du Greco.

🔒 Iglesia de Santiago del Arrabal
Voici l'un des plus beaux monuments mudéjars de Tolède. La tour, qui évoque un minaret, daterait d'avant la reconquête de la ville en 1085. Édifiée peu après, l'église possède un magnifique plafond en bois. La sobriété du décor intérieur met en valeur un retable plateresque et une chaire gothico-mudéjare (XIVe siècle).

🕎 Puerta Antigua de Bisagra
Le Cid Campeador accompagnait Alphonse VI lorsqu'il entra par cette porte dans Tolède après sa reconquête en 1085. Flanquée de tours massives coiffées d'un corps-de-garde, elle est la seule porte qui subsiste de l'enceinte érigée par les Maures au IXe siècle.

EL GRECO
Né en Crète en 1541, Dhomínikos Theotokópoulos, dit « le Grec », achève sa formation en Italie, notamment auprès de Titien. Il vient à Tolède en 1477 pour peindre le retable du couvent Santo Domingo el Antiguo. Séduit par la ville, où il se marie et peint pour d'autres églises, il y travaillera jusqu'à sa mort en 1614, créant une œuvre profondément originale, marquée par la ferveur religieuse.

Dhomínikos Theotokópoulos, dit El Greco

La cathédrale de Tolède

L'imposante cathédrale de Tolède s'élève sur le site d'une église fondée au VIIe siècle par le roi wisigoth Reccared Ier et par saint Eugène, le premier évêque de la ville, puis transformée par les Maures en mosquée. Sa construction commença en 1226 en pur gothique français, mais ne s'acheva qu'en 1493, le style évoluant au fil des siècles pour prendre un caractère plus spécifiquement espagnol. Les œuvres qu'elle abrite en font un véritable musée d'art sacré. On continue d'y célébrer la messe selon le rite mozarabe, liturgie d'origine wisigothique que préservèrent pendant l'occupation arabe les chrétiens de Tolède.

Sacristie
Outre Le Christ dépouillé de ses vêtements *par le Greco, au-dessus du maître-autel, elle abrite aussi des œuvres de Titien, Van Dyck et Goya.*

Le cloître, entrepris en 1389, occupe l'emplacement d'un ancien marché juif.

Vue de la cathédrale de Tolède
C'est le parador (p. 151) *qui offre la meilleure vue de la ville et de sa cathédrale dont la tour domine l'extrémité ouest de la nef.*

La tour renferme la Gorda (« la Grosse »), cloche de 17 t.

À la Puerta de Mollete, entrée principale sur la façade ouest, on distribuait du pain blanc *(mollete)* aux pauvres.

★ **Custode**
Le trésor comprend une custode gothique en argent doré (XVIe *siècle) de plus de 3 m de haut. Elle est portée en procession dans les rues pour la Fête-Dieu (p. 34).*

À NE PAS MANQUER
★ **Custode**
★ **Transparente**
★ **Retable**
★ **Chœur**

★ Transparente
Mise en valeur par son éclairage naturel, cette composition baroque de Narciso Tomé tranche sur son environnement gothique.

MODE D'EMPLOI

Calle Arco Palacio 2. 📞 925 22 22 41. ⏰ juin-sept. : 7 h 45-13 h, 15 h 30-19 h 30 t.l.j. ; oct.-mai : 7 h 45-13 h, 15 h 30-18 h 30 t.l.j. ✝ 9 h, 11 h, 15 h, 18 h, 19 h t.l.j. (plus midi et 13 h dim.). **Chœur, trésor, sacristie et salle capitulaire** ⏰ juin-sept. : 10 h 30-13 h, 15 h 30-19 h 30 t.l.j. (oct.-mai : jusqu'à 18 h 30). ⦰ ♿

Capilla de Santiago

La Capilla de San Ildefonso renferme le superbe tombeau platéresque de l'évêque Alonso Carrillo de Albornoz.

Puerta de los Leones

La puerta del Pardón présente au tympan un relief où la Vierge apparaît à saint Ildefonse.

La Capilla Mozárabe possède une belle grille Renaissance (1524) par Juan Francés.

Salle capitulaire
Sous un plafond à caissons mudéjar, elle abrite des fresques du XVIᵉ siècle par Jean de Bourgogne.

★ Retable du maître-autel
De style gothique flamboyant, il illustre des épisodes de la vie du Christ.

★ Chœur
Surmontée de personnages bibliques sculptés dans l'albâtre, la partie inférieure des stalles, en bois, décrit la chute de Grenade.

LES BONNES ADRESSES

HÉBERGEMENT

Modeste bourg rural avant que Philippe II y établisse sa cour en 1561, Madrid dut rapidement se doter d'auberges et d'hôtelleries pour accueillir les visiteurs venant des provinces et de l'étranger. Elle prit pourtant du retard sur les autres capitales européennes au cours du XIXe siècle et Alphonse XIII, embarrassé que les invités à son mariage en 1906 n'aient pu loger

Portier d'hôtel

dans des hôtels aussi chic que ceux des autres capitales européennes, décida de créer le Ritz et le Palace, deux établissements qui n'ont aujourd'hui rien perdu de leur luxe.

Toutefois, on trouve aussi des hôtels plus modestes, quelquefois aménagés dans d'anciennes demeures et, pour les petits budgets, de très nombreuses *pensiones* offrant un hébergement bon marché.

L'élégant Reina Victoria *(p. 147)* vu de la plaza de Santa Ana

OÙ CHERCHER ?

Le centre de Madrid offre, près des principaux sites touristiques, un très large choix dans toutes les catégories de prix, mais certains quartiers tels que la Gran Vía et les environs de la Puerta del Sol sont bruyants de jour comme de nuit. Mieux vaut les éviter, à moins de prendre une chambre insonorisée. Il est difficile de se garer dans le centre, et si vous venez en voiture prévoyez un établissement disposant de places de stationnement.

Si vous aspirez à la tranquillité et ne craignez pas d'avoir à prendre un taxi ou le métro pour vos visites, vous apprécierez les quartiers résidentiels de Salamanca (à l'est) et de Chamberí (au

nord). Les luxueux hôtels modernes bordant le paseo de la Castellana et la partie est du boulevard périphérique (M 30), vers l'aéroport, s'adressent surtout à des voyageurs d'affaires.

CLASSEMENT DES HÔTELS ET SERVICE

Les hôtels espagnols (signalés par un H sur une plaque bleue) sont classés de une à cinq étoiles. Madrid ne

Salon d'une suite du Ritz, l'un des plus luxueux palaces de Madrid *(p. 148)*

renferme que deux établissements de cette dernière catégorie, aussi appelée Gran Lujo (GL) : le Ritz *(p. 148)* et le moderne Villamagna *(p. 149)*.

Cette classification dépend toutefois de critères techniques tenant compte des prestations et des installations disponibles, et les trois étoiles incluent aussi bien des établissements sans âme ni charme que des établissements exceptionnels au personnel chaleureux et au décor recherché. Les quatre et cinq étoiles offriront tous un haut niveau de standing et un large éventail de commodités, mais sans atteindre le confort de leurs équivalents, à prix égal, installés en zones rurales. Peu possèdent un jardin ou une piscine.

Bien que très simples, les hôtels de une et deux étoiles louent de plus en plus des chambres équipées de la télévision, du téléphone, d'une salle de bains individuelle et, dans les meilleurs, de la climatisation, un avantage important en été.

Dans les *hotel-residencias* (HR) seul le petit déjeuner est servi. Appelées *hostales* (Hs) ou *pensiones* (P), sans qu'il y ait de grande différence entre les deux, les pensions proposent un hébergement simple et économique.

Si vous voyagez seul, une *habitación doble uso individual,* chambre double utilisée par une seule personne, vous permettra de disposer de plus d'espace pour un prix légèrement supérieur à une chambre simple. Les places de stationnement donnent lieu à un supplément, parfois très élevé.

Les pensions proposent un hébergement simple et bon marché

PARADORS

Hôtels de trois à cinq étoiles gérés par le gouvernement, les paradors ont une réputation méritée. Les plus agréables occupent des édifices historiques qui justifient une visite. S'il n'en existe pas à Madrid, plusieurs se trouvent à distance raisonnable de la capitale, dont l'un dans un palais du XVIIᵉ siècle à Chinchón *(p. 150)* et un autre dans un château maure à Sigüenza *(p. 151)*. Celui de Ségovie *(p. 151)* offre calme, piscine et grand luxe.

Chambre sobrement décorée du spacieux Crowne Plaza *(p. 147)*

RÉSERVER UNE CHAMBRE

Même dans une ville aussi bien dotée en possibilités d'hébergement que Madrid, réserver, directement par fax ou par téléphone ou en passant par une agence de voyages, permet d'avoir le choix et d'éviter les périodes d'affluence. Il peut être ainsi difficile de trouver une chambre lors des grandes foires commerciales. Pensez à préciser tout de suite vos préférences, chambre avec des lits jumeaux ou un grand lit, par exemple, ou donnant

sur la rue ou l'arrière. Peu d'établissements exigent des arrhes ou un numéro de carte bancaire, mais votre réservation ne restera valable que jusqu'à une certaine heure précisée par le réceptionniste. À votre arrivée, il vous faudra présenter une pièce d'identité.

Les chambres doivent en général être libérées avant midi, mais l'hôtel peut garder vos bagages si vous prévoyez un départ plus tardif.

PAIEMENT ET RÉDUCTIONS

Pratiquement tous les hôtels acceptent les cartes de crédit. Sauf exception, les prix affichés n'incluent pas la taxe à la valeur ajoutée (IVA), d'un montant de 7 %. Beaucoup d'établissements, en particulier ceux visant une clientèle d'affaires, proposent des réductions en été et le week-end. Les sociétés peuvent bénéficier d'un tarif spécial *(precio de empresa)* allant jusqu'à 30 % de réduction.

VOYAGEURS HANDICAPÉS

Certains des hôtels les plus récents disposent de rampes d'accès, d'ascenseurs et d'aménagements adaptés aux personnes en fauteuil roulant, mais il vaut toujours mieux se renseigner avant de réserver.

NON-FUMEURS

Seuls quelques établissements de Madrid, tous des quatre ou cinq étoiles, proposent des chambres non-fumeurs.

APPARTEMENTS

Les hôtels louant des appartements sont appelés *hotel apartamentos* ou *apart-hotels*. Les établissements qui ne proposent que cette forme d'hébergement portent le nom d'*apartamentos turísticos* et sont en général réservés aux séjours d'au moins une semaine.

AVEC DES ENFANTS

La majorité des hôtels de Madrid, dans toutes les catégories de prix, installeront pour un jeune enfant un berceau ou un lit de plus dans la chambre des parents, souvent sans supplément. Seuls certains des plus chers proposent un service de baby-sitting, les Espagnols ayant tendance à emmener partout leurs enfants.

AUBERGES DE JEUNESSE

Il n'existe que deux *albergues juveniles* à Madrid et l'une se trouve très loin du centre dans la Casa de Campo *(p. 114)*. L'autre borde la calle Santa Cruz de Marcenado, derrière le Palacio de Liria *(p. 104)*. Toutefois, vous avez peu de chance d'obtenir une place sans réserver au préalable auprès de l'**Instituto de Albergues Juveniles,** situé au n° 32 de la calle de Alcalá (téléphone : 91 580 42 16).

Le Ritz *(p. 148)*, donnant sur la plaza Canovas del Castillo

Choisir un hôtel

Présentés par quartiers et dans l'ordre alphabétique par catégorie de prix, ces établissements ont été sélectionnés en fonction de leur situation ou de la qualité de leurs prestations. Beaucoup possèdent un bon restaurant, un joli jardin ou des chambres dotées de balcons. Pour plus de détails sur les restaurants, voir pages 152-163.

VIEUX MADRID

	CARTES BANCAIRES	NOMBRE DE CHAMBRES	PARKING PRIVÉ	PISCINE	JARDIN OU TERRASSE
HOSTAL BUENOS AIRES. Plan 2 D5. ℗ Gran Vía 61, 28013. ☎ *91 542 01 02.* FAX *91 542 28 69.* Cette pension économique, bien située sur la Gran Vía, abrite des pièces communes au décor agréable et des chambres toutes dotées d'un balcon ou d'une petite terrasse. 🛏 ☰ TV	AE DC MC V	25			
HOSTAL MADRID. Plan 4 F2. ℗ Calle de Esparteros 6, 2°, 28012. ☎ *91 522 00 60.* FAX *91 532 35 10.* Dans un immeuble du XIXᵉ siècle, entre la Puerta del Sol et la Plaza Mayor, certaines chambres avec balcon dominent la calle de Esparteros et la calle Postas. Celles donnant sur la cour sont plus calmes. 🛏 ☰ TV	MC V	15			
REGENTE. Plan 4 F1. ℗℗ Calle de Mesonero Romanos 9, 28013. ☎ *91 521 29 41.* FAX *91 532 30 14.* Cet hôtel conjugue équipement moderne et mobilier au cachet ancien. Les chambres sur la Gran Vía peuvent se révéler bruyantes. 🛏 ☰ TV	AE DC MC V	145	▦		
CARLOS V. Plan 4 E2. ℗℗℗ Calle Maestro Vitoria 5, 28013. ☎ *91 531 41 00.* FAX *91 531 37 61.* Dans une rue piétonne proche de la Puerta del Sol, le Carlos V propose des chambres communicantes, des chambres familiales, des chambres avec balcon et, au dernier étage, certaines avec solarium. 🛏 ☰ TV	AE DC MC V	67			
REGINA. Plan 7 A2. ℗℗℗ Calle de Alcalá 19, 28014. ☎ *91 521 47 25.* FAX *91 522 40 88.* Cet établissement moderne et élégant est à la fois proche de la Real Academia de Bellas Artes et de la Puerta del Sol. 🛏 ☰ TV	AE DC MC V	142	▦		
REYES CATÓLICOS. Plan 3 C4. ℗℗℗ Calle del Ángel 18, 28005. ☎ *91 365 86 00.* FAX *91 365 98 67.* Cet hôtel moderne très fréquenté accueille volontiers les enfants. Des fenêtres à double vitrage assurent l'insonorisation des chambres. Une terrasse, sur le toit, offre une large vue. 🛏 ☰ TV	AE DC MC V	38			▦
TRYP GRAN VÍA. Plan 4 F1. ℗℗℗ Gran Vía 25, 28013. ☎ *91 522 11 21.* FAX *91 521 24 24.* Une partie du mobilier de cet hôtel de chaîne dominant la Gran Vía évoque les années 60 et 70. 🛏 ☰ TV	AE DC MC V	174			
TRYP CAPITOL. Plan 4 E1. ℗℗℗℗ Gran Vía 41, 28013. ☎ *91 521 83 91.* FAX *91 521 77 29.* Au cœur de l'action sur la Gran Vía, près de la plaza Callao, le Tryp Capitol propose des chambres rénovées en 1998, dans l'un des plus intéressants bâtiments modernes de Madrid. 🛏 ☰ TV	AE DC MC V	143			
TRYP MENFIS. Plan 2 D5. ℗℗℗℗ Gran Vía 74, 28013. ☎ *91 547 09 00.* FAX *91 547 51 99.* Tout près de la plaza de España au bout de la Gran Vía, un immeuble récent abrite une réception lumineuse et des chambres entièrement refaites en 1997. 🛏 ☰ TV	AE DC MC V	120			
TRYP REX. Plan 4 E1. ℗℗℗℗ Gran Vía 43, 28013. ☎ *91 547 48 00.* FAX *91 547 12 38.* Ce Tryp occupe un édifice ancien entre la plaza del Callao et la plaza de España près d'un vaste parking public. Les pièces communes sont spacieuses et les chambres toutes équipées d'un coffre-fort. 🛏 ☰ TV	AE DC MC V	144			
AROSA. Plan 4 F1. ℗℗℗℗℗ Calle de la Salud 21, 28013. ☎ *91 532 16 00.* FAX *91 531 31 27.* Les clients en voyage d'affaires apprécient cet établissement du centre pour ses chambres confortables et insonorisées. 🛏 ☰ TV	AE DC MC V	139	▦		

<table>
<tr><td colspan="2">

Catégories de prix pour une chambre double, petit déjeuner, taxes et service compris.

® moins de 8000 ptas
®® de 8000 à 12000 ptas
®®® de 12000 à 16000 ptas
®®®® de 16000 à 20000 ptas
®®®®® plus de 20000 ptas

</td><td colspan="2">

CARTES BANCAIRES
Cartes acceptées : American Express (AE), Diners Club (DC), Mastercard/Access (MC) et Visa (V).

PARC DE STATIONNEMENT
Possibilité de garer son véhicule, parfois en payant un supplément, dans un parking ou un garage appartenant à l'hôtel ou se trouvant à proximité.

PISCINE
Piscine à ciel ouvert sauf indication contraire.

JARDIN
L'hôtel possède un jardin, une cour intérieure ou une terrasse, où les repas sont parfois servis.

</td></tr>
</table>

	Prix	CARTES BANCAIRES	NOMBRE DE CHAMBRES	PARKING PRIVÉ	PISCINE	JARDIN OU TERRASSE
CROWNE PLAZA. Plan 2 D5. Gran Vía 84, 28013. ☎ 91 547 12 00. FAX 91 548 23 89. Récemment rénové, cet hôtel à l'américaine fait face à la plaza de España dans l'Edificio de España. Les chambres (certaines non-fumeurs) et les parties communes sont spacieuses. 🛏 ▤ 📺 ♿	®®®®	AE DC MC V	306	▪		
EMPERADOR. Plan 4 E1. Gran Vía 53, 28013. ☎ 91 547 28 00. FAX 91 547 28 17. L'Emperador occupe une situation idéale pour explorer le centre, et offre de grandes chambres calmes ainsi qu'une piscine sur le toit. 🛏 ▤ 📺	®®®®	AE DC MC V	242	▪	●	▪
REINA VICTORIA. Plan 7 A3. Plaza de Santa Ana 14, 28012. ☎ 91 531 45 00. FAX 91 522 03 07. Ce gracieux édifice historique où logea Ernest Hemingway a une importante clientèle d'amateurs de corrida. 🛏 ▤ 📺 ♿	®®®®	AE DC MC V	201	▪		
SANTO DOMINGO. Plan 4 D1. Plaza de Santo Domingo 13, 28013. ☎ 91 547 98 00. FAX 91 547 59 95. Cet hôtel de standing datant des années 90 se trouve au sud de la Gran Vía, près de la Puerta del Sol et du Teatro Real. Décor intérieur moderne et chambres non-fumeurs. 🛏 ▤ 📺	®®®®	AE DC MC V	120			▪
TRYP AMBASSADOR. Plan 4 D1. Cuesta de Santo Domingo 5, 28013. ☎ 91 541 67 00. FAX 91 559 10 40. Près du Palacio Real, les hôtes profitent ici du confort moderne et de vastes chambres dans un palais du XIXᵉ siècle. Des plantes tropicales poussent dans le jardin d'hiver où il y a un bar. 🛏 ▤ 📺	®®®®®	AE DC MC V	181			

MADRID DES BOURBONS

	Prix	CARTES BANCAIRES	NOMBRE DE CHAMBRES	PARKING PRIVÉ	PISCINE	JARDIN OU TERRASSE
HOSTAL-RESIDENCIA LISBOA. Plan 7 A2. Calle de Ventura de la Vega 17, 28014. ☎ 91 429 46 76. FAX 91 429 46 76. Une pension impeccable, située près de la plaza de Santa Ana et à quelques pas de la calle Echegaray. 🛏 📺	®	AE DC MC V	25			
MEDIODÍA. Plan 7 C4. Plaza del Emperador Carlos V 8, 28012. ☎ 91 527 30 60. FAX 91 527 30 66. D'un excellent rapport qualité/prix, cet hôtel propose, dans un immeuble du XIXᵉ siècle proche du Centro de Arte Reina Sofía, un service chaleureux et des chambres confortables. 🛏 📺	®	AE MC V	165			
SANTANDER. Plan 7 A3. Calle de Echegaray 1, 28014. ☎ 91 429 46 44. FAX 91 369 10 78. Ouvert dans les années 20, ce petit établissement accueillant offre des chambres propres et confortables. Situé près de la Puerta del Sol, il est pratique pour rejoindre les sites du centre. 🛏 📺	®	MC V	35			
INGLÉS. Plan 7 A3. Calle de Echegaray 8, 28014. ☎ 91 429 65 51. FAX 91 420 24 23. D'un bon rapport qualité-prix, cet hôtel familial a son propre garage. Les chambres sur la rue sont ensoleillées, celles de derrière plus calmes. 🛏 📺	®®	AE DC MC V	58	▪		
MERCATOR. Plan 7 C4. Calle de Atocha 123, 28012. ☎ 91 429 05 00. FAX 91 369 12 52. Un peu désuet mais confortable, le Mercator pratique des prix raisonnables non loin du Centro de Arte Reina Sofía. Les chambres les plus calmes donnent sur le parc de stationnement. 🛏 ▤ 📺	®®	AE DC MC V	89	▪		
MORA. Plan 7 C4. Paseo del Prado 32, 28014. ☎ 91 420 15 69. FAX 91 420 05 64. Bénéficiant d'une situation centrale près du Jardín Botánico et du Prado, et doté d'une jolie entrée, de chambres et d'équipements fonctionnels, cet hôtel des années 30 reste toutefois bon marché. 🛏 ▤ 📺	®®	AE DC MC V	62			

Catégories de prix pour une chambre double, petit déjeuner, taxes et service compris.

Ⓟ moins de 8 000 ptas
ⓅⓅ de 8 000 à 12 000 ptas
ⓅⓅⓅ de 12 000 à 16 000 ptas
ⓅⓅⓅⓅ de 16 000 à 20 000 ptas
ⓅⓅⓅⓅⓅ plus de 20 000 ptas

CARTES BANCAIRES
Cartes acceptées : American Express (AE), Diners Club (DC), Mastercard/Access (MC) et Visa (V).
PARC DE STATIONNEMENT
Possibilité de garer son véhicule, parfois en payant un supplément, dans un parking ou un garage appartenant à l'hôtel ou se trouvant à proximité.
PISCINE
Piscine à ciel ouvert sauf indication contraire.
JARDIN
L'hôtel possède un jardin, une cour intérieure ou une terrasse, où les repas sont parfois servis.

	CARTES BANCAIRES	NOMBRE DE CHAMBRES	PARKING PRIVÉ	PISCINE	JARDIN OU TERRASSE
EL PRADO. Plan 7 B3. ⓅⓅⓅ Calle del Prado 11, 28014. ☎ 91 369 02 34. FAX 91 429 28 29. Ce petit hôtel bien tenu borde une rue étroite près de la plaza de Santa Ana. Chambres spacieuses et service affaires. 🛏 🍽 📺	AE DC MC V	47	▦		
AGUMAR. Plan 8 E5. ⓅⓅⓅⓅ Paseo de la Reina Cristina 7, 28014. ☎ 91 552 69 00. FAX 91 433 60 95. Proche des grands musées, l'Agumar possède sa propre collection de peintures et de tapis de la Real Fábrica de Tapices. 🛏 🍽 📺	AE DC MC V	245	▦		
ALCALÁ. Plan 8 E1. ⓅⓅⓅⓅ Calle de Alcalá 66, 28009. ☎ 91 435 10 60. FAX 91 435 11 05. Une rue sépare cet hôtel à l'atmosphère chaleureuse du Parque del Retiro. Les chambres de derrière donnent sur un joli jardin. 🛏 🍽 📺	AE DC MC V	146	▦		▦
HOTEL PALACE. Plan 7 B2. ⓅⓅⓅⓅ Plaza de las Cortes 7, 28014. ☎ 91 360 80 00. FAX 91 360 81 00. Ce gracieux établissement Belle Époque (p. 69), agrémenté d'une verrière, a reçu dans ses chambres élégantes aussi bien des hommes d'État que Mata Hari. Le service est prévenant. 🛏 🍽 📺 ♿	AE DC MC V	440	▦		
HOTEL RITZ. Plan 7 C3. ⓅⓅⓅⓅⓅ Plaza de la Lealtad 5, 28014. ☎ 91 521 28 57. FAX 91 532 87 76. Inauguré en 1910 pour accueillir une clientèle aristocratique, le Ritz (p. 68) demeure un des palaces les plus luxueux d'Espagne. Les hôtes y prennent le thé en musique et jouissent d'un jardin en terrasse. 🛏 🍽 📺	AE DC MC V	158	▦		▦
SUECIA. Plan 7 B2. ⓅⓅⓅⓅ Calle del Marqués de Casa Riera 4, 28014. ☎ 91 531 69 00. FAX 91 521 71 41. La terrasse du Suecia permet de prendre le soleil au 7ᵉ étage, à quelques pas de la plaza de Cibeles. 🛏 🍽 📺	AE DC MC V	128	▦		▦
SUITE PRADO. Plan 7 A3. ⓅⓅⓅⓅ C/ Manuel Fernández y González 10, 28014. ☎ 91 420 23 18. FAX 91 420 05 59. Cet établissement loue des suites luxueuses à courte distance du Prado et du Museo Thyssen-Bornemisza. 🛏 🍽 📺	AE DC MC V	18			
VILLA REAL. Plan 7 B2. ⓅⓅⓅⓅ Plaza de las Cortes 10, 28014. ☎ 91 420 37 67. FAX 91 420 25 47. Meubles en acajou et broderies décorent les pièces communes de cet hôtel chic, construit au XIXᵉ siècle près du Prado. 🛏 🍽 📺	AE DC MC V	115	▦		
AUTOUR DE LA CASTELLANA					
HOSTAL SANTA BÁRBARA. Plan 5 B4. Ⓟ Plaza de Santa Bárbara 4, 28004. ☎ 91 446 93 08. FAX 91 446 23 45. Pension propre et bon marché dans un des quartiers les plus animés de Madrid. Certaines chambres ont des balcons avec vue.	MC V	14			
HOSTAL SIL. Plan 5 A5. Ⓟ Calle de Fuencarral 95, 28004. ☎ 91 448 89 72. FAX 91 447 48 29. Situé dans un quartier vivant, l'hôtel dispose de chambres et de salles de bains au mobilier de qualité, à des prix qui demeurent abordables. 🛏 🍽 📺	AE DC MC V	20			
DON DIEGO. Plan 6 F4. ⓅⓅ Calle de Velázquez 45, 28001. ☎ 91 435 07 60. FAX 91 431 42 63. Dans cet hôtel accueillant de l'élégant quartier de Salamanca, certaines chambres ont des balcons, celles de l'intérieur sont plus calmes. 🛏 🍽 📺	AE DC MC V	58			
GALIANO. Plan 6 D4. ⓅⓅ Calle de Alcalá Galiano 6, 28010. ☎ 91 319 20 00. FAX 91 319 99 14. Ce petit hôtel surprenant, aménagé dans un immeuble néo-classique proche de la plaza de Colón, est doté de chambres spacieuses. 🛏 🍽 📺	MC V	29	▦		

MÓNACO. Plan 7 B1.   ₽₽
Calle de Barbieri 5, 28004. ☎ 91 522 46 30. FAX 91 521 16 01.
Le Mónaco joue sans vergogne la carte du kitsch, et ses chambres
rappellent par certains traits que c'est une ancienne maison close. 🛏 📺
AE DC MC V — 32

STYLE ESCULTOR. Plan 6 D2.   ₽₽₽₽
Calle de Miguel Ángel 3, 28010. ☎ 91 310 42 03. FAX 91 319 25 84.
Pour un hôtel moderne de cette catégorie, situé non loin du paseo de la
Castellana dans le prospère quartier de Chamberí, les tarifs restent
raisonnables. Toutes les chambres possèdent un balcon. 🛏 ▤ 📺
AE DC MC V — 64 ▪

CASTELLANA INTERCONTINENTAL. Plan 6 D1.   ₽₽₽₽₽
Paseo de la Castellana 49, 28046. ☎ 91 310 02 00. FAX 91 319 58 53.
L'Intercontinental a surtout une clientèle d'hommes d'affaires. Les hôtes y
ont le choix entre deux restaurants. 🛏 ▤ 📺 ♿
AE DC MC V — 313 ▪   ▪

MIGUEL ÁNGEL. Plan 6 D1.   ₽₽₽₽₽
Calle de Miguel Ángel 31, 28010. ☎ 91 442 81 99. FAX 91 442 53 20.
Le Miguel Ángel associe confort moderne et classicisme près du paseo de
la Castellana. L'un des deux restaurants de l'hôtel propose des dîners
dansants qui durent jusqu'à 3 h du matin. 🛏 ▤ 📺 ♿
AE DC MC V — 271 ▪ ● ▪

SANTO MAURO. Plan 5 C2.   ₽₽₽₽₽
Calle de Zurbano 36, 28010. ☎ 91 319 69 00. FAX 91 308 54 77.
Ce palace, construit en 1894 dans une des rues les plus élégantes de
Madrid, a abrité des ambassades. Il possède en sous-sol une piscine au
plafond voûté. Un restaurant occupe l'ancienne bibliothèque. 🛏 ▤ 📺
AE DC MC V — 37 ▪   ▪

SANVY. Plan 6 D4.   ₽₽₽₽₽
Calle de Goya 3, 28001. ☎ 91 576 08 00. FAX 91 575 24 43.
Cet hôtel très moderne et fonctionnel, dans une rue débouchant sur la plaza
de Colón, s'adresse à une clientèle d'hommes d'affaires qui y disposent de
salles de réunion. Il y a aussi des chambres non-fumeurs. 🛏 📺
AE DC MC V — 149 ▪   ▪

TRYP FENIX. Plan 6 D4.   ₽₽₽₽₽
Calle de Hermosilla 2, 28001. ☎ 91 431 67 00. FAX 91 576 06 61.
Cet établissement parmi les plus élégants de Madrid possède des parties
communes aménagées avec goût. La plupart des chambres ont vue sur le
paseo de la Castellana ou la plaza de Colón. 🛏 ▤ 📺 ♿
AE DC MC V — 228 ▪

VILLAMAGNA. Plan 6 D3.   ₽₽₽₽₽
Paseo de la Castellana 22, 28046. ☎ 91 587 12 34. FAX 91 575 95 04.
Entouré de jardins et apprécié des voyageurs d'affaires, le Villamagna
conjugue confort moderne et décor du xviiie siècle. 🛏 ▤ 📺 ♿
AE DC MC V — 182 ▪   ▪

WELLINGTON. Plan 8 F1.   ₽₽₽₽₽
Calle de Velázquez 8, 28001. ☎ 91 575 44 00. FAX 91 576 41 64.
Ce rendez-vous d'amateurs de corrida, proche du Parque del Retiro, date
du début des années 50. 🛏 ▤ 📺
AE DC MC V — 288 ▪ ● ▪

EN DEHORS DU CENTRE

RAMÓN DE LA CRUZ   ₽₽
C/ de Don Ramón de la Cruz 94, 28006. ☎ 91 401 72 00. FAX 91 402 21 26.
Dans une rue paisible partant de la plaza Manuel Becerra, au bout de la
calle de Alcalá près des arènes, de grandes chambres bien meublées et au
sol en parquet offrent un excellent rapport qualité-prix. 🛏 ▤ 📺
DC MC V — 103 ▪

TIROL   ₽₽
Calle del Marqués de Urquijo 4, 28008. ☎ 91 548 19 00. FAX 91 541 39 58.
Des prix intéressants pour des chambres spacieuses et propres, à
quelques pas de la plaza de España et près du quartier étudiant. 🛏 ▤
MC V — 97

PUERTA DE TOLEDO. Plan 3 C5.   ₽₽₽
Glorieta Puerta de Toledo 4, 28005. ☎ 91 474 71 00. FAX 91 474 07 47.
Cet hôtel fonctionnel, aux tarifs raisonnables, se trouve près du marché
aux puces d'El Rastro, à une courte distance à pied du Palacio Real et des
tavernes typiques des rues de la Cava Alta et de la Cava Baja. 🛏 ▤ 📺 ♿
AE DC MC V — 152 ▪   ▪

ARISTOS   ₽₽₽
Avenida de Pío XII 34, 28016. ☎ 91 345 04 50. FAX 91 345 10 23.
Ce charmant petit hôtel, dans un quartier résidentiel et verdoyant, séduira
ceux qui attachent plus d'importance au cadre qu'à la proximité du centre.
Cuisine méditerranéenne moderne au restaurant. 🛏 ▤ 📺
AE DC MC V — 25   ▪

Légende des symboles, voir rabat de couverture

Catégories de prix pour une chambre double, petit déjeuner, taxes et service compris.

Ⓟ moins de 8 000 ptas
ⓅⓅ de 8 000 à 12 000 ptas
ⓅⓅⓅ de 12 000 à 16 000 ptas
ⓅⓅⓅⓅ de 16 000 à 20 000 ptas
ⓅⓅⓅⓅⓅ plus de 20 000 ptas

CARTES BANCAIRES
Cartes acceptées : American Express (AE), Diners Club (DC), Mastercard/Access (MC) et Visa (V).

PARC DE STATIONNEMENT
Possibilité de garer son véhicule, parfois en payant un supplément, dans un parking ou un garage appartenant à l'hôtel ou se trouvant à proximité.

PISCINE
Piscine à ciel ouvert sauf indication contraire.

JARDIN
L'hôtel possède un jardin, une cour intérieure ou une terrasse, où les repas sont parfois servis.

	Cartes bancaires	Nombre de chambres	Parking privé	Piscine	Jardin ou terrasse
BALBOA ⓅⓅⓅ Núñez de Balboa 112, 28006. ☎ 91 563 03 24. FAX 91 562 69 80. À l'angle de Núñez de Balboa et de General Oráa, près des boutiques de luxe du quartier huppé de Salamanca, cet établissement moderne et confortable offre un service efficace.	AE MC V	122	▦		
COLÓN ⓅⓅⓅ Calle del Doctor Esquerdo 119, 28007. ☎ 91 573 59 00. FAX 91 573 08 09. Situé dans un immeuble, le Colón abrite salle de gymnastique et équipement d'affaires entre le Parque del Retiro et le Parque de Roma.	AE DC MC V	389	▦		▦
GRAN ATLANTA ⓅⓅⓅ Calle del Comandante Zorita 34, 28020. ☎ 91 553 59 00. FAX 91 533 08 58. Un grand hall lumineux et décoré avec goût accueille les visiteurs dans cet hôtel moderne, situé au cœur du quartier des affaires et près de certains des plus célèbres restaurants de Madrid.	AE DC MC V	180	▦		
NH ZURBANO ⓅⓅⓅ Calle de Zurbano 79–81. ☎ 91 441 45 00. FAX 91 441 32 24. Moderne et confortable bien qu'un peu impersonnel, cet hôtel, apprécié des voyageurs en déplacement professionnel, occupe deux bâtiments dans une rue calme près de la Castellana.	AE MC V	269	▦		
RAFAEL VENTAS ⓅⓅⓅ Calle de Alcalá 269, 28027. ☎ 91 326 16 20. FAX 91 326 18 19. Dans un bâtiment de quatre étages à parement de marbre édifié en 1994, cet hôtel bien tenu offre un accès rapide à l'aéroport et attire surtout une clientèle d'affaires.	AE DC MC V	111	▦	●	
CONDE DE ORGAZ ⓅⓅⓅⓅ Calle del Moscatelar 24, 28043. ☎ 91 388 40 99. FAX 91 388 00 09. Vastes chambres confortables et modernes, près de l'aéroport et du centre d'expositions du campo de las Naciones.	AE DC MC V	91	▦		
CUZCO ⓅⓅⓅⓅ Paseo de la Castellana 133, 28046. ☎ 91 556 06 00. FAX 91 556 03 72. Dans un gratte-ciel du quartier des affaires de la Castellana, près du stade Santiago Bernabeu, cet hôtel à l'américaine abrite un centre de remise en forme, un sauna et de vastes pièces communes.	AE DC MC V	330	▦		
MONTE REAL ⓅⓅⓅⓅ Camino del Arroyo del Fresno 17, 28035. ☎ 91 316 21 40. FAX 91 316 39 34. Cet imposant hôtel moderne jouit d'une atmosphère paisible dans un quartier résidentiel, proche du golf Puerta de Hierro. Ses balcons dominent la piscine et le jardin.	AE DC MC V	80	▦	●	▦
PINTOR ⓅⓅⓅⓅ Calle de Goya 79, 28001. ☎ 91 435 75 45. FAX 91 431 10 91. À courte distance de la plaza de Colón et du Parque del Retiro, un hall dont le décor pastiche le style hawaïen donne le ton du Pintor.	AE MC V	176	▦		
LES ENVIRONS DE MADRID					
ALAMEDA DEL VALLE : *La Posada de Alameda* ⓅⓅⓅ Calle Grande 34, 28749. ☎ 91 869 13 37. FAX 91 869 01 63. Cette ferme restaurée de la calme vallée du Lozoya, à environ une heure de voiture de Madrid, propose des chambres bien équipées, dont deux dans d'anciens silos et certaines avec vue de la campagne.	MC V	22			▦
CHINCHÓN : *Parador de Chinchón* ⓅⓅⓅⓅ Avenida del Generalísimo 1, 28370. ☎ 91 894 08 36. FAX 91 894 09 08. Fresques, carreaux et antiquités décorent ce monastère du XVIIᵉ siècle construit autour d'une spacieuse cour intérieure.	AE DC MC V	38	▦	●	▦

GUADALAJARA : España   ℗   MC V   40
Calle Teniente Figueroa 3, 19001. ☎ 949 21 13 03. FAX 949 21 13 05.
Cette demeure du XIXᵉ siècle du centre-ville possède un intérieur moderne, avec quelques touches originales. 🖼 📺 ♿

PEDRAZA DE LA SIERRA : El Hotel de la Villa   ℗℗℗   AE DC MC V   24
Calle Calzada 5, 40172 (Segovia). ☎ 921 50 86 51. FAX 921 50 86 53.
Papier peint à fleurs, lit à baldaquin et antiquités donnent leur cachet à toutes les chambres de ce charmant hôtel. 🖼 ▤ 📺

PEDRAZA DE LA SIERRA : La Posada de Don Mariano   ℗℗℗   AE DC MC V   18
Calle Mayor 14, 40172 (Segovia). ☎ 921 50 98 86. FAX 921 50 98 86.
Difficile de choisir le meilleur hôtel de ce village. Toutes les chambres ici semblent sorties d'un magazine. 🖼 📺

RASCAFRÍA : Santa María de El Paular   ℗℗℗℗   AE DC MC V   58
Carretera C604, El Paular, 28741. ☎ 91 869 10 11. FAX 91 869 10 06.
L'hôtel occupe une partie d'un couvent bénédictin de la sierra de Guadarrama. On peut aussi se restaurer au bar. ● janv. 🖼 📺

SAN LORENZO DE EL ESCORIAL : El Botánico   ℗℗℗   AE DC MC V   20
Timoteo Padrós 16, 28200. ☎ 91 890 78 79. FAX 91 890 81 58.
Certaines chambres de ce petit hôtel agréable, proche d'El Escorial, donnent vue du célèbre palais. 🖼 ▤ 📺

SAN LORENZO DE EL ESCORIAL : Victoria Palace   ℗℗℗℗   AE DC MC V   87
Calle Juan de Toledo 4, 28200. ☎ 91 896 98 90. FAX 91 890 12 48.
À courte distance à pied du palais d'El Escorial, les chambres de cet hôtel élégant offrent de beaux panoramas. 🖼 📺

SÉGOVIE : Infanta Isabel   ℗℗℗   AE DC MC V   29
Plaza Mayor, 40001. ☎ 921 44 31 05. FAX 921 43 32 40.
Ce bâtiment moderne de style fin XIXᵉ siècle possède un décor typique de Ségovie et des chambres douillettes. 🖼 ▤ 📺

SÉGOVIE : Los Linajes   ℗℗℗   AE DC MC V   55
Calle Doctor Velasco 9, 40003. ☎ 921 46 04 75. FAX 921 46 04 79.
Derrière une façade à colombage, cet établissement moderne accroche à flanc de colline ses huit étages près des remparts. Plus la chambre est en hauteur, plus elle offre une belle vue. 🖼 📺 ♿

SÉGOVIE : Parador de Segovia   ℗℗℗℗   AE DC MC V   113
Carretera de Valladolid, 40003. ☎ 921 44 37 37. FAX 921 43 73 62.
Juste à la sortie de la ville, le parador de Ségovie comprend une piscine couverte. Le jardin offre une vue splendide. 🖼 ▤ 📺 ♿

SIGÜENZA : Parador de Sigüenza   ℗℗℗℗   AE DC MC V   81
Plaza del Castillo, 19250 (Guadalajara). ☎ 949 39 01 00. FAX 949 39 13 64.
La silhouette massive de son château se dresse au-dessus du village sur une hauteur. Les Rois Catholiques y séjournèrent et le mobilier est majestueux. Les chambres entourent une cour intérieure. 🖼 ▤ 📺 ♿

TOLÈDE : La Almazara   ℗   AE DC MC V   21
Carretera Toledo-Argés, 45080. ☎ 925 22 38 66. FAX 925 25 05 62.
Cette résidence de campagne du XVIᵉ siècle domine la ville depuis une colline boisée. Les chambres sont simples et les prestations limitées, mais le personnel est prévenant et amical. 🖼 ♿

TOLÈDE : Hostal del Cardenal   ℗℗℗   AE DC MC V   27
Paseo de Recaredo 24, 45004. ☎ 925 22 49 00. FAX 925 22 29 91.
Aujourd'hui transformé en hôtel près des remparts, l'ancien palais épiscopal date du XVIIIᵉ siècle et a conservé de splendides plafonds sculptés et de jolies cours intérieures en brique. 🖼 ▤ 📺

TOLÈDE : Pintor El Greco   ℗℗℗   AE DC MC V   33
Calle Alamillos del Tránsito 13, 45002. ☎ 925 21 42 50. FAX 925 21 58 19.
Une maison du XVIIᵉ siècle de l'ancien quartier juif a été discrètement agrandie derrière la façade et le patio originaux. Ferronneries et céramiques traditionnelles donnent du cachet au décor. 🖼 ▤ 📺 ♿

TOLÈDE : Parador de Toledo   ℗℗℗℗   AE DC MC V   76
Cerro del Emperador, 45002. ☎ 925 22 18 50. FAX 925 22 51 66.
Le panorama de Tolède qui s'ouvre depuis la terrasse de ce parador justifie son succès auprès des photographes (p. 140). 🖼 ▤ 📺

RESTAURANTS, CAFÉS ET BARS

Même si Madrid ne possédait pas de tels musées, palais et monuments, ses restaurants et ses cafés à l'atmosphère incomparable justifieraient à eux seuls une visite. Les Madrilènes y passent d'ailleurs beaucoup de temps avec des amis ou des collègues, que ce soit pour y prendre un petit déjeuner, un apéritif accompagné de *tapas (p. 30-31)* ou le repas de midi tardif. Les visiteurs mettent d'ailleurs

Décor de La Chata, un bar de la calle de la Cava Baja

parfois du temps à s'habituer aux horaires espagnols. La gamme d'établissements servant des spécialités régionales va des modestes *casas de comidas* à de grandes tables gastronomiques en passant par de pittoresques *tabernas (p. 28-29)*. Toutes, quelle que soit leur catégorie de prix, offrent un minimum de qualité. Dans une capitale où les nouvelles circulent vite, un restaurant trop médiocre a peu de chance de rester ouvert longtemps.

Comptoir poli du bar El Espejo (p. 160), paseo de Recoletos

RESTAURANTS ET BARS

Les employés de bureau qui travaillent et vivent dans la capitale espagnole constituent la clientèle principale des restaurants. Ils veulent une cuisine de qualité et un service rapide et aiment prolonger les repas. En effet, le déjeuner et la *sobremesa*, la conversation détendue qui le conclut, sont sacrés à Madrid.

Les plus chic des tables gastronomiques proposent souvent de la cuisine basque, la plus réputée du pays, mais vous pourrez aussi déguster des spécialités de toutes les autres régions de la péninsule. Madrid compte également des restaurants étrangers, des japonais aux russes, mais ils restent plus rares que dans les autres grandes capitales d'Europe occidentale.

La majorité des établissements se plient à l'agenda professionnel de leur

clientèle et ferment le dimanche, parfois aussi le samedi midi, et souvent tout le mois d'août.

FAST-FOODS

Malgré la tradition des bars à *tapas*, la majorité des grandes multinationales spécialisées dans les hamburgers ont ouvert des succursales à Madrid. Il existe aussi des chaînes spécifiquement espagnoles telles que Pans & Co (sandwichs), A. Huevo (salades) et le Mueso del Jamón, spécialisé dans la charcuterie *(p. 161)*.

LES HEURES DE REPAS

La plupart des visiteurs ont un peu de mal à s'adapter aux horaires de repas tardifs des Madrilènes : vers 15 h pour le déjeuner et 23 h pour le dîner.

Les Espagnols prennent deux

petits déjeuners *(desayunos)*. Le premier, à la maison, peut se limiter à un simple café. Le deuxième, vers 10 h ou 11 h, souvent au bar, comprendra classiquement des *churros* (beignets) à tremper dans un café et une part d'omelette aux pommes de terre *(tortilla)* ou un sandwich *(bocadillo)*.

La pause déjeuner commence traditionnellement dans un bar pour une *tapa* accompagnant une bière ou une *copa* (verre de vin), avant de rejoindre un restaurant pour le repas appelé *comida* ou *almuerzo*.

En fin d'après-midi, salons de thé et pâtisseries se remplissent pour la *merienda,* collation de sandwichs, de viennoiseries ou de gâteaux servis avec du thé, du café ou du jus de fruit. Elle permettra de tenir jusqu'aux *tapas* du soir. Pris plutôt en famille, le dîner *(cena)* commence tard, en particulier l'été.

L'élégante Hostería Pintor Zuloaga à Pedraza de la Sierra *(p. 163)*

Moment de repos à la terrasse d'un café du paseo de Recoletos

LIRE LA CARTE

Pour commencer le repas, la *carta* (menu) offre le choix entre des *sopas* (soupes), des *entremeses* (hors-d'œuvre), des *ensaladas* (salades), des *huevos y tortillas* (œufs et omelettes) et des *verduras y legumbres* (légumes). Le plat principal *(plato principal)* sera sélectionné parmi une liste de *pescados y mariscos* (poissons et coquillages) ou de *carnes y aves* (viandes et volailles). L'éventail de *postres* (desserts) reste généralement réduit.

Outre l'intéressant menu de trois plats à prix fixe, quelques restaurants gastronomiques proposent un *menú de degustación* permettant de goûter à plusieurs de leurs spécialités. Une fois par semaine, certains établissements servent aussi un plat traditionnel tel que le *cocido madrileño (p. 155).*

LES PRIX ET LE POURBOIRE

La loi impose à tous les restaurants espagnols de proposer un *menú del día* à prix fixe composé d'une entrée, d'un plat et d'un dessert, mais certains ne le présentent que sur demande.

Le coût précis de certains mets, poissons et fruits de mer en particulier, n'apparaît pas toujours sur la carte. Il peut en effet être fixé *según peso* (en fonction du poids) ou *según mercado* (selon le marché), et demander une estimation évitera les mauvaises surprises. La TVA de 7 % et le service

augmentera la *cuenta* (note). Les Espagnols laissent aussi un pourboire d'environ 5 % du coût du repas. Beaucoup de restaurants acceptent les cartes Mastercard et Visa.

L'historique **Bodega de Angel Sierra**, plaza de Chueca *(p. 92)*

RÉSERVER

Arriver tôt ne garantit pas de trouver une table dans un restaurant madrilène, surtout pour le déjeuner. Toutefois, il suffit généralement de téléphoner quelques heures à l'avance pour réserver, sauf dans les établissements les plus en vogue, où mieux vaut appeler au moins la veille.

ÉTIQUETTE ET CIGARETTE

Les Espagnols aiment s'habiller pour sortir, surtout le soir, et les tables les plus chic imposent le port de la tenue de ville. Très peu d'établissements ont des tables pour non-fumeurs.

AVEC DES ENFANTS

Si les menus spéciaux et les chaises hautes restent rares, les enfants sont bien accueillis dans tous les restaurants de Madrid, même les plus huppés.

VOYAGEURS HANDICAPÉS

Les équipements pour handicapés restent rares dans les restaurants espagnols, et, avant de vous déplacer, mieux vaut téléphoner pour savoir si l'établissement choisi est adapté à vos besoins.

LES VINS

Excellent en apéritif *(aperitivo)*, le xérès peut être *fino*, c'est-à-dire sec et léger, à boire avec quelques olives ou *tapas*, ou bien *oloroso*. Il a alors plus de corps et accompagne bien le *jamón serrano*. L'Espagne produit aussi une vaste gamme de vins de table *(p. 156-157)*. Bien que les restaurants appliquent une importante majoration, ils restent d'un prix raisonnable, notamment le *vino de la casa* (vin de la maison).

VÉGÉTARIENS

L'Espagne compte peu de restaurants végétariens, et même les salades ou les plats de légumes ou d'œufs peuvent contenir des morceaux de charcuterie ou de poisson.

Le **Combarro**, un restaurant galicien *(p. 162)*

Que manger à Madrid ?

L a gastronomie espagnole reste une cuisine de terroirs, et la capitale, où les provinciaux affluent depuis des siècles en apportant avec eux leurs recettes, est la ville qui permet d'en avoir l'image la plus complète. Outre le *cocido madrileño* ou le *besugo a la madrileña* (daurade), vous pourrez y déguster des fruits de mer aussi frais qu'en Galicie et une paella aussi goûteuse qu'à Valence, ainsi que le rafraîchissant *gazpacho* andalou, la riche *fabada* des Asturies, le cochon de lait castillan et les subtils mets basques. Malgré un vaste choix de soupes, d'entrées et de plats de viande et de poisson, il vous faudra souvent vous contenter pour le dessert d'un fruit, d'un flan ou d'une crème glacée.

Tresse d'ail

La *fritura de pescado*, mets typique de Cadix et Málaga, marie poissons et fruits de mer frits, servis avec des quartiers de citron.

Les produits de la mer entrent dans la composition de nombreux plats et tapas *espagnols*, et même dans une ville aussi distante de la mer que Madrid, trouver poisson (pescado) et coquillages (mariscos) *frais* ne pose pas de problème. Les prix se ressentent toutefois de cet éloignement.

Saint-Jacques (*veneras*)

Araignée (*centollo*)

Les *pimientos rellenos* de Navarre sont des poivrons rouges farcis au poisson, aux fruits de mer ou à la viande (carne).

Crevettes (*gambas*)

Riz au safran (*arroz con azafrán*)

Moules (*mejillones*)

La *fabada* des Asturies, associe des fèves (habas), du porc salé (tocino), du jambon, du boudin (morcilla) et du chorizo.

Poivron (*pimientos*)

La paella
Cette célèbre spécialité valencienne cuit dans une poêle spéciale. Ses ingrédients mijotent avec un riz rond parfumé au safran et peuvent être très variés : fruits de mer, poulet, lapin (conejo), porc (cerdo), tomates, poivrons ou haricots.

Le *pisto* originaire de la Manche, version espagnole de la ratatouille, a pour ingrédients poivrons, tomates, oignons, courgettes et ail.

LE COCIDO MADRILEÑO

Le *cocido* est un pot-au-feu très répandu en Espagne, et de nombreuses régions en offrent de multiples déclinaisons. Il occupe cependant une place particulière dans le cœur, et sur les tables, des Madrilènes. Pour obtenir un bon *cocido madrileño*, les ingrédients, *garbanzos* (pois chiches), chou, pommes de terre, *nabos* (navets), *zanahorias* (carottes), saucisses diverses, bœuf, poulet, panse de porc et *jamón serrano* (jambon cru de montagne) doivent mijoter très longtemps ensemble avec des aromates tels que laurier et clous de girofle. Le bouillon sert d'entrée avant la viande et les légumes. La préparation et la cuisson de ce mets de choix sont si longues que beaucoup de restaurants ne le proposent qu'un seul jour par semaine, souvent le jeudi.

La *sopa de ajo* *est une soupe à l'ail, épaissie avec du pain. Les Espagnols la mangent souvent enrichie d'un œuf poché et de paprika.*

Poulet
(pollo)

Pois chiches
(garbanzos)

**Bœuf
(ternera)**

Chou
(col)

Panse de
porc

Saucisse

Le *rabo de toro*, *queue de bœuf braisée au vin rouge, fait partie des plats les plus réussis parmi ceux utilisant la viande de taureau.*

Poivrons rouges   *Gazpacho*

Croûtons

Concombre

Le *pollo al ajillo*, *poulet à l'ail grillé, prend toute sa saveur dans son jus de cuisson déglacé au vin blanc ou au xérès.*

Le *tocino del cielo*, *riche flanc au caramel dont le nom signifie « lard du ciel », est un des meilleurs desserts proposés dans les restaurants madrilènes.*

Le *gazpacho*, *soupe froide souvent servie garnie, est constitué de mie de pain écrasée avec de l'ail, de tomates, de poivrons et de concombre. L'huile d'olive la rend crémeuse et un peu de vinaigre encore plus rafraîchissante.*

Que boire à Madrid ?

Surtout connue pour le xérès d'Andalousie et le *cava,* un mousseux de Catalogne, l'Espagne, un des plus grands pays viticoles du monde, produit aussi d'autres très bons crus. On y fabrique de la bière et Madrid compte de nombreuses *cervecerías.* Certaines servent du cidre *(sidra),* une spécialité du nord de la péninsule. Bars et cafés proposent un large éventail de boissons non alcoolisées, dont la *horchata* typique de Valence. Les spiritueux tels que le *coñac* et l'*anís* peuvent aussi bien être bus en apéritif qu'après le café à la fin du repas.

Apéritif en terrasse avant le déjeuner

Chocolat chaud

Churros (beignets)

Café con leche

Camomille

Tilleul

BOISSONS CHAUDES

Les bars servent généralement des cafés noirs *(café solo)* à l'italienne, mais les Espagnols apprécient aussi le *café americano* plus doux et, au petit déjeuner, le *café con leche* (au lait) ou *cortado* (noir avec une pointe de lait). Des *churros* (beignets) accompagnent à merveille un chocolat chaud. Outre le thé, les infusions les plus répandues comprennent la camomille *(manzanilla)* et le tilleul *(tila).*

BOISSONS FRAÎCHES

L'eau du robinet est potable à Madrid, mais ses habitants lui préfèrent l'eau minérale *(agua mineral)* plate *(sin gas)* ou gazeuse *(con gas).* Spécialité de la province de Valence, la *horchata* est un lait d'amandes de terre *(chufas).* La *granizada de limón* est à base de citron et de glace pilée. Les Espagnols étanchent également leur soif avec des boissons comme le *zumo de naranja* (jus d'orange) et la limonade *(gaseosa).* Ils mélangent parfois celle-ci avec du vin rouge pour obtenir du *tinto de verano.*

Eaux minérales gazeuses et plates

Horchata, lait de chufas

VINS ESPAGNOLS

L'Espagne produisait déjà du vin avant l'arrivée des Romains, et certains crus, tels ceux de la Rioja, sont très renommés. Équivalent de l'appellation d'origine contrôlée française, la *Denominación de Origen (DO)* garantit qu'un vin est entièrement issu d'un même terroir. Le *Vino de la Tierra* est un vin fabriqué avec du raisin provenant au moins à 60 % d'une région spécifique. Le *Vino de Mesa* est un simple vin de table. *Brut* ou *seco,* les plus vendus des mousseux *(cavas)* sont le Freixenet et le Codorníu. Les restaurants proposent le vin au verre, en bouteille, en demi-bouteille et parfois en carafe quand il s'agit de celui de la maison.

Vin blanc de Penedès

Vin rouge (Rioja)

Mousseux (cava)

SPIRITUEUX ET LIQUEURS

L es vignes espagnoles ne servent pas uniquement à la fabrication de vin. Une grande partie de leur production part en distillerie pour fournir l'alcool qui est à la base de nombreux spiritueux tels que l'*anís* au goût tantôt sucré *(anís dulce)* et tantôt âpre (*seco* ou *orujo*). Les Espagnols le boivent aussi en digestif, à l'instar du cognac *(coñac)* de Jeréz, obtenu à partir de vin et vieilli en fût. Son prix varie selon sa qualité. Il existe également des liqueurs de fruit, dont le populaire *pacharán* navarrais à base de prunes. L'Espagne distille son propre rhum *(ron)* à partir de la canne à sucre cultivée dans le Sud. Minorque, que les Anglais occupèrent au XVIIIe siècle, possède sa variante, très parfumée, du gin. Il ne faut pas la confondre avec la *ginebra* (genièvre). Le whisky compte aussi beaucoup d'adeptes, à l'instar du *cuba libre*, mélange de cola et de rhum particulièrement apprécié par les jeunes.

Anís   **Pacharán**

BIÈRE

L es bières Mahou sont surtout blondes. Les bars servent la *cerveza del barril* (bière à la pression) dans une *caña* (petit verre) ou une *jarra* plus importante, ou encore en bouteille d'un litre *(litronas)*. La plupart proposent aussi des bouteilles de bière sans alcool *(sin alcohol)*.

Bière en bouteille

XÉRÈS

L e vin viné (additionné d'alcool) appelé xérès provient uniquement des *bodegas* de Jérez de la Frontera, Sanlúcar de Barrameda et El Puerto de Santa María en Andalousie. Montilla, près de Cordoue, produit des crus similaires mais qui n'ont pas l'appellation. Sec et léger, le *fino* fait un excellent apéritif. L'*amontillado* et l'*oroso*, vieillis plus longtemps, ont plus de corps.

Deux xérès *fino*

COCKTAILS

D ans la composition de la sangria entrent non seulement du vin, des fruits et du sucre, mais aussi de la *gaseosa* (limonade) et de la liqueur. Autre boisson typique, l'*Agua de Valencia* associe mousseux et jus d'orange. Parmi les nombreux cocktails disponibles dans les bars, deux des plus populaires restent le rouge limé *(tinto de verano)* et le rhum-cola.

Vin rouge et limonade

Sangría

Cuba-libre   **Tinto de verano**

LIRE L'ÉTIQUETTE

S 'il s'agit d'une *Denominación de Origen*, en plus du nom du cru et de son producteur l'étiquette doit préciser la région de production et le millésime, ou année de la récolte *(cosecha)*. Les termes *crianza* ou *reserva* s'appliquent à des vins ayant vieilli au minimum deux ou trois ans, dont une partie en fût de chêne. L'étiquette indique aussi la contenance, la teneur en alcool et, parfois, le cépage. Les vignes espagnoles fournissent une large gamme de rouges *(tintos)*, de rosés *(rosados)* et de blancs *(blancos)*. Selon sa douceur, un blanc sera *seco*, *semi-seco* ou *dulce*.

Marque   **Blason du producteur**

Contenance

Mise en bouteille à la propriété

Denominación de Origen

Millésime   **Symbole de la région**

Choisir un restaurant

Présentés par quartier et dans l'ordre alphabétique pour chaque catégorie de prix, les restaurants de cette sélection ont été choisis dans un large éventail de tarifs pour leur bon rapport qualité-prix, la qualité de leur cuisine et l'attrait de leur emplacement. Certains servent en plein air ou proposent des menus spéciaux.

VIEUX MADRID

	Cartes bancaires	Bar à tapas	Menu à prix fixe	Bonne carte des vins	Tables en terrasse
LA TRUCHA. Plan 7 A3. (Pts) Calle de Núñez de Arce 6. 91 532 08 90. À quelques pas de la plaza de Santa Ana, ce restaurant bon marché propose des plats espagnols simples, notamment de la truite *(trucha)*. Sa *verbena de ahumados* (assortiment de poissons fumés) est réputée. ● *dim.* ▤	AE DC MC V	●	▣		
MALACATÍN. Plan 4 E4. (Pts) Calle de la Ruda 5. 91 365 52 41. Ce vieux bar au centre du Rastro n'a qu'un plat à la carte : le *cocido madrileño*, servi en trois temps. Le prix comprend le vin et le dessert. Mieux vaut réserver au moins la veille. ● *sam. soir, dim. et août.* ▤		●	▣		
ASADOR FRONTÓN. Plan 4 F3. (Pts)(Pts) Tirso de Molina 7. 91 369 23 25. Cette vieille *asador* (rôtisserie) traditionnelle basque propose, dans un décor simple, des mets de poissons et une énorme *chuletón de buey* (côte de bœuf) que l'on peut partager. ● *dim. soir et août.* ▤	AE DC MC V				
CASA CIRIACO. Plan 3 C3. (Pts)(Pts) Calle Mayor 84. 91 548 06 20. Cette taverne traditionnelle proche du Palacio Real est réputée pour sa *gallina en pepitoria*, une fricassée de poulet au safran. ● *mer. et août.* ▤ ♿	DC MC V	●	▣	●	
CASA LABRA. Plan 4 F2. (Pts)(Pts) Calle de Tetuán 12. 91 531 00 81. Le parti socialiste fut fondé dans ce petit établissement renommé pour ses croquettes de morue. On y déguste aussi d'autres spécialités espagnoles dans une salle aux boiseries de chêne. ● *dim. et août.* ♿	AE V	●	▣		
CASA PATAS. Plan 7 A3. (Pts)(Pts) Calle de Cañizares 10. 91 369 04 96. La Casa Patas est renommée pour ses spectacles de flamenco le soir. Bon bar à *tapas* et menu à prix fixe imbattable. ● *dim. et août.* ▤ ♿	AE DC MC V	●	▣		
EL GRILL DE LA OPERA. Plan 4 D2. (Pts)(Pts) Vergara 3. 91 548 18 05. Aussi appelé Chez Margot, ce petit restaurant français, proche de la plaza Isabel II, reste encore peu connu des gastronomes locaux malgré des classiques comme le pâté de foie gras. ● *ven. et sam. midi, dim.* ▤ ♿	AE DC MC V		▣		
LA BARRACA. Plan 7 A1. (Pts)(Pts) Calle de la Reina 29. 91 532 71 54. Les clients de la Barraca ont le choix entre dix paellas et plats de riz valenciens et de bons desserts maison. ▤	AE DC MC V		▣	●	
LA BOLA. Plan 4 D1. (Pts)(Pts) Calle Guillermo Rolland 5. 91 547 69 30. Ouvert en 1870, ce véritable bastion du pot-au-feu madrilène a changé peu de choses dans la préparation du *cocino madrileño (p. 155)*, servi uniquement au déjeuner. ● *dim. soir.* ▤ ♿			▣	●	
RASPUTIN. Plan 3 C2. (Pts)(Pts) Calle de San Nicolás 8. 91 542 49 49. Avec ses rideaux en dentelle, ses tentures et ses tapis, ce restaurant russe très connu évoque une époque révolue. ● *mar. et dim.* ▤	V		▣		
CAFÉ DE ORIENTE. Plan 3 C2. (Pts)(Pts)(Pts) Plaza de Oriente 2. 91 547 15 64. Mieux vaut réserver pour venir savourer l'inventive cuisine basque française de ce restaurant, situé face au Palacio Real. Il y a aussi un vaste bar-cafétéria. ● *dim. et août.* ▤	AE DC MC V	●	▣	●	▣

	Catégorie de prix	CARTES BANCAIRES	BAR À TAPAS	MENU À PRIX FIXE	BONNE CARTE DES VINS	TABLES EN TERRASSE

Catégorie de prix par personne pour un dîner avec entrée et dessert, une demi-bouteille de vin de la maison, taxes et service compris.
₧ moins de 3 000 ptas
₧₧ de 3 000 à 4 500 ptas
₧₧₧ de 4 500 à 6 000 ptas
₧₧₧₧ plus de 6 000 ptas

CARTES BANCAIRES
Cartes acceptées : American Express (AE), Diners Club (DC), Mastercard/Access (MC) et Visa (V).
BAR À TAPAS
En plus de la salle principale, un bar sert des tapas (p. 30-31) et des *raciones* (parts plus importantes).
MENU À PRIX FIXE
Le menu est d'un bon rapport qualité-prix.
BONNE CARTE DES VINS
Large choix de crus ou intéressante sélection.
TABLES EN TERRASSE
Repas servis en terrasse ou dans une cour ou un jardin.

CASA LUCIO. Plan 4 D3. ₧₧₧
Calle de la Cava Baja 35. 91 365 32 52.
Cette taverne historique sert d'excellentes spécialités castillanes comme les œufs poêlés aux pommes de terre et le gâteau de riz. sam. midi, août.
AE DC MC V ● ●

CORNUCOPIA. Plan 4 E2. ₧₧₧
Calle de la Flora 1. 91 547 64 65.
En face du monasterio de las Descalzas Reales, ce restaurant offre une cuisine imaginative d'influence américaine. lun.
AE DC MC V ▪

EL SCHOTIS. Plan 4 D4. ₧₧₧
Calle de la Cava Baja 11. 91 365 32 30.
Ce bar doté d'un restaurant rustique a pour spécialité le steak cuit à la table des convives. Vous en arrêtez la cuisson à votre guise. dim. soir.
AE DC MC V ● ▪

EL SOBRINO DEL BOTÍN. Plan 4 E3. ₧₧₧
Calle de los Cuchilleros 17. 91 366 42 17.
Ouvert en 1725, ce restaurant, qui se prétend le plus vieux du monde, a conservé un four à bois où rôtissent agneaux et cochons de lait. Le menu reste d'un prix raisonnable.
AE DC MC V ▪ ●

GURE-ETXEA. Plan 4 D3. ₧₧₧
Plaza de la Paja 12. 91 365 61 49.
Le Gure-Etxea propose dans une salle voûtée une cuisine basque de qualité. Le *txacoli*, vin blanc au goût piquant, accompagne bien la *piperrada*, poêlée de jambon, œufs, poivrons et haricots verts. dim., lun. midi et août.
AE DC MC V ▪

JULIÁN DE TOLOSA. Plan 4 D3. ₧₧₧
Calle de la Cava Baja 18. 91 365 82 10.
Une courte carte où sont proposés des plats de poisson à côté de spécialités tels que poivrons rôtis et côte de bœuf. Brique et bois composent un décor rustique. dim.
AE DC MC V ●

LA POSADA DE LA VILLA. Plan 4 D4. ₧₧₧
Calle de la Cava Baja 9. 91 366 18 60.
Dans un bâtiment datant de 1642, ce restaurant bigarré offre un large choix. Une des salles abrite un four à bois où rôtissent agneaux et cochons de lait. dim. soir.
AE DC MC V ▪

LHARDY. Plan 4 F2. ₧₧₧₧
Carrera de San Jerónimo 8. 91 521 33 85.
Fondé en 1839, le Lhardy a conservé son cachet avec ses lustres, ses miroirs et ses boiseries sombres. Il prépare ce qui est sans doute un des plus traditionnels *cocino madrileño (p. 155)*. dim. soir et août.
AE DC MC V ● ▪

MADRID DES BOURBONS

CHAMPAGNERÍA GALA. Plan 7 B3. ₧
Calle Moratín 22. 91 429 25 62.
Appréciez le patio, les lustres et un menu généreux comprenant des spécialités catalanes à prix incroyablement raisonnables.
● ▪ ▪

MUSEO THYSSEN-BORNEMISZA. Plan 7 C2. ₧
Paseo del Prado 8. 91 429 27 32.
Le restaurant installé au sous-sol du musée Thyssen-Bornemisza propose une petite sélection de plats simples, certains avec une touche catalane, d'un surprenant bon rapport qualité-prix. lun.
AE DC MC V ● ▪

EDELWEISS. Plan 7 B2. ₧₧
Calle de Jovellanos 7. 91 532 33 83.
Il faut arriver tôt pour obtenir une table dans ce restaurant allemand fondé en 1939, repaire présumé d'espions pendant la guerre. Il sert d'énormes portions de spécialités comme le jarret de porc. dim. soir.
AE DC MC V ● ▪ ●

Catégorie de prix par personne pour un dîner avec entrée et dessert, une demi-bouteille de vin de la maison, taxes et service compris.

Ⓟ moins de 3 000 ptas
ⓅⓅ de 3 000 à 4 500 ptas
ⓅⓅⓅ de 4 500 à 6 000 ptas
ⓅⓅⓅⓅ plus de 6 000 ptas

CARTES BANCAIRES
Cartes acceptées : American Express (AE), Diners Club (DC), Mastercard/Access (MC) et Visa (V).
BAR À TAPAS
En plus de la salle principale, un bar sert des tapas (p. 30-31) et des *raciones* (parts plus importantes).
MENU À PRIX FIXE
Le menu est d'un bon rapport qualité-prix.
BONNE CARTE DES VINS
Large choix de crus ou intéressante sélection.
TABLES EN TERRASSE
Repas servis en terrasse ou dans une cour ou un jardin.

	CARTES BANCAIRES	BAR À TAPAS	MENU À PRIX FIXE	BONNE CARTE DES VINS	TABLES EN TERRASSE
NICOLAS. Plan 8 D1. ⓅⓅ Calle de Villalar 4. 🄲 *91 431 77 37.* Cet établissement moderne et intime au personnel attentif offre, à des prix raisonnables, des classiques espagnols comme le *rabo de toro (p. 155)* et les *kokotxas de bacalao* (bouchées de morue). ● *dim., lun. et août.* 📋 ♿	AE DC MC V		■	●	
PARADIS. Plan 7 B2. ⓅⓅⓅ Calle del Marqués de Cubas 14. 🄲 *91 429 73 03.* La cuisine est méditerranéenne dans cette succursale d'une chaîne catalane. Les légumes grillés sont une délicieuse entrée. ● *sam. midi et dim.* 📋 ♿	AE DC MC V	●		●	
PALACIO DE LINARES. Plan 8 D1. ⓅⓅⓅⓅ Paseo de Recoletos 2. 🄲 *91 575 40 40.* Dans un palais historique *(p. 66)*, ce restaurant élégant propose des mets catalans et méditerranéens de qualité. ● *sam. midi et dim.* 📋	AE DC MC V			●	■
VIRIDIANA. Plan 8 D2. ⓅⓅⓅⓅ Calle de Juan de Mena 14. 🄲 *91 523 44 78.* Des plats espagnols inventifs, et souvent renouvelés, ainsi qu'une riche carte des vins justifient les tarifs du Viridiana. Des clichés du film de Buñuel dont il porte le nom ornent la salle. ● *dim. et août.* 📋	AE MC V			●	

AUTOUR DE LA CASTELLANA

	CARTES BANCAIRES	BAR À TAPAS	MENU À PRIX FIXE	BONNE CARTE DES VINS	TABLES EN TERRASSE
TONY ROMA'S. Plan 5 C4. Ⓟ Calle de Génova 17. 🄲 *91 310 14 88.* Ce grill à l'américaine décontracté, prisé des jeunes Madrilènes, sera aussi apprécié par les enfants. 📋	MC V				
BOCAÍTO. Plan 7 B1. ⓅⓅ Calle de la Libertad 4-6. 🄲 *91 532 12 19.* Le bar et la cuisine dominent ce petit restaurant bruyant. Bonnes *tapas*. Les repas sont servis dans l'arrière-salle. ● *sam. midi et dim.* 📋	MC V	●	■		
CARMENCITA. Plan 7 B1. ⓅⓅ Calle de la Libertad 16. 🄲 *91 531 66 12.* Fréquentée à l'origine par des intellectuels sans le sou, cette taverne fondée en 1850 est devenue une adresse chic à la cuisine raffinée. Le menu est d'un excellent rapport qualité-prix. ● *sam. midi et dim.* 📋	AE DC MC V		■		
CENTRO RIOJANO. Plan 6 E5. ⓅⓅ Calle de Serrano 25. 🄲 *91 575 03 37.* Ce restaurant d'une association de Madrilènes originaires de la Rioja est ouvert au public. Prix intéressants, bons vins et généreuses portions de plats du terroir. Bondé à midi. ● *dim. soir.* 📋 ♿	AE DC MC V		■		
EL ESPEJO. Plan 6 D5. ⓅⓅ Paseo de Recoletos 31. 🄲 *91 308 23 47.* Avec ses miroirs, le café possède un décor d'influence Art déco. L'établissement comprend une salle où déguster une cuisine internationale et un restaurant en véranda. 📋	AE DC MC V	●	■		■
EL PUCHERO. Plan 5 A4. ⓅⓅ Calle de Larra 13. 🄲 *91 445 05 77.* Une adresse sans prétention, mais dont le jambon aux jeunes fèves, le cochon de lait rôti, les ragoûts de gibier et les serveuses grincheuses sont devenus légendaires. ● *dim. et août.* 📋	AE MC V			●	
TEATRIZ. Plan 6 E4. ⓅⓅ Calle de Hermosilla 15. 🄲 *91 577 53 79.* On déguste ici, dans la salle d'un ancien théâtre *(p. 99)*, des mets d'inspiration italienne tels que *carpaccio* de saumon ou de solé. ● *août.* 📋 ♿	AE DC MC V	●	■	●	

ALKADE. Plan 6 E5.
Calle Jorge Juan 10. ☎ 91 576 33 59.
Dans la salle comme dans le bar à *tapas*, essayez les spécialités basques comme la soupe d'araignée de mer, les *chipirones* (encornets cuits dans leur encre) ou les coquillages à l'ail et au vin blanc. ● *sam. et dim. en août.* 🍽
₧₧₧ — AE DC MC V

AL MOUNIA. Plan 6 D5.
Calle de Recoletos 5. ☎ 91 435 08 28.
Le meilleur restaurant marocain de Madrid prépare d'authentiques couscous et tajines. Gardez de la place pour le dessert de la maison au miel, aux amandes et à la fleur d'oranger. ● *dim., lun. et août.* 🍽 ♿
₧₧₧ — AE DC MC V

LA GASTROTECA DE STEPHANE Y ARTURO. Plan 5 B5.
Plaza de Chueca 8. ☎ 91 532 25 64.
Dans ce restaurant original, décoré de couleurs sombres et d'art moderne, le propriétaire aide volontiers les clients à choisir parmi les plats créatifs préparés par sa femme. ● *sam. midi.* 🍽 ♿
₧₧₧ — AE DC MC V

LA GIRALDA. Plan 6 E5.
Calle de Claudio Coello 24. ☎ 91 576 40 69.
Le style mauresque de La Giralda s'accorde à des spécialités andalouses comme le *pescado frito* (assortiment de poissons frits). 🍽 ♿
₧₧₧ — AE DC MC V

LA TRAINERA. Plan 6 F4.
Calle de Lagasca 60. ☎ 91 576 80 35.
Il règne une vive animation dans cet étroit restaurant, qui sert exclusivement des produits de la mer. ● *dim. et août.* 🍽
₧₧₧ — AE MC V

ARCE. Plan 5 A5.
Calle de Augusto Figueroa 32. ☎ 91 522 04 40.
Cette table élégante à la cuisine inventive et à la carte des vins intéressante est plus intime le soir. ● *sam. midi et dim.* 🍽
₧₧₧₧ — AE MC V

EL AMPARO. Plan 6 E5.
Callejón de Puigcerdá 8. ☎ 91 431 64 56.
Une nouvelle cuisine basque dans un cadre considéré par beaucoup comme le plus agréable de Madrid, avec la lucarne permettant de contempler les étoiles. ● *sam. midi, dim. ; août et Pâques.* 🍽
₧₧₧₧ — AE MC V

JOCKEY. Plan 6 D4.
Calle de Amador de los Ríos 6. ☎ 91 319 10 03.
La carte saisonnière du Jockey, l'un des cinq meilleurs restaurants de Madrid, comprend de délicieux plats de volaille et de gibier. La cave est d'une grande richesse. Tenue de ville de rigueur. ● *sam. midi, dim. ; août.* 🍽 ♿
₧₧₧₧ — AE DC MC V

EN DEHORS DU CENTRE

CASA MINGO. Plan 3 A1.
Paseo de la Florida 2. ☎ 91 547 79 18.
On a le seulement le choix entre poulet rôti, salades et saucisses braisées, mais les clients se serrent aux longues tables de cet établissement bruyant, où ils peuvent boire du cidre des Asturies.
₧

BADEN.
Calle General Rodrigo 17. ☎ 91 553 87 96.
Tout à la fois bar à *tapas* animé et agréable restaurant, le Baden sert les meilleures pizzas de Madrid. 🍽
₧₧ — AE DC MC V

CASA RICARDO
Calle de Fernando El Católico 31. ☎ 91 447 61 19.
Bons plats traditionnels tels que la soupe à la queue de bœuf et les encornets cuits dans leur encre. ● *dim. soir.* 🍽 ♿
₧₧ — AE DC MC V

EL BUEY
Calle del General Pardiñas 7. ☎ 91 578 11 54.
Ce petit restaurant a pour spécialité les steaks, mais propose aussi du poisson. De l'autre côté de la rue, son bar à *tapas* sert du vin de Ribera del Duero et connaît un vif succès. 🍽
₧ — MC V

MUSEO DEL JAMÓN
Calle de Alcalá 155. ☎ 91 431 72 96.
D'innombrables jambons de montagne pendent aux poutres du « musée du jambon ». Il y a un grand bar et une salle séparée pour les repas. 🍽
₧ — MC V

Légende des symboles, voir rabat de couverture

Catégorie de prix par personne pour un dîner avec entrée et dessert, une demi-bouteille de vin de la maison, taxes et service compris.
- (P) moins de 3 000 ptas
- (P)(P) de 3 000 à 4 500 ptas
- (P)(P)(P) de 4 500 à 6 000 ptas
- (P)(P)(P)(P) plus de 6 000 ptas

CARTES BANCAIRES
Cartes acceptées : American Express (AE), Diners Club (DC), Mastercard/Access (MC) et Visa (V).
BAR À TAPAS
En plus de la salle principale, un bar sert des *tapas* (p. 30-31) et des *raciones* (parts plus importantes).
MENU À PRIX FIXE
Le menu est d'un bon rapport qualité-prix.
BONNE CARTE DES VINS
Large choix de crus ou intéressante sélection.
TABLES EN TERRASSE
Repas servis en terrasse ou dans une cour ou un jardin.

	CARTES BANCAIRES	BAR À TAPAS	MENU À PRIX FIXE	BONNE CARTE DES VINS	TABLES EN TERRASSE
DON SANCHO — (P)(P) — Calle de Bretón de los Herreros 58. ☎ 91 441 37 94. Dans une atmosphère détendue, ce petit établissement du paisible quartier de Chamberí possède une carte réduite mais variée. ● dim. et lun. soir, août. 🍴	AE DC MC V		■		
LA TABERNA DE LA DANIELA — (P)(P) — Calle del General Pardiñas 21. ☎ 91 575 23 29. En dehors des *tapas* servies au bar, on ne peut manger ici à midi qu'un *cocino madrileño* (p. 155). Bons desserts maison. 🍴	V	●			
PAULINO — (P)(P) — Calle de Alonso Cano 34. ☎ 91 441 87 37. Surnommé le « Zalacaín du pauvre », le Paulino propose une cuisine créative à prix raisonnables, aux saveurs surprenantes. ● dim. 🍴 ♿	AE DC MC V		■		
ALBORÁN — (P)(P)(P) — Calle de Ponzano 39-41. ☎ 91 399 21 50. Au nord-ouest de Madrid, ce restaurant décoré avec goût apprête les produits de la mer à la mode andalouse. ● dim. soir. 🍴 ♿	AE MC V			●	
COMBARRO — (P)(P)(P) — Calle de la Reina Mercedes 12. ☎ 91 554 77 84. Détendu mais chic, et réputé pour ses plats de poisson galiciens, le Combarro affiche en devanture les spécialités du jour. ● dim. soir. 🍴	AE DC MC V	●	■		
CURRITO — (P)(P)(P) — Casa del Campo. ☎ 91 464 57 04. Le Currito occupe un pavillon de la Casa del Campo que complète une vaste terrasse. Il sert des spécialités basques traditionnelles : viandes et poissons grillés au charbon de bois. ● dim. soir. 🍴	AE DC MC V			●	■
EL BARRIL DE GOYA — (P)(P)(P) — Calle de Goya 86. ☎ 91 578 39 98. Cet établissement spécialisé dans le poisson et les fruits de mer attire une importante clientèle. Le bar et la salle à manger, dotée de fenêtres panoramiques, sont souvent bondés. ● dim. soir. 🍴 ♿	AE DC MC V	●			
SACHA — (P)(P)(P) — Calle de Juan Hurtado de Mendoza 11. ☎ 91 345 59 52. Décoré comme un bistro intime, le Sacha propose des classiques espagnols tels que la perdrix au riz et aux champignons. ● dim. et août. 🍴 ♿	AE DC MC V			●	■
CABO MAYOR — (P)(P)(P)(P) — Calle de Juan Ramón Jiménez 37. ☎ 91 350 87 76. Vins et desserts sont excellents dans ce restaurant de poisson parmi les meilleurs de Madrid. Essayez la salade de pâtes aux crevettes ou la baudroie aux champignons. ● sam. midi et dim. 🍴	AE DC MC V		■	●	■
EL OLIVO — (P)(P)(P)(P) — Calle del General Gallegos 1. ☎ 91 359 15 35. De la cuisine méditerranéenne de haut vol. Le patron vous conseillera l'huile d'olive, parmi un choix de 40 variétés, la mieux adaptée à vos plats. ● dim., lun., fin août et Pâques. 🍴	AE DC MC V		■	●	
GOIZEKO KABI — (P)(P)(P)(P) — Calle del Comandante Zorita 37. ☎ 91 533 01 85. Un décor raffiné met en valeur des spécialités basques traditionnelles. Bonne carte des vins et délicieux desserts. ● dim. 🍴 ♿	AE DC MC V			●	
PEDRO LARUMBE. Plan 6 E3. — (P)(P)(P)(P) — Calle de Serrano 61. ☎ 91 575 11 12. Ce restaurant chic et spacieux propose une cuisine inventive. Les plats de poisson sont particulièrement fins. ● sam. midi et dim. 🍴	AE MC V		■	●	

ZALACAÍN ⓅⓅⓅ — AE DC MC V
Calle de Álvarez de Baena 4. ☎ 91 561 48 40.
Le Zalacaín entretient sa réputation de meilleur restaurant de Madrid avec un cadre luxueux, un service attentif et, surtout, une succulente cuisine d'influence basque. Tenue de ville de rigueur. ● *dim. et août.* ▤ &

LES ENVIRONS DE MADRID

ARANJUEZ : *Casa Pablo*. ⓅⓅ — AE MC V
Calle Almíbar 42. ☎ 91 891 14 51.
Cette taverne du centre-ville sert une solide cuisine familiale. Asperges, faisan aux raisins et fraises feront un excellent repas. ● *août.* ▤ &

CHINCHÓN : *Mesón de la Virreina*. ⓅⓅ — AE DC MC V
Plaza Mayor 28. ☎ 91 894 00 15.
On vient savourer ici dans un édifice du XVIe siècle des recettes castillanes comme l'agneau rôti et la *sopa castellana* à l'ail et aux pois chiches. En digestif, essayez l'*anís* local. ▤ &

GUADALAJARA : *Minaya*. ⓅⓅ — AE MC
Calle Mayor 23. ☎ 949 21 22 53.
Palais du XVIe siècle et mobilier d'époque créent un cadre remarquable. La carte met l'accent sur les viandes grillées et le chevreau rôti. ● *dim.* ▤

GUADALAJARA : *Amparito Roca*. ⓅⓅⓅ — MC V
Calle Toledo 19. ☎ 949 21 46 39.
Dans une demeure décorée avec goût, le chef imaginatif décline des classiques espagnols avec, par exemple, l'aloyau de venaison aux champignons ou des œufs brouillés au saumon. ● *dim. et août.* ▤ &

LA GRANJA DE SAN ILDEFONSO : *Hilaria*. ⓅⓅ — AE MC
Carretera Valladolid-Madrid, Valsaín (Segovie). ☎ 921 47 02 92.
La famille qui tient le Hilaria possède sa propre recette de ragoût aux haricots. Délicieux agneau et cochon de lait rôtis. ● *lun.* ▤ &

PEDRAZA DE LA SIERRA : *Hostería Pintor Zuloaga*. ⓅⓅ — AE DC MC V
Calle Matadero 1 (Segovia). ☎ 921 50 98 35.
Ce restaurant occupe une maison qui a appartenu à l'Inquisition. Cuisine castillane, avec de solides ragoûts notamment. ● *mar.* ▤

SAN LORENZO DE EL ESCORIAL : *Taberna La Cueva*. ⓅⓅ — MC V
Calle San Antón 4. ☎ 91 890 15 16.
Juan de Villanueva, l'architecte du Prado, dessina cette auberge du XVIIIe siècle qui compte parmi ses spécialités les *huevos a la cueva* (œufs au plat et jambon dans un nid de pommes paille). ● *lun.*

SÉGOVIE : *Mesón de Cándido*. ⓅⓅ — AE DC
Plaza del Azoguejo 5. ☎ 921 42 81 03.
Voici l'endroit où manger à Ségovie. Le Mesón de Cándido offre une belle vue de l'aqueduc romain et propose des plats locaux comme l'agneau et le cochon de lait rôtis. ▤ &

SIGÜENZA : *El Motor*. Ⓟ — AE MC V
Avenida Juan Carlos I (Guadalajara). ☎ 949 39 08 27.
El Motor reste fidèle à de grands classiques castillans comme la soupe à l'ail *(sopa castellana)* et l'agneau et le cochon de lait rôtis. ▤ &

TOLÈDE : *Hostal del Cardenal*. ⓅⓅ — AE DC MC V
Paseo de Recaredo 24. ☎ 925 22 08 62.
L'ancienne résidence d'été du cardinal Lorenzana (XVIIIe siècle) a conservé son jardin enclos dans les remparts. La carte propose des plats traditionnels et la célèbre *mazapán* (pâte d'amande) de Tolède. ▤

TOLÈDE : *La Lumbre*. ⓅⓅ — AE MC V
Calle Real de Arrabal 3. ☎ 925 22 03 73.
Dans une charmante vieille maison aux poutres apparentes près de la Puerta de Bisagra, les plats de viande et le gâteau au fromage blanc *manchego* sont particulièrement réussis. ● *dim. et juil.* ▤

TOLÈDE : *Adolfo*. ⓅⓅⓅ — AE DC MC V
Calle de Granada 6. ☎ 925 22 73 21.
Au cœur du quartier juif, des antiquités meublent une salle au splendide plafond à caissons mudéjar du XVe siècle. Le chef apprête des truites sortant tout juste du Tage et, en hiver, du gibier. ● *dim. soir et fin juil.* ▤ &

Légende des symboles, voir rabat de couverture

FAIRE DES ACHATS À MADRID

D u xérès aux sucreries appelées *turróns,* les spécialités culinaires vendues dans les magasins d'alimentation et sur les nombreux marchés de la ville seront de bons souvenirs de votre séjour. Vous trouverez les meilleures caves et épiceries fines dans le vieux Madrid. Éventails et châles traditionnels restent appréciés de beaucoup de visiteurs, mais la capitale espagnole renferme aussi de superbes

Sigle du grand magasin le plus connu

boutiques de mode. L'élégant quartier de Salamanca *(p. 99)* regroupe la plupart des magasins de luxe. Celui de Chueca *(p. 94)* offre le dernier cri en matière de prêt-à-porter espagnol pour les jeunes. Les boutiques du centre proposent des vêtements plus classiques. En matière d'artisanat, ce sont la maroquinerie et la céramique qui présentent le plus d'intérêt. Enfin, ne manquez pas de chiner au célèbre marché aux puces d'El Rastro *(p. 61).*

HEURES D'OUVERTURE

L 'Espagne a des heures d'ouverture sans équivalent ailleurs en Europe et la plupart des boutiques ouvrent de 10 h à 14 h et de 17 h à 20 h, les grands magasins étant les seuls à ne pas fermer à l'heure du déjeuner. Les petits commerces ferment souvent le samedi après-midi. En dehors de la période commençant avant Noël et se terminant le 5 janvier pour l'Épiphanie, il n'y a guère que les boutiques touristiques et les traiteurs qui ouvrent le dimanche.

MODES DE PAIEMENT

C ontrairement aux chèques, rarement acceptés, les principales cartes bancaires permettent de régler ses achats dans la plupart des commerces. Il faut parfois présenter une pièce d'identité.

Entrée du Museo del Jamón *(p. 170)*

Quelques magasins continuent cependant de les refuser et ne prennent que le liquide. Certaines boutiques touristiques acceptent les devises étrangères telles que le dollar américain.

TVA

L e taux le plus répandu de taxe à la valeur ajoutée (IVA) est de 16 %, et est appliqué entre autres sur des biens comme les vêtements. Les produits alimentaires sont taxés à 7 %, sauf les aliments de base, comme le fromage et les fruits, qui bénéficient d'un taux réduit de 4 %, à l'instar des livres, des journaux et des équipements pour handicapés. Certains magasins permettent aux visiteurs résidant hors de l'Union européenne de récupérer l'IVA sur les achats importants *(p. 184).*

SOLDES

I l y a deux périodes de soldes en Espagne. La première commence le 6 janvier pour l'Épiphanie et dure jusqu'en février. Les soldes d'été débutent en juillet, et on peut y acheter des vêtements à bon prix, d'autant plus qu'il fait chaud jusqu'en septembre. Surveillez aussi sur les vitrines les panneaux annonçant *Liquidación de Existencias* ou *Traspaso* (changement de propriétaire).

Shopping sur la calle de Serrano, la rue des boutiques de luxe

CENTRES COMMERCIAUX

L es *centros comerciales* se sont rapidement développés ces dernières années à Madrid. Tous deux situés à Salamanca, le **Jardín de Serrano** et **ABC Serrano** font partie des plus réputés pour le prêt-à-porter de luxe. Très appréciée également, la **Galería del Prado,** installée sous l'Hotel Palace, devrait bientôt réouvrir après un changement de direction. Immense, **La Vaguada,** dans les quartiers nord, réunit toutes sortes de commerces.

Institution nationale, la chaîne de grands magasins **El Corte Inglés** possède des succursales dans toute la ville où on trouve à peu près tout. On peut même y faire développer des photos et réparer des chaussures.

Madrid renferme également quelques hypermarchés, pour la plupart en bordure du boulevard périphérique M30.

Éventaire de céramique artisanale à Tolède

MARCHÉS

L e célèbre marché aux puces **El Rastro** se tient le dimanche et les jours fériés. Il s'étend entre la plaza de Cascorro et les rues partant de la calle de la Ribera de Curtidores. N'espérez pas tomber sur un tableau de Velázquez, mais vous y jouirez d'un immense choix, depuis des antiquités de valeur jusqu'à de la fripe, des bijoux, des disques, des objets de collection, du matériel d'escalade et des nains de jardin. C'est le seul marché de Madrid où il est possible de faire baisser de deux tiers le premier prix annoncé. Beaucoup de boutiques et d'étals ouvrent également en semaine.

Organisé lui aussi le dimanche, le **Mercadillo de Sellos y Monedas,** un petit marché aux monnaies, aux timbres et aux cartes postales, s'installe sous les arcades de la Plaza Mayor. Les amateurs de vieux livres apprécieront le **Mercado del Libro** dans la partie sud du Real Jardín Botánico *(p. 84)*. La plupart des éventaires ouvrent en semaine en plus du dimanche et vendent également des ouvrages neufs.

FOIRES ANNUELLES

P lusieurs grandes foires commerciales, souvent en plein air, rythment le calendrier madrilène.

Grand marché de l'art contemporain, l'**ARCO** se déroule en février. Même sans intention d'acheter, cette manifestation permet de rester informé des dernières tendances. Pendant la semaine précédant le 15 mai et le début des Fiestas de San Isidro *(p. 34)*, le quartier animé de Malasaña *(p. 103)* accueille la **Feria de la Ceramica,**

l'occasion d'acheter ustensiles de cuisine et carafes en poterie. Peu après, à la fin du mois, la *Feria del Libro* annonce l'arrivée de l'été : éditeurs et libraires dressent pour plusieurs semaines des centaines d'étals le long des allées ombragées du Parque del Retiro *(p. 77)*.

La **Feria de Artesanos** du paseo de Recoletos se tient en décembre. On y trouve des objets artisanaux, des bijoux aux soieries en passant par la verrerie, la céramique et les articles de cuir, qui font d'excellents cadeaux de Noël. Pendant tout le mois, la Plaza Mayor accueille le **Mercado de Artículos Navideños.** Outre des sapins, on peut y acquérir tout le nécessaire à la confection d'une crèche, y compris le *caganer* catalan, santon représentant un berger pantalon baissé. Il se place derrière la mangeoire.

Un dimanche matin au marché aux puces d'El Rastro

CARNET D'ADRESSES	Plan 7 B2. 91 360 80 80.	Mercadillo de Sellos y Monedas Plaza Mayor (dim. seul.) Plan 4 E3.	Feria de Artesanos Paseo de Recoletos. Plan 6 D5.
CENTRES COMMERCIAUX	**Jardín de Serrano** Calle de Goya 6-8. Plan 6 E4. 91 577 00 12.	**Mercado del Libro** Calle de Claudio Moyano. Plan 8 D4.	**Feria de la Cerámica** Plaza de las Comendadoras. Plan 2 D4.
ABC Serrano Calle de Serrano 61. Plan 6 E3. 91 577 50 31.	**La Vaguada** Avenida Monforte de Lemos 36. 91 730 10 00.	**FOIRES ANNUELLES** Informations municipales (pour les foires en plein air) : 010.	**Feria del Libro** Paseo de Coches del Retiro, Parque del Retiro.
El Corte Inglés Calle de Preciados 1-3. Plan 4 F2. 91 379 80 00. Nombreuses succursales.	**MARCHÉS**	**ARCO** Parque Ferial Juan Carlos I. 91 722 51 80.	**Mercado de Artículos Navideños** Plaza Mayor. Plan 4 E3.
Galería del Prado Plaza de las Cortes 7.	**El Rastro** Calle de la Ribera de Curtidores. Plan 4 E4.		

Qu'acheter à Madrid ?

Éventail traditionnel

Si vous n'appréciez pas les fanfreluches pseudo-andalouses ou les taureaux miniatures, vous trouverez, notamment parmi les spécialités alimentaires, safran, huile d'olive ou bons crus, qui feront des cadeaux appréciés. Les articles en cuir sont d'un excellent rapport qualité-prix, notamment les chaussures. Les sacs Loewe sont réputés dans le monde entier. S'il devient difficile de dénicher certains articles d'artisanat traditionnels comme la vannerie, on peut trouver partout d'intéressantes céramiques à des prix raisonnables. La mode espagnole ne manque pas non plus d'intérêt.

Poupées Chulapo
Ces poupées à la moue caractéristique portent la tenue traditionnelle des castizos *madrilènes* (p. 105).

Sweat-shirt Phineas
Ses motifs originaux ont assuré la popularité de la marque de prêt-à-porter Phineas (p. 169).

Maroquinerie
Les sacs à main de qualité, comme ceux que propose Piamonte (p. 168), *proviennent de Majorque dans les Baléares.*

Mantón de Manila
Très répandus, ces châles brodés existent dans un vaste choix de couleurs.

Turrón
Casa Mira (p. 170) *propose ces sucreries qui ressemblent au nougat dans d'élégantes boîtes en bois.*

Safran (azafrán)
Introduite par les Maures, l'épice la plus chère du monde, issue du crocus, exige un délicat ramassage à la main.

Queso Manchego
Le manchego, *fabriqué avec du lait de brebis, est considéré comme le meilleur fromage d'Espagne. En fin de repas, il est servi avec de la gelée de coing* (membrillo).

Barquillera
Vendues entre autres par El Corte Inglés et Mallorca (p. 170), ces boîtes de biscuits sont souvent très gaies, telle cette barquillera *portant sur son couvercle une roulette d'enfant.*

Éventail moderne

Éventail
Les boutiques de Madrid offrent un large choix d'éventails, depuis les plus classiques, délicatement brodés, jusqu'à des modèles modernes. Celui-ci provient de Tucán.

Céramique traditionnelle
Les artisans espagnols continuent de produire aussi bien des carreaux émaillés à la main que de la vaisselle reprenant des motifs anciens.

Panneau de céramique

Vaisselle décorative

Bougeoirs modernes peints

Céramique moderne
À côté des formes traditionnelles, les boutiques de céramique madrilènes proposent aussi une vaste gamme de souvenirs d'une facture plus actuelle.

SAUCISSES ET JAMBONS

La charcuterie tient un rôle de premier plan dans l'alimentation espagnole et la *matanza,* la mise à mort du cochon, restait encore il y a peu une date importante du calendrier et l'occasion de se réunir en famille. La production est néanmoins devenue principalement industrielle. Le *jamón serrano,* le jambon cru de montagne, coupé en dés, entre dans de nombreuses recettes et constitue, servi en tranches fines, une *tapa* très répandue. Les porcs ibériques à sabots noirs, élevés en plein air, donnent le meilleur et le plus cher, appelé *ibérico.* Il existe de nombreuses sortes de saucisses sèches comme le *salchichón,* le *chorizo* parfumé au paprika, la *longaniza* longue et fine et les petites *chistorras* basques souvent flambées. Le boudin, ou *morcilla,* incorpore du riz, des oignons ou des pommes de terre. La longe de porc s'appelle *caña de lomo*.

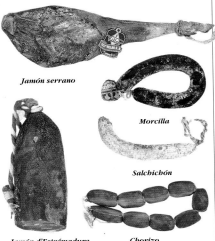

Jamón serrano

Morcilla

Salchichón

Jamón d'Estrémadure

Chorizo

Vêtements et accessoires

Les Espagnols accordent une grande importance à l'élégance, et jamais une Madrilène ne sortira en tenue négligée même pour aller simplement au marché. L'exubérance de la *Movida* a peu touché la mode, en dehors de quelques créateurs excentriques, et les coupes les plus appréciées restent fondamentalement classiques, des accessoires raffinés rehaussant les tenues, discrètes, qui respectent la silhouette. Les boutiques de prêt-à-porter proposent aussi, bien entendu, toutes les grandes marques internationales.

CHAUSSURES

Les meilleures chaussures espagnoles sont fabriquées à Majorque, et une marque comme Yanko allie qualité et classicisme tout en offrant un tel confort que l'on croit porter des pantoufles. Elle est notamment distribuée dans les boutiques **Bravo** avec, entre autres, Lotusse et Barratts.

Autre fabricant de Majorque, **Camper**, qui fabrique des chaussures également très confortables, s'adresse à une clientèle plus jeune et possède des points de vente partout dans la capitale. En plus de sa propre gamme, la chaîne **Geltra** commercialise également cette marque.

Farrutx propose des modèles sophistiqués à des prix élevés. Pour des créations plus audacieuses, essayez **Excrupulus Net,** une enseigne catalane.

Si vous avez oublié vos tennis, ou cherchez simplement à vous chausser bon marché, vous trouverez sans doute votre bonheur dans la calle de Fuencarral ou à **Los Guerrilleros** au cœur du « kilomètre 0 », le quartier autour de la Puerta del Sol. On trouve partout des espadrilles, mais **Casa Hernanz,** près de la Plaza Mayor, a gardé une atmosphère d'une autre époque.

MAROQUINERIE

Fondée il y a plus d'un siècle par un tanneur d'origine allemande, la plus prestigieuse des marques espagnoles d'articles de cuir, **Loewe,** diffuse aujourd'hui ses sacs à main dans le monde entier. Sa boutique de la calle de Serrano permet de les admirer à défaut de pouvoir s'en offrir un. À l'angle de la rue, **Lotusse** vend aussi bien portefeuilles et vestes que chaussures. À quelques pas, une autre enseigne de Majorque, **Boxcalf,** propose également un séduisant assortiment de vêtements et d'accessoires de qualité.

Réputé pour ses sacs à prix abordables, **Piamonte,** dans le quartier de Chueca, propose aussi des ceintures et des bijoux. Pour une pointe d'élégance andalouse, passez à **El Caballo.**

Manuel Herrero ressemble à un bazar bondé de clients et de vendeurs persuasifs mais offre un bon rapport qualité-prix. Comme son nom l'indique, **Guante Varade** a pour spécialité les gants et stocke un large choix malgré sa petite taille.

BIJOUX

Pour beaucoup d'Espagnols, un bijou doit être en or et le plus lourd possible, et la Gran Vía abonde en petites boutiques dont les vitrines étincellent de boucles d'oreilles, de bracelets et de chaînes. Les grands joailliers préfèrent quant à eux le quartier de la calle de Serrano. Les perles sont aussi très prisées, naturelles, cultivées, ou fabriquées (appelées alors *majorica*). **Las Perlas,** sur la Gran Vía, en propose de toutes sortes, à tous les prix.

Visiter **Del Pino,** dans la calle de Serrano, se révèle amusant pour sa large gamme de bijoux fantaisie. Ne manquez pas non plus le catalan **Tous.**

Les créations de **Joaquín Berao** lui ont valu une reconnaissance internationale, et son magasin ressemble à une galerie d'art miniature dédiée au goût et à la discrétion. À **La Oreja de Plata,** Chus Burés expose ses propres œuvres et celles d'autres joailliers qu'il a découvertes. **Helena Rohner** commence aussi à être connue. **Piamonte** *(voir Maroquinerie)* diffuse ses bijoux en bronze, en argent et en émail. On peut visiter son atelier, mais mieux vaut téléphoner avant.

MODE FÉMININE

Les boutiques de mode les plus chic de Madrid se trouvent dans le quartier de la calle Jose Ortega y Gasset et de la calle de Serrano où **Roberto Verino** et **Adolfo Domínguez,** le doyen de la ligne minimaliste madrilène, offrent un bon rapport qualité-prix. C'est à Chueca, dans la calle del Almirante et aux alentours, que vous avez le plus de chance de découvrir les créations de jeunes stylistes dans des magasins comme **Ararat.** Pour les dernières tendances de la rue, essayez **Glam,** sur la calle de Fuencarral que bordent de nombreuses enseignes visant une clientèle jeune.

Les amateurs de tenues excentriques ne manqueront pas, dans le paseo de la Castellana, la boutique d'**Agatha Ruiz de la Prada.** Elle travaille aussi pour les enfants. La fantaisie règne également à **Vacas Flacas,** où on peut aussi bien trouver une robe entièrement composée de cravates qu'un sac à main ne comportant que des fermetures éclair.

La cape **Seseña,** création exclusive de l'enseigne madrilène du même nom, est devenue un classique, mais la marque en décline des versions plus modernes. Le succès de la chaîne **Zara,** qui propose à bon prix des vêtements faciles à porter pour les hommes, les femmes et les enfants, tient du phénomène national.

Une *corsetería* (lingerie fine) madrilène comme **¡Oh que luna!** mérite une visite pour ses pyjamas et ses chemises de nuit.

MODE MASCULINE

Les hommes s'habillent à Madrid dans les mêmes quartiers que les femmes et souvent dans les mêmes magasins. Pour les allécher, beaucoup d'enseignes portent des noms à consonance anglaise ou italienne, alors qu'elles ne vendent en fait que des vêtements fabriqués dans le pays.

Très haut de gamme, **Loewe** décline sa propre vision des grandes tendances du moment. **Roberto Verino, Adolfo Domínguez** et **Zara** *(voir Mode féminine)* restent très chic, mais à des tarifs plus accessibles.

Dans la calle del Almirante, **Pedro Morago** propose une ligne à la fois élégante et confortable, et a su conserver des tarifs abordables malgré son succès auprès des jeunes stars du cinéma et du sport espagnols. Antonio Miró a fondé sa réputation sur ses chemises. Elles sont en vente à **Gallery,** à côté de vêtements de grandes marques internationales.

Plus décontracté, **Phineas,** qui commercialise aussi du prêt-à-porter féminin, a acquis une grande popularité par les motifs originaux et la riche palette de coloris de ses cotonnades. Il possède des points de vente dans toute la ville. Un autre spécialiste du coton, portugais malgré le nom de **Throttleman,** a ouvert une succursale à Madrid. Il y vend notamment des caleçons fantaisie.

Pour le grand air, de la simple promenade dans un jardin public au safari, **Coronel Tapioca** offre à la fois le choix, le confort et des prix raisonnables.

CARNET D'ADRESSES

CHAUSSURES

Bravo
Calle de Serrano 42.
Plan 6 E4.
91 435 27 29.

Camper
Gran Vía 54.
Plan 4 E1.
91 547 52 23.

Casa Hernanz
Calle de Toledo 18.
Plan 4 E3.
91 366 54 50.

Excrupulus Net
Calle del Almirante 7.
Plan 5 C5.
91 521 72 44.

Farrutx
Calle de Serrano 7.
Plan 8 D1.
91 576 94 93.

Geltra
Gran Vía 33.
Plan 4 F1.
91 531 13 53.

Los Guerrilleros
Puerta del Sol 5.
Plan 4 F2.
91 521 27 08.

MAROQUINERIE

Boxcalf
Calle de Jorge Juan 14.
Plan 6 E5.
91 435 34 29.

El Caballo
Calle de Lagasca 55.
Plan 6 E5.
91 576 40 37.

Guante Varade
Calle de Serrano 54.
Plan 6 E3.
91 575 67 41.

Loewe
Calle de Serrano 26.
Plan 6 E4.
91 577 60 56.

Lotusse
El Jardin de Serrano,
Calle de Goya 6 -8.
Plan 6 E4.
91 577 20 14.

Manuel Herrero
Calle de Preciados 7 et 16.
Plan 4 F2.
91 521 29 90.

Piamonte
Calle del Marqués de
Monasterio 5.
Plan 5 C5.
91 308 48 62.

BIJOUX

Del Pino
Calle de Serrano 48.
Plan 6 E3.
91 435 26 70.

Helena Rohner
Calle del Almendro 4.
Plan 4 D3.
91 365 79 06.

Joaquín Berao
Calle del Conde de
Xiquena 13.
Plan 5 C5.
91 310 16 20.

La Oreja de Plata
Calle de Jorge Juan 39.
Plan 6 F5.
91 576 39 01.

Las Perlas
Gran Vía 33.
Plan 4 E1.
91 521 18 44.

Tous
Calle de Ayala 26.
Plan 6 E4.
91 575 53 86.

MODE FÉMININE

Adolfo Domínguez
Calle de Serrano 18.
Plan 6 E5.
91 577 82 80.

**Agatha Ruiz de
la Prada**
Calle del Marqués de
Riscal 8.
Plan 6 D3.
91 310 44 83.

Ararat
Calle del Almirante 10.
Plan 5 C5.
91 531 81 56.

Glam
Calle de Fuencarral 35.
Plan 7 A1.
91 522 80 54.

¡Oh que luna!
Calle de Ayala 32.
Plan 6 F4.
91 431 37 25.

Prenatal
Calle de Fuencarral 17.
Plan 7 A1.
91 521 64 24.

Roberto Verino
Calle de Serrano 33.
Plan 6 E4.
91 426 04 75.

Seseña
Calle de la Cruz 23.
Plan 7 A2.
91 531 68 40.

Vacas Flacas
Calle de Claudio Coello 24.
Plan 6 E5.
91 575 64 83.

Zara
ABC Serrano, Calle de
Serrano 61. **Plan** 6 E3.
91 575 63 34.

MODE MASCULINE

Coronel Tapioca
Calle del Carmen 12.
Plan 4 F2.
91 531 59 29.

Gallery
Calle de Jorge Juan 17.
Plan 6 E5.
91 576 79 31.

Loewe
Calle de Serrano 34.
Plan 6 E4.
91 435 30 56.

Pedro Morago
Calle del Almirante 20.
Plan 5 C5.
91 521 66 28.

Phineas
Calle Mayor 10. **Plan** 4 E2.
91 366 52 28.

Throttleman
Calle de Ayala 28.
Plan 6 E4.
91 577 87 92.

Antiquités, artisanat et souvenirs

Les boutiques d'antiquités de Madrid et le célèbre marché aux puces d'El Rastro *(p. 61)* offrent un large choix d'objets authentiques, intéressants à rapporter chez soi. Si l'artisanat reste abordable, notamment la céramique, beaucoup de styles traditionnels ruraux sont en voie de disparition. L'âme des terroirs espagnols demeure toutefois vivace dans des spécialités culinaires comme la charcuterie et le vin. D'excellents musiciens réussissent aussi à conserver leurs racines sans renier leur époque, en mariant par exemple jazz et flamenco.

ANTIQUITÉS

La calle Claudio Coello regroupe dans l'élégant quartier de Salamanca les antiquaires les plus chic, tandis que les rues avoisinantes abondent en boutiques spécialisées dans des domaines tels que le mobilier laqué du XVIIIe siècle, chez **María Gracia Cavestany,** la peinture flamande du XVe siècle chez **Theotokopoulos,** ou les outils rustiques chez **Collector.** Le **Centro de Anticuarios** réunit sous un même toit certains des plus prestigieux antiquaires de la ville, tels Pedro Alarcón et Luis Carabe.

Des vitrines regorgeant de vieux livres, de carreaux peints, d'objets liturgiques et de bijoux bordent aussi la calle del Prado, tandis que les amateurs de gravures fréquentent la calle de las Huertas voisine.

Hidalgo, à El Rastro, vend des objets de collection tels que clés et tire-bouchons. Au nord-est du Parque del Retiro *(p. 77),* **La Trastienda de Alcalá** propose de la brocante à prix raisonnable.

La **Casa Postal** propose cartes postales et affiches près de la plaza de Cibeles.

GALERIE D'ART

Les galeries des alentours de la calle Claudio Coello, comme celle de **Juana Mordó** fondée dans les années 60, offrent un bon aperçu de l'évolution des nouvelles tendances. Malgré une arrivée plus récente, **Juana de Aizpuru** a rapidement acquis beaucoup d'influence à Madrid. **Fúcares** et **Soledad Lorenzo** sont également connus pour le

soutien qu'ils apportent à de jeunes artistes. **Estiarte** vend des esquisses de maîtres tels que Picasso, Chillida, Tàpies et Miró. La plupart des galeries ferment le lundi.

ARTISANAT

Près de la plaza de España *(p. 53),* **Cántaro** abrite un large choix de céramiques. Parmi les nombreuses poteries traditionnelles régionales, certaines appartiennent à des styles dits « éteints » car elles ne sont plus fabriquées. **El Caballo Cojo** en propose aussi dans le vieux Madrid, à côté d'un étonnant assortiment de pièces des années 60 et 70.

Quels que soient leurs motifs, les nappes ou les châles brodés à la main, mais vendus à des prix ridiculement bas, proviennent en général de Chine. En revanche, la **Casa Bonet** en vend d'authentiques. **Borca,** une des meilleures boutiques pour les *mantones* (châles en soie) et le linge de maison, se trouve près de la Puerta del Sol *(p. 44).*

Les marchands de vannerie s'approvisionnent le plus souvent en Asie, mais **Joaquín Fernández** entretient la tradition. Les guitares de la **Guitarrería F. Manzanero** sont toujours fabriquées à la main.

LIVRES ET DISQUES

La **Casa del Libro,** sur la Gran Vía, garde en stock de nombreux titres étrangers. Vous jouirez aussi d'un choix important à la **FNAC** qui s'est ouverte à proximité. Un peu plus loin du centre,

Booksellers met l'accent sur les classiques et reste limité en ce qui concerne les parutions récentes. Les bouquinistes du **Mercado del Libro,** derrière le Ministerio de Agricultura *(p. 84),* présentent surtout de l'intérêt pour les livres de poche bon marché, et détiennent parfois des éditions rares.

Gaudí, près de Chueca, est un des meilleurs spécialistes en livres d'art, mais vous en trouverez aussi dans les succursales de **Crisol.**

La FNAC et les grands magasins **El Corte Inglés** de la calle de Preciados et du paseo de la Castellana proposent une large sélection de disques de tous genres. Les amateurs de flamenco ne rateront pas **El Flamenco Vive.**

CADEAUX

Un spécialiste comme **Patrimonio Comunal Olivarero,** près de Chueca, vous aidera à faire un choix parmi les huiles d'olive provenant aussi bien de Catalogne que d'Andalousie. Le Club du Gourmet, au quatrième étage de la succursale d'**El Corte Inglés** de la calle de Serrano, propose également une large gamme d'huiles d'olive et de produits espagnols typiques comme le vinaigre de xérès.

La **Casa Mira** vend toute l'année du *turrón,* le nougat de Noël. Il existe aussi en bouchées en forme d'amandes, les *almendras imperiales.*

Horno de San Onofre propose dans le centre un beau choix de gâteaux, **Mariano Madrueño** compte parmi les meilleures caves de la capitale et les succursales du **Museo del Jamón** regorgent de charcuteries en tous genres. Une excellente fromagerie, **La Boulette,** se trouve à l'intérieur du Mercado de la Paz, juste à côté de la calle de Serrano. Le traiteur **Mallorca** permet aussi de manger ses spécialités sur place.

Bijoux, articles de cuir et céramiques voisinent à **El Arco de los Cuchilleros,** l'une des boutiques de souvenirs du meilleur goût. Les boîtes à couture et les éventails peints à la main de **Tucán** entretiennent une image du passé.

SOUVENIRS

Attachée au Museo Municipal *(p. 103)*, **La Tienda de Madrid** renferme des souvenirs tels que les *barquilleras,* boîtes à biscuits traditionnelles vendues aussi dans les pâtisseries d'**El Corte Inglés** et à **Mallorca** *(voir Cadeaux).* Le **Sanatorio de Muñecos** vend des poupées en costumes typiques.

Les rues entre la Puerta del Sol et la Plaza Mayor, en particulier la calle Postas, abondent en marchands d'objets religieux, dont **Palomeque** spécialisé dans les reproductions d'œuvres d'art, y compris en cartes postales.

Almoraima, sur la Plaza Mayor, propose une large sélection d'éventails. Les tee-shirts d'**El Tintero,** avec leurs inscriptions en espagnol, sont originaux.

SE DISTRAIRE À MADRID

La vie nocturne madrilène ne s'adresse pas aux couche-tôt. En effet, la sieste ne permet pas uniquement aux Espagnols d'échapper aux heures les plus chaudes de l'après-midi, pour beaucoup d'entre-eux elle sert aussi à se préparer à la longue nuit qui les attend. À Madrid, on sort pratiquement tous les soirs, mais les nuits sont les plus animées du jeudi au dimanche. Une soirée typique commence alors à l'heure de l'apéritif dans les cafés, puis se poursuit dans les bars à *tapas* ou au restaurant, en attendant l'ouverture, tardive, des boîtes

Artiste de rue au
Parque del Retiro

de nuit. Les réjouissances durent jusqu'au matin, surtout le samedi.

Mais pour ceux qui aspirent à des soirées moins intenses, on peut assister à d'excellents spectacles de flamenco et de *zarzuela,* cette forme d'opérette typiquement madrilène. Plusieurs grandes salles proposent aussi tout au long de l'année de l'opéra, des ballets et des concerts classiques, tandis que de nombreux clubs accueillent des groupes de jazz, de rock ou de world-music. Les amateurs de théâtre auront le choix entre des pièces du Siècle d'or et des créations modernes parfois expérimentales.

Statue de Philippe IV devant
la façade du Teatro Real *(p. 58)*

RENSEIGNEMENTS PRATIQUES

Il existe à Madrid plusieurs bureaux d'information touristique, dont le personnel parle souvent plusieurs langues et pourra vous renseigner sur les principales manifestations culturelles et fêtes organisées pendant votre séjour. Les visiteurs qui veulent découvrir la ville avec un guide professionnel peuvent s'adresser aux agences spécialisées **A.P.I.T.** et **COSITUR.**

Ceux qui lisent plus facilement l'anglais que l'espagnol s'aideront des programmes de *Lookout,* un magazine destiné à la communauté anglophone de la capitale, et de *In Madrid,* un mensuel gratuit disponible dans de nombreux bars irlandais, des librairies et des magasins de disques, ainsi que dans la plupart des

ambassades et au bureau d'information touristique de l'**aéroport Barajas** *(p. 192).*

Disponible en kiosque, l'hebdomadaire *Guía de Ocio* qui paraît le vendredi est le guide de programme le plus complet. Attention, il arrive qu'il soit épuisé dès le dimanche.

Les trois principaux quotidiens de Madrid, *El Mundo, El País* et *ABC,* proposent chacun un supplément hebdomadaire consacré aux loisirs. Ces suppléments sont plutôt axés sur les divertissements, mais couvrent une large palette d'activités de toute sorte et annoncent parfois des manifestations ignorées de *Guía de Ocio.* Le supplément d'*El Mundo* paraît le jeudi, celui d'*El País* le vendredi à l'instar de celui d'*ABC.*

RÉSERVER SA PLACE

Le plus simple est de téléphoner directement aux salles pour les spectacles les plus importants comme pièces de théâtre, opéras et concerts. Les plus grandes agences, **TeleTicket** et **Tel-Entradas,** acceptent toutes deux les cartes Visa et Mastercard et ne prélèvent pas de commission.

SAISONS ET BILLETS

La principale saison de concerts et de théâtre dure de septembre à juin. Pendant les Fiestas de San Isidro en mai *(p. 34)* et le festival d'Automne *(p. 36),* les autorités municipales invitent de grands noms espagnols et internationaux de la musique, du théâtre et de la danse.

Quand la nuit bat son plein au night-club Joy Eslava *(p. 176)*

Sur le terrain de jeux de la plaza de Oriente

Vous trouverez les programmes dans les bureaux d'information touristique et la plupart des succursales de la banque Caja Madrid.

Les billets pour les grands concerts peuvent être achetés à la **FNAC** et chez **Madrid Rock,** l'agence **TEYCI** propose ceux pour des manifestations comme les corridas ou les matchs de football.

Caixa Catalunya vend chaque jour, sauf le lundi, des places de théâtre à demi-tarif. Elles sont disponibles de 16 h jusqu'à trois heures avant la représentation.

SPECTATEURS HANDICAPÉS

Dans son programme quotidien, *El País* classe de 1 à 4 certaines salles de spectacle, des plus accessibles en fauteuil roulant aux moins adaptées.

Pour se déplacer, chaque ligne de bus possède plusieurs véhicules à plancher surbaissés, repérés par un symbole en forme de fauteuil roulant. **Radioteléfono Taxi** (91 547 82 00) fournit des voitures spéciales : demandez les Eurotaxis. En revanche, le métro n'est pas adapté pour les personnes handicapées.

ATTRACTIONS POUR ENFANTS

Il existe plusieurs aires de jeu dans le centre de Madrid. Si vous voulez que vos enfants jouissent vraiment d'espace, emmenez-les à la Casa de Campo *(p. 114)*.

Effectuer le trajet avec le **Teleférico** les amusera. Ce parc renferme le **Zoo-Aquarium,** le **Parque de Atracciones,** un lac où canoter et plusieurs piscines. Dans le Madrid des Bourbons, des magiciens, des jongleurs et des clowns distraient les promeneurs au Parque del Retiro *(p. 77)*.

De nombreux théâtres, en particulier la **Sala San Pol,** proposent des spectacles pour jeune public.

Joueur de flamenco au Parque del Retiro

Terrasse de café sur la plaza del Dos de Mayo *(p. 103)*

CARNET D'ADRESSES

BILLETS

Caixa Catalunya
Plaza de Santa Ana 4. **Plan** 7 A3.

FNAC
Calle de Preciados 28. **Plan** 4 E1.
📞 91 595 61 43.

Madrid Rock
Gran Via 25. **Plan** 4 F1.
📞 91 521 02 39.

Tel-Entradas
📞 902 38 33 33.

TeleTicket
📞 902 48 84 88.

TEYCI
Calle de Goya 7. **Plan** 6 E4.
📞 91 576 45 32.

OFFICES DE TOURISME

Aéroport Barajas
📞 91 305 86 56.

Calle del Duque de Medinaceli 2.
Plan 7 B3.
📞 91 429 49 51.

Plaza Mayor. **Plan** 4 E3.
📞 91 588 16 36.

INFORMATION TOURISTIQUE

📞 901 300 600.
📞 010 (appels depuis Madrid).

GUIDES OFFICIELS

A.P.I.T.
Calle de Ferraz 82. **Plan** 1 B4.

COSITUR
Calle del Marqués de Cubas 12.
Plan 7 B2.
📞 91 429 89 65.

AVEC DES ENFANTS

Parque de Atracciones
Casa de Campo.
📞 91 463 29 00.

Teleférico
Paseo del Pintor Rosales à la hauteur de la calle del Marqués de Urquijo.
📞 91 541 74 50.

Sala San Pol
Calle de San Pol de Mar 1.
📞 91 541 90 89.

Zoo-Aquarium
Casa de Campo.
📞 91 512 37 70.

Spectacles traditionnels

Les Madrilènes jouissent tout au long de l'année d'une programmation culturelle de haut niveau, qu'il s'agisse de musique, de théâtre ou de danse, classique et contemporaine. Comme dans d'autres grandes capitales européennes, la ville abrite notamment sa propre compagnie d'opéra, l'orchestre national d'Espagne et l'orchestre symphonique de la RTVE. Elle offre en outre les meilleurs spectacles de *zarzuela* *(p. 75)* et le flamenco des gitans d'Andalousie. Les corridas s'y déroulent dans les plus grandes arènes du monde. Le festival d'Automne est une importante rencontre internationale des arts de la scène.

MUSIQUE CLASSIQUE

S'il demeure plus connu en tant que siège de l'opéra, le **Teatro Real de Madrid,** récemment rénové, propose aussi de grands concerts de musique classique donnés par des orchestres nationaux et étrangers. L'**Auditorio Nacional de Música** possède deux salles où se produit notamment l'Orquesta Nacional de España qu'accompagne souvent le Coro Nacional de España, le chœur national espagnol.

Une autre formation prestigieuse joue principalement au **Teatro Monumental** : l'Orquesta Sinfónica y Coro de RTVE, l'orchestre symphonique et le chœur de la radio et télévision espagnole.

L'**Auditorio Conde Duque** accueille également divers concerts classiques.

OPÉRA ET ZARZUELA

Bien que le répertoire n'ait pas évolué depuis des décennies, la *zarzuela,* forme d'opérette spécifiquement madrilène, continue d'attirer un public fervent. C'est le **Teatro de la Zarzuela** qui programme les meilleurs spectacles, mais plusieurs autres salles accueillent aussi des *zarzuelas,* en particulier l'été, dont le **Teatro Albéniz** et le **Teatro Príncipe-Palacio de las Variedades** qui vient de rouvrir.

En matière d'opéra, aucun lieu n'égale le **Teatro Real de Madrid,** situé non loin du métro Ópera, où se produisent non seulement la compagnie de Madrid mais aussi des troupes internationales. Le **Teatro Calderón** a également une excellente programmation classique et moderne.

DANSE

Madrid possède plusieurs salles où voir des ballets classiques et modernes. Outre le **Teatro Albéniz,** qui accueille les meilleures compagnies nationales et étrangères, les trois principales sont le **Teatro Madrid,** le **Teatro Español** et le **Teatro Olimpia.**

FLAMENCO

Expression des souffrances et des joies des gitans du sud de l'Espagne, le flamenco a pris sa forme classique au XVIIIe siècle en Andalousie, mais d'excellents interprètes résident désormais à Madrid.

La plupart des établissements proposant du flamenco le font dans le cadre d'un dîner-spectacle. Les formations traditionnelles, comme celles qu'accueille le **Café de Chinitas,** comprennent en général au moins une danseuse, mais il arrive également qu'un chanteur se produise seul sur scène en s'accompagnant à la guitare. Un club comme la **Casa Patas** permet d'apprécier la puissance évocatrice de l'âpre *cante flamenco.* Parmi les autres lieux offrant des prestations de qualité figurent l'**Arco de Cuchilleros,** le **Corral de la Morería, Candela** et les **Torres Bermejas.**

THÉÂTRE

Les deux théâtres les plus prestigieux de Madrid sont le **Teatro de la Comedia** et le **Teatro María Guerrero.** Le premier est le siège de la Compañía Nacional de Teatro Clásico qui met en scène des œuvres classiques du répertoire espagnol, le second programme des créations étrangères ainsi que des pièces modernes espagnoles. Parmi les autres grands théâtres figurent le **Teatro Español,** le **Teatro Alcázar,** le **Teatro Muñoz Seca** et le **Teatro Reina Victoria.** Les deux derniers accordent une large place à la comédie, à l'instar du **Teatro Lara** et du **Teatro La Latina** spécialisés dans l'humour madrilène. Le **Centro Cultural de la Villa** présente du théâtre populaire.

La ville compte aussi un réseau très actif de salles plus expérimentales telles que la **Cuarta Pared, Ensayo 100** et le **Teatro Afil.** Le **Teatro Maravillas,** le **Teatro Lope de Vega** et le **Teatro Nuevo Apolo** accueillent souvent des comédies musicales.

De mi-septembre à mi-octobre, le Festival d'Automne *(p. 36)* donne lieu à un important rassemblement d'acteurs de tous horizons, espagnols comme étrangers, appartenant à des compagnies connues comme à des formations d'avant-garde.

CORRIDAS

La tauromachie *(p. 111)* reste une passion à Madrid, et la ville, avec la **Plaza de Toros de las Ventas,** possède les plus grandes arènes du monde. Des courses de taureaux s'y déroulent tous les dimanches de mai à octobre, et tous les jours pendant les Fiestas de San Isidro *(p. 34)* qui ouvrent la saison.

Lors d'une corrida, trois toreros combattent chacun deux taureaux. Chaque affrontement dure environ un quart d'heure et s'achève toujours par la mort de l'animal. Le prix des places varie en fonction de leur rang dans les gradins et de leur situation à l'ombre ou au soleil.

FOOTBALL

Plusieurs fois vainqueur de la Coupe d'Europe de football, l'équipe la plus connue de Madrid, le **Real Madrid,** a pour temple l'Estadio Bernabéu d'une capacité de 105 000 spectateurs. Sa grande rivale locale est l'**Atlético de Madrid** qui joue à l'Estadio Vicente Calderón, situé au bord du río Manzanares. Il règne souvent une meilleure ambiance dans ce stade plus petit et moins cher. La troisième équipe de Madrid, le **Rayo Vallecano,** passe son temps à monter et à descendre entre première et deuxième division.

CARNET D'ADRESSES

MUSIQUE CLASSIQUE

Auditorio Conde Duque
Calle del Conde Duque 11.
Plan 2 D4.
📞 91 588 58 34.

Auditorio Nacional de Música
Calle del Príncipe de Vergara 146.
📞 91 337 01 00.

Teatro Monumental
Calle de Atocha 65.
Plan 7 A3.
📞 91 429 81 19.

Teatro Real de Madrid
Plaza de Oriente.
Plan 3 C2.
📞 91 516 06 06.

OPÉRA ET ZARZUELA

Teatro Albéniz
Calle de la Paz 11.
Plan 4 F3.
📞 91 521 99 98.

Teatro Calderón
Calle de Atocha 18.
Plan 4 F3.
📞 91 632 01 14.

Teatro de la Zarzuela
Calle de Jovellanos 4.
Plan 7 B2.
📞 91 524 54 00.

Teatro Príncipe-Palacio de las Variedades
Calle de las Tres Cruces 8.
Plan 4 F1.
📞 91 521 83 81.

Teatro Real de Madrid
(voir musique classique.)

DANSE

Teatro Albéniz
(voir opéra et zarzuela)

Teatro Español
Calle del Príncipe 25.
Plan 7 A3.
📞 91 429 62 97.

Teatro Madrid
Avenida de la Ilustración.
📞 91 740 52 74.

Teatro Olimpia
Plaza de Lavapiés.
Plan 7 A5.
📞 91 527 46 22.

FLAMENCO

Arco de Cuchilleros
Calle de los Cuchilleros 7.
Plan 4 E3.
📞 91 364 02 63.

Café de Chinitas
Calle de Torija 7.
Plan 4 D1.
📞 91 547 15 02.

Candela
Calle del Olmo 2.
Plan 7 A4.
📞 91 467 33 82.

Casa Patas
Calle de Cañizares 82.
Plan 7 A3.
📞 91 369 04 96.

Corral de la Morería
Calle de la Morería 17.
Plan 3 C3.
📞 91 365 84 46.

Torres Bermejas
Calle de Mesonero Romanos 11.
Plan 4 F1.
📞 91 532 33 22.

THÉÂTRE

Centro Cultural de la Villa
Plaza de Colón.
Plan 6 D5.
📞 91 575 60 80.

Cuarta Pared
Calle de Ercilla 17.
📞 91 517 23 17.

Ensayo 100
Calle de Raimundo Lulio 20.
Plan 5 A2.
📞 91 447 94 86.

Teatro Alcázar
Calle de Alcalá 20.
Plan 7 A2.
📞 91 532 06 16.

Teatro Afil
Calle del Pez 10.
Plan 2 F5.
📞 91 521 58 27.

Teatro de la Comedia
Calle del Príncipe 14.
Plan 7 A3.
📞 91 521 49 31.

Teatro Español
(voir danse)

Teatro La Latina
Plaza de la Cebada 2.
Plan 4 D4.
📞 91 365 28 35.

Teatro Lara
Calle Corredera Baja de San Pablo 15.
Plan 2 F5.
📞 91 521 05 52.

Teatro Lope de Vega
Gran Vía 57.
Plan 4 E1.
📞 91 548 70 91.

Teatro Maravillas
Calle Manuela Malasaña 6.
Plan 2 F3.
📞 91 446 71 94.

Teatro María Guerrero
Calle de Tamayo y Baus 4.
Plan 5 C5.
📞 91 319 47 69.

Teatro Muñoz Seca
Plaza del Carmen 1.
Plan 4 F1.
📞 91 523 21 28.

Teatro Nuevo Apolo
Plaza de Tirso de Molina.
Plan 4 F3.
📞 91 369 06 37.

Teatro Reina Victoria
Carrera de San Jerónimo 24.
Plan 7 A2.
📞 91 429 58 90.

CORRIDAS

Plaza de Toros de las Ventas
Calle de Alcalá 237.
📞 91 356 22 00.

FOOTBALL

Atlético de Madrid
Estadio Vicente Calderón, Paseo de la Virgen del Puerto 67.
📞 91 366 47 07.

Rayo Vallecano
Nuevo Estadio de Vallecas, Avenida de la Albufera 132.
📞 91 478 22 53.

Real Madrid
Estadio Santiago Bernabéu, Avenida de Concha Espina.
📞 91 344 00 52.

Divertissements modernes

À Madrid, une sortie nocturne commence dans les nombreux cafés et bars pour l'apéritif, où les *tapas* constituent un repas. Puis vous prendrez peut-être une dernière *caña* (verre de bière) avant de choisir entre une des immenses salles de cinéma de la Gran Vía et un club accueillant un groupe de rock, de jazz ou de salsa. Il vous permettra de vous mettre en jambes avant de rejoindre une boîte de nuit. Rien ne presse. Beaucoup de jeunes Madrilènes se dirigent vers le métro à 1 h 30 pour attraper la dernière rame, mais leurs aînés ne vont souvent se coucher qu'au petit matin.

CINÉMA

Depuis le succès international, au début des années 90, de *Femmes au bord de la crise de nerfs* de Pedro Almodóvar, le cinéma espagnol connaît une véritable renaissance avec l'apparition d'une nouvelle génération de réalisateurs.

Pour ceux qui maîtrisent un peu l'espagnol, aller voir une de leurs créations dans l'une des vastes salles de la Gran Vía *(p. 48)* telles que le **Capitol**, l'**Amaya** ou le **Coliseum**, de 1 500 places, est une expérience à ne pas manquer. Beaucoup de cinémas proposent le week-end des programmes spéciaux qui commencent après minuit.

Il existe aussi de plus en plus d'établissements comme l'**Alphaville**, le **Luna**, l'**Ideal Multicines** et le **California** qui diffusent des films étrangers en version originale sous-titrée. Il s'agit souvent de grosses productions hollywoodiennes. Comme en français, ils se reconnaissent au sigle VO *(versión original)* dans les programmes des journaux et des magazines.

CAFÉS ET BARS

Madrid compte tant de cafés et de bars qu'on pourrait croire que l'offre dépasse la demande, mais une grande part de la vie sociale de la ville se déroule dans ces innombrables lieux de détente, et dans la plupart les conversations sont très animées le soir, en particulier le week-end.

Le vaste **Café Comercial** a conservé une authentique atmosphère fin XIXe siècle, et sa proximité du pôle nocturne de Bilbao-Malasaña en fait un excellent point de rendez-vous. Le **Café del Círculo de Bellas Artes** est une institution culturelle qui permet d'observer la Gran Vía à l'endroit où elle croise la calle de Alcalá, tandis que le **Café de Oriente** offre une vue incomparable du Palacio Real. À côté de brasseries établies de longue date comme la **Cervecería Alemana** et la **Cervecería Santa Ana**, qui toutes deux dominent la plaza de Santa Ana toujours animée, les bars irlandais connaissent une grande vogue à Madrid. Ils tendent à être fréquentés par des Espagnols anglophones aimant bavarder avec des étrangers. L'**Irish Rover** et l'**O'Neill's**, qui comprend un bar à huîtres, font partie des plus agréables.

Enfin, il y a les *tabernas*, passage essentiel d'une visite à Madrid. **Los Gabrieles** fait partie des plus populaires et **Viva Madrid** attire une clientèle jeune qui vient se mêler à l'intense animation qui règne le soir autour de la plaza de Santa Ana. Plus bohème, essayez la **Casa Carmencita** que rendirent célèbre les artistes et les écrivains qui la fréquentaient dans les années 20. La **Casa Labra**, lieu de naissance du parti socialiste à la fin du XIXe siècle, est un lieu historique mais sert aussi de savoureux *tapas*.

Si la **Casa Alberto**, **La Bola** et la **Taberna Antonio Sanchez** restent fidèles à une tradition séculaire, l'élégante **Taberna Casa Domingo** possède une ambiance plus moderne. Alors qu'elle est de création récente, la **Taberna del Foro** a réussi à recréer une authentique atmosphère du « vieux Madrid ».

BOÎTES DE NUIT

Si certains restent bon marché, de nombreux night-clubs commencent à demander un prix d'entrée élevé le week-end. Beaucoup sont toutefois gratuits en semaine. Deux adresses connaissent une grande vogue actuellement, le **Nells** et le **Joy Eslava**. Mais vous pourrez aussi essayer le **Berlin Cabaret** qui rythme la nuit de numéros de cabaret ou le **Ya'sta** qui organise à l'occasion des concerts.

Spacieux et plutôt haut de gamme, le **Pachá** tranche sur ses concurrents de Malasaña, généralement peu coûteux mais exigus. La **Villa Rosa**, dans le vieux Madrid, attire de nombreux touristes. Cet ancien bar a conservé une décoration en mosaïque exceptionnelle.

Propriété du célèbre acteur espagnol Javier Bardém, **El Torero** permet de danser sur du flamenco ou de la musique latino-américaine à l'étage, tandis qu'en bas résonne de la house funky.

Beaucoup de boîtes ne commencent à se remplir que tard dans la nuit, et toutes restent ouvertes jusqu'à 6 h du matin au moins.

CLUBS DE ROCK, DE JAZZ ET DE WORLD MUSIC

Les amateurs de rock apprécieront la **Sala Riviera** qui a accueilli de grands groupes internationaux, ainsi que le **Moby Dick** et le **Siroco**, deux bons lieux où découvrir les talents locaux et nationaux. Le **Café Central** permet d'écouter du jazz dans un cadre très élégant. Installé dans une ancienne boutique de poterie, le **Populart** voisin possède une atmosphère décontractée et jouit lui aussi d'une excellente réputation. Les environs recèlent aussi les meilleurs clubs de Madrid où passer la nuit à danser au son d'orchestres latino-américains.

Bien plus vaste, le **Clamores** propose une programmation éclectique allant du jazz et du tango à la variété et au blues.

C'est au **Maravillas** que se déroulent certains des meilleurs concerts de rock organisés à Madrid. Ce lieu de spectacle proche du río

Manzanares *(p. 114)* n'est que partiellement couvert et donc surtout rempli en été.

CLUBS GAYS

En plein quartier de Chueca *(p. 94)*, cœur de la scène gay, le **Why Not** est un petit bar qui s'adresse principalement à une clientèle locale et passe de la musique

des années 70 et 80. Malgré son nom, il n'y a guère de cuir au **New Leather,** mais c'est l'un des hauts lieux de la communauté homosexuelle de la ville. Les lesbiennes se retrouvent dans le quartier Alonso-Martínez à l'**Ambient. La Lupe,** qui propose souvent des spectacles de cabaret, attire une clientèle mélangée.

CARNET D'ADRESSES

CINÉMA

Alphaville
Calle de Martín de los Heros 14.
Plan 1 A1.
91 559 38 36.

Amaya
Gral. Martínez Campos 9.
Plan 5 C1.
91 448 41 69.

California
Calle de Andrés Mellado 47.
91 544 00 58.

Capitol
Gran Vía 41.
Plan 4 E1.
91 570 66 33.

Coliseum
Gran Vía 78.
Plan 2 D5.
91 547 66 12.

Ideal Multicines
Calle del Doctor Cortezo 6.
Plan 4 F3.
91 369 25 18.

Luna
Calle de la Luna 2.
Plan 2 E5.
91 522 47 52.

CAFÉS ET BARS

Café Comercial
Gta. de Bilbao 7.
91 521 56 55.

Café del Círculo de Bellas Artes
Calle del Marqués de Casa Riera 2.
Plan 7 B2.
91 531 77 00.

Café de Oriente
Plaza de Oriente 2.
Plan 3 C2.
91 541 39 74.

Casa Alberto
Calle de las Huertas 18.
Plan 7 A3.
91 429 93 56.

Casa Carmencita
Calle de la Libertad 16.
Plan 7 B1.
91 521 59 66.

Casa Labra
Calle de Tetuán 12.
Plan 4 F2.
91 531 00 81.

Cervecería Alemana
Plaza de Santa Ana 6.
Plan 7 A3.
91 429 70 33.

Cervecería Santa Ana
Plaza de Santa Ana 6.
Plan 7 A3.
91 429 43 56.

Irish Rover
Avenida del Brasil 7.
(pas de téléphone).

La Bola
C/ Bola 5. **Plan** 4 D1.
91 547 69 30.

Los Gabrieles
Calle de Echegaray 17.
Plan 7 A3.
91 429 62 61.

O'Neill's
Calle del Príncipe 12.
Plan 7 A3.
91 521 20 30.

Taberna Antonio Sanchez
C/ Mesón de Paredes 13.
Plan 4 F5.
91 539 78 26.

Taberna Casa Domingo
Calle de Alcalá 99.
Plan 8 F1.
91 576 01 37.

Taberna del Foro
Calle de San Andrés 28.
Plan 2 F4.
91 445 37 52.

Viva Madrid
Calle de Manuel Fernández y González 7.
Plan 7 A3.
91 429 36 40.

BOÎTES DE NUIT

Berlin Cabaret
Costanilla de San Pedro 11. **Plan** 4 D3.
91 366 20 34.

El Torero
Calle de la Cruz 26.
Plan 4 F3.
91 523 11 29.

Joy Eslava
Calle del Arenal 11.
Plan 4 E2.
91 366 37 33.

Nells
C/ López de Hoyos 25.
91 562 49 54.

Pachá
Calle de Barceló 11.
Plan 5 A4.
91 447 01 28.

Villa Rosa
Plaza de Santa Ana 15.
Plan 7 A3.
91 521 36 89.

Ya'sta
Calle de Valverde 10.
Plan 4 F1.
91 531 37 20.

ROCK, JAZZ ET WORLD MUSIC

Café Central
Plaza del Angel 10.
Plan 7 A3.
91 369 41 43.

Clamores
Calle de Alburquerque 14.
Plan 5 A3.
91 445 79 38.

Maravillas
Calle de San Vicente Ferrer 35.
Plan 2 E4.

Moby Dick
Avenida del Brasil 5.
91 555 76 71.

Populart
Calle de las Huertas 22.
Plan 7 A3.
91 429 84 07.

Sala Riviera
Paseo de la Virgen del Puerto.
91 365 24 15.

Siroco
Calle de San Dimas 3.
Plan 2 E4.
91 593 30 70.

CLUBS GAYS

Ambient
Calle de San Mateo 21.
Plan 5 A4.
(pas de téléphone).

La Lupe
Calle de Torrecilla del Leal 12.
Plan 7 A4
91 527 50 19.

New Leather
Calle de Pelayo 42.
Plan 5 B5.
91 308 14 62.

Why Not
Calle de San Bartolomé 6.
Plan 7 A1.
91 523 05 81.

ACTIVITIÉS DE PLEIN AIR

De splendides espaces naturels s'étendent aux portes de Madrid. En effet, il suffit d'une heure de voiture pour se retrouver au milieu de pics granitiques, de forêts de pins, de lacs glaciaires et de prairies sauvages, un territoire qui offre d'innombrables possibilités de randonnée, d'escalade, de promenade à cheval, de camping et d'activités nautiques ou de sports d'hiver... À moins que vous ne préfériez simplement vous détendre. Au nord et à l'ouest, la sierra de Guadarrama et la sierra de Gredos

En vélo tout-terrain

forment une chaîne montagneuse longue de 250 km qui s'élève au-dessus des pâturages de la *meseta*. On peut aussi bien y suivre à pied le cours d'un torrent au printemps qu'y skier en hiver, ou profiter du calme pour pique-niquer. Les visiteurs et les Madrilènes disposent en ville de terrains de golf, de courts de tennis et de parcs aquatiques très agréables en été.

L'**office de tourisme de la Comunidad de Madrid** fournit des renseignements détaillés sur toutes ces activités de plein air.

Sur un terrain de golf près d'El Escorial

GOLF ET TENNIS

C'est le **Club de Campo** qui possède à Madrid les meilleurs terrains de sport, et bien que le droit d'entrée soit élevé pour les non-membres la qualité des équipements et la beauté du cadre justifient la dépense pour les visiteurs désireux d'échapper une journée aux musées. Le club permet de pratiquer le golf, le tennis et le squash, et abrite des aires de jeux pour les enfants. Si on peut y réserver des courts de tennis par téléphone, il faut se présenter en personne pour le golf. Les tarifs comme la fréquentation augmentent le week-end.

Un nouveau terrain de golf, **El Olivar de la Hinojosa,** vient d'ouvrir à côté de la route menant à l'aéroport Barajas *(p. 192)*. Il accepte les réservations par téléphone. Comme au Club de Campo, les joueurs de passage peuvent y louer du matériel.

Pour faire une partie de tennis, le centre sportif **Canal de Isabel II,** moderne, cumule plusieurs avantages : une situation pratique au nord

Le tennis offre un bon moyen de se détendre entre deux visites

du cœur de la ville, d'excellentes installations et un bar-restaurant agréable. Le complexe **Puerta de Hierro,** qui borde le río Manzanares *(p. 114),* renferme aussi des courts de tennis.

RANDONNÉE ET VÉLO

Nul besoin de s'éloigner beaucoup de Madrid pour pratiquer la randonnée. Il n'est même pas nécessaire d'avoir une voiture : à une heure de train, plusieurs itinéraires dans la valle de la Fuenfría partent de Cercedilla. L'un d'eux suit une voie romaine *(calzada romana)*. Elle date du Ier siècle, et franchissait jadis la montagne pour rejoindre Ségovie. Le tramway qui relie Cercedilla aux stations de ski des environs grimpe jusqu'à Puerto de Navacerrada, début de parcours plus difficiles.

Plus à l'est, le parc régional qui renferme Manzanares el Real *(p. 126)* s'étend jusqu'à la vallée qui grimpe abruptement en direction des sources du río Manzanares. Bassins et torrents la rafraîchissent et elle attire de nombreux pique-niqueurs. Mieux vaut s'y rendre tôt pour plus de tranquillité.

Il n'existe que peu de pistes cyclables en bordure des routes et beaucoup d'Espagnols préfèrent pratiquer le vélo tout-terrain. **Karacol Sport** loue près de la gare d'Atocha *(p. 85)* des bicyclettes que l'on peut emporter en train jusqu'à

Randonneurs observant les oiseaux près d'un lac de montagne

Cercedilla. Pour d'autres destinations, renseignez-vous auprès de RENFE, la société des chemins de fer espagnols *(p. 196)*. Des agences spécialisées comme **Sport Natura** proposent des randonnées pédestres ainsi que des balades à vélo le week-end, dans des régions comme la sierra Pobre.

N'oubliez pas les précautions de base : en été, porter un chapeau, prévoir une protection solaire et disposer d'amples réserves d'eau ; en montagne, toujours s'informer des prévisions météo.

ÉQUITATION

Les sierras et les *cañadas* (anciens chemins suivis par les troupeaux de moutons) des alentours de Madrid se prêtent à merveille aux promenades à cheval. Cette région sauvage a même servi au tournage de westerns.

À l'ouest du centre-ville, le **Club de Campo** permet de louer une monture pour découvrir la vaste Casa de Campo *(p. 114)*. L'**Escuela de Equitación Pozuelo** propose aussi des locations, à l'heure ou à la journée.
La plupart des centres

équestres, tel le **Centro Equestre de la Comunidad de Madrid,** installé à la périphérie du parc régional du Manzanares, sont faciles à rejoindre en bus, à condition d'être prêt à marcher un peu.

Sur la route entre Cercedilla et Puerto de Navacerrada, à l'écart de la ligne de tramway, **Picadero los Ciruelos** propose un large choix d'excursions d'une journée ou plus, à l'instar de **Rutas Equestres Sierra Norte,** dans la sierra Pobre près de Buitrago del Lozoya. Le point de départ, Braojos de la Sierra, est directement accessible en bus depuis Madrid une fois par jour.

Dans la sierra de Gredos, vous pouvez vous adresser à **Turismo Ecuestre Almanzor,** à proximité du Parador Nacional de Gredos, ou, plus loin sur la même route, à **Gredos Rutas a Caballo (GRAC).**

Pendant les périodes de vacances, en particulier à Pâques, mieux vaut réserver longtemps à l'avance. En toute saison, téléphonez pour vous assurer que le centre est bien ouvert, pour éviter de vous déplacer inutilement.

Promenade à cheval dans une sierra du centre de l'Espagne

Ski à Puerto de Navacerrada, station très prisée

LE SKI

Située au nord-est de Madrid dans la sierra de Guadarrama, la plus populaire des stations de sports d'hiver de l'Espagne centrale compte 15 pistes à **Puerto de Navacerrada.** Un télésiège conduit au sommet de la « Bola del Mundo », à 2 200 m. Un peu plus éloignée de la capitale, **Valdesquí** offre sans doute les meilleures conditions d'enneigement et possède 24 pistes. Dans la région de Ségovie, **La Pinilla** est plus calme. Toutes ces stations abritent des loueurs de matériel où se procurer skis, surfs et luges.

En saison, des embouteillages se forment souvent le week-end sur la route de Puerto de Navacerrada. Mais il est possible de prendre le tramway à partir de Cercedilla. L'**ATUDEM** (Asociación Turística de Estaciones de Esquí y Montaña) pourra vous procurer tous les renseignements.

L'ESCALADE

Il existe d'excellentes parois, pour débutants notamment, à La Pedriza de Manzanares, à Patones, dans la sierra Pobre, ainsi qu'à La Cabrera, à l'extrémité orientale de la sierra de Guadarrama. Les aiguilles et les falaises granitiques de la

Varappe à Escalada en Patones

sierra de Gredos présenteront plus d'intérêt pour les grimpeurs chevronnés. L'**Escuela Madrileña de Alta Montaña** vous informera sur les cours et les guides disponibles. **Espacio Acción** fournit encadrement, équipement et transport pour tous les types de sport de montagne, y compris l'escalade de cascades gelées. Cet organisme propose aussi des sorties en ski alpin et des randonnées en raquettes. La société **Gente Viajera** organise des week-ends d'initiation près de Cuenca. Les participants peuvent s'initier à la descente en rappel dans des gorges, à condition toutefois d'être en bonne condition physique.

LA CHASSE

Vous ne trouverez guère de gibier dans les environs de Madrid, et vous avez plutôt intérêt à aller près de Tolède ou de Ciudad Real, régions beaucoup plus riches en bêtes à plumes comme à poils.

Pour vous éviter les démarches nécessaires à l'obtention d'un permis, contactez **Cacerías Ibéricas.** Ils se chargent des courriers administratifs, de l'organisation de la sortie et de la fourniture du matériel. **Viajes Marsans** propose les mêmes prestations mais sans procurer l'équipement.

LES SPORTS NAUTIQUES

La chaleur qui règne à Madrid en été rend particulièrement précieuse la possibilité de se baigner. Le **Club de Campo** renferme une immense et splendide piscine, malheureusement souvent bondée les jours de canicule. Le centre sportif de **Puerta de Hierro** possède un vaste bassin où l'on peut se tremper jusqu'au cou, ainsi qu'une véritable piscine. C'est toutefois le **Centro de Natación M-86** qui propose au public la plus belle piscine, mais seulement de juin à fin août. Au complexe sportif **Canal de Isabel II,** vous disposerez d'une piscine en plein air, d'une piscine olympique couverte et d'une

Sortie en canoë sur l'un des lacs artificiels des environs de Madrid

Un petit tour en ski nautique

pataugeoire pour les enfants.

Plusieurs lacs artificiels permettent à l'extérieur de la ville de pratiquer la voile, la planche à voile et le canoë.

Sport Natura possède une succursale au bord de l'Embalse del Atazar près d'El Berrueco, et organise des week-ends.

PARCS À THÈME

Cinq cents animaux vivent en liberté au **Safari Madrid**, et les visiteurs peuvent y assister tous les jours à des démonstrations de dressage de rapaces. Un parc et une plage sur le río Alberche se trouvent non loin.

À quarante minutes en voiture du centre-ville, **Aquópolis** est le parc aquatique le plus vaste de Madrid. Pour s'y rendre on peut également prendre un des bus gratuits qui partent de la plaza de España. L'**Acuático de San Fernando** propose à San Fernando de Henares un immense bassin doté d'une cascade et d'une machine à vagues. En été, n'espérez toutefois pas trouver un endroit au bord de l'eau qui ne soit pas surpeuplé.

À la Casa de Campo *(p. 114)*, le **Parque de Atracciones** réunit les attractions les plus modernes et de grands classiques comme les montagnes russes. Il comprend un espace pour les jeunes enfants.

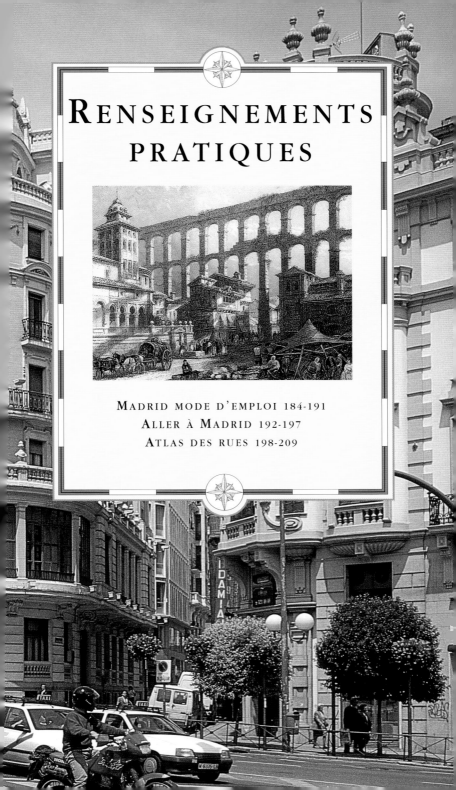

RENSEIGNEMENTS PRATIQUES

MADRID MODE D'EMPLOI

L'Espagne s'est enfin mise à promouvoir le tourisme ailleurs que sur ses côtes, et elle possède désormais un bon réseau de centres d'information : offices de tourisme nationaux à Madrid et offices régionaux dans les villes de moindre importance. Tous facilitent la découverte des activités disponibles et la réservation auprès des hôtels et des restaurants. L'un des

Panneau ancien

plus pratiques de la capitale se trouve calle del Duque de Medinaceli. Beaucoup de commerces ferment en août, le principal mois de vacances en Espagne et celui où départs et arrivées provoquent, comme en France, le plus de bouchons. N'oubliez pas que les fêtes locales entraînent aussi de nombreuses fermetures et que l'Espagne vit au ralenti entre 14 h et 17 h.

LANGUES RÉGIONALES

À côté du castillan (*castellano*), la principale langue d'Espagne, celle que nous appelons communément l'espagnol et que vous entendrez partout parlée à Madrid, il existe trois grandes langues régionales : le catalan (*català*), le basque (*euskera*) et le galicien (*gallego*). Les établissements recevant beaucoup de touristes comptent en général parmi leurs employés au moins une personne parlant anglais et souvent un francophone.

US ET COUTUMES

D'une manière générale, les Madrilènes sont chaleureux, ouverts et surtout très fiers de leur ville. Originaires de toutes les provinces du pays, ils ont apporté avec eux une multitude de traditions culturelles qui contribuent aujourd'hui à l'atmosphère vivante de la cité. Ne soyez pas surpris de voir des Espagnols saluer des étrangers dans des lieux publics comme les arrêts de bus ou les ascenseurs. Les Madrilènes abordent aisément des gens qu'ils ne connaissent pas et feront tout pour vous aider si vous leur demandez un renseignement.

VISAS ET PASSEPORTS

Pour entrer et séjourner en Espagne sans limitation de durée, les ressortissants de l'Union européenne n'ont besoin que d'une carte d'identité en cours de validité ou d'un passeport périmé depuis moins de cinq ans.

Aucun visa n'est exigé des citoyens canadiens et suisses pour un séjour de moins de 90 jours. S'ils veulent le prolonger, ils peuvent s'adresser sur place au *Gobierno Civil,* représentation locale du gouvernement qui leur

demandera de fournir la preuve qu'ils ont un emploi ou les fonds suffisants pour subvenir à leurs besoins.

PRODUITS DÉTAXÉS

Les personnes résidant dans un pays ne faisant pas partie de l'Union européenne peuvent obtenir le remboursement de la taxe à la valeur ajoutée (IVA) sur des articles d'une valeur de plus de 15 000 pesetas, acquis dans des magasins indiquant « détaxe pour touristes ». Toutefois, cette remise ne s'applique pas à la nourriture, les boissons, le tabac, les voitures, les motocyclettes et les médicaments. Au moment de l'achat, le vendeur doit vous remettre un *formulario* à faire tamponner dans les six mois à la douane. Si vous effectuez cette formalité en quittant le pays à l'aéroport Barajas, vous pourrez vous faire immédiatement rembourser par la Banco Exterior.

Détaxe pour touristes

INFORMATION TOURISTIQUE

Les *oficinas de turismo* de Madrid et ceux des principales villes historiques des environs ouvrent en général de 8 h ou 9 h à 20 h du lundi au vendredi, et de 9 h à 13 h le samedi. Ils fournissent des plans de la localité, des listes d'hôtels ou d'autres formes d'hébergement ou encore de restaurants et des informations sur les sites à découvrir et les activités

---

L'HEURE DE MADRID

Comme Paris ou Bruxelles, Madrid a une heure d'avance sur l'heure GMT (Greenwich Meridian Time). Le temps est officiellement affiché en Espagne sur 24 heures.

Ville et Pays	Avance ou retard sur l'Espagne	Ville et Pays	Avance ou retard sur l'Espagne
Athènes (Grèce)	+ 1	Moscou (Russie)	+ 2
Auckland (Nlle-Zélande)	+ 11	New York (E.U.)	– 6
Bangkok (Thaïlande)	+ 6	Paris (France)	0
Berlin (Allemagne)	0	Perth (Australie)	+ 7
Le Cap (Afrique du Sud)	+ 1	Rome (Italie)	0
Chicago (E.U.)	– 7	Sydney (Australie)	+ 9
Dublin (Irlande)	– 1	Tokyo (Japon)	+ 8
Hong Kong (Chine)	+ 7	Toronto (Canada)	– 6
Londres (RU)	– 1	Vancouver (Canada)	– 9
Los Angeles (E.U.)	– 9	Washington DC (E.U.)	– 6

◁ **La Gran Vía, un des grands axes de circulation automobile** ouvertes aux visiteurs. Celui de l'**aéroport Barajas** comprend un comptoir de réservation hôtelière et une antenne de RENFE, les chemins de fer espagnols (*p. 192*).

HEURES D'OUVERTURE

À l'exception des grands musées d'art, ouverts à l'heure du déjeuner, les sites touristiques ferment pour la plupart entre 14 h et 17 h, ainsi que le dimanche après-midi et le lundi toute la journée. En revanche, certaines églises ne sont ouvertes que pour les offices religieux.

AMÉNAGEMENTS POUR HANDICAPÉS

Sigle attribué par la COCEMFE

L'association nationale espagnole pour les handicapés, la **Confederación Coordinadora Estatal de Minusválidos Físicos de España (COCEMFE)**, dirige une agence, Servi-COCEMFE, qui publie des guides sur les équipements adaptés aux handicapés disponibles en Espagne et qui peut aider au cas par cas à organiser des vacances. Vous pouvez aussi vous informer sur le site Internet d'**ALPE**. En France, consultez le service Minitel 3614 HANDITEL ou contactez le **Comité national français de liaison pour la réadaptation des handicapés (CNRH).** Dans chaque ville espagnole, les bureaux d'information touristique et les services sociaux fournissent des renseignements sur les aménagements et les problèmes que vous rencontrerez localement, notamment pour vous déplacer. Des documents, en braille tels que le plan du métro de Madrid sont disponibles auprès de l'organisation nationale des aveugles, l'**Organización Nacional de Ciegos (ONCE).** Il existe en outre des agences de voyages ibériques spécialisées dans les vacances pour handicapés : **Viajes 2000** et l'excellente **Rompiendo Barreras.**

Étudiantes à Madrid

ÉTUDIANTS

Pour obtenir la carte internationale d'étudiant, vous pouvez vous renseigner en France auprès du **Centre régional des œuvres universitaires et scolaires** (CROUS) et, à Madrid, au **Centro de Información Juvenil (CIJ)**. L'agence **Turismo y Viajes Educativos (TIVE)** organise des voyages pour étudiants.

ÉLECTRICITÉ

Le courant est en Espagne de 220 volts, sauf dans quelques vieux immeubles toujours alimentés en 125 volts.

CARNET D'ADRESSES

AMBASSADES

Belgique
Paseo de la Castellana 18.
Plan 6 D4.
📞 91 577 63 00.

Canada
Calle de Nuñez de Balboa 35. **Plan** 6 F4.
📞 91 431 43 00.

France
Calle de Salustiano Olozaga 9. **Plan** 8 D1.
📞 91 435 55 60.

Suisse
Calle de Núñez de Balboa 35. **Plan** 8 F4.
📞 91 431 34 00.

OFFICES DE TOURISME À MADRID

Offices de tourisme municipaux

Plaza Mayor 3.
Plan 4 E3.
📞 91 366 54 77
ou
Calle del Duque de Medinaceli 2. **Plan** 7 B3.
📞 91 429 31 77.

Aéroport de Barajas
Terminal 1 (International).
📞 91 305 83 43.

Estación de Chamartín
📞 91 328 90 20.

OFFICES ESPAGNOLS DE TOURISME À L'ÉTRANGER

Belgique
Avenue des Arts, 21-22,
1040 Bruxelles.
📞 (2) 280 19 26.

Canada
102 Bloor Street West
14th Floor, Toronto, Ont.
M5S 1M8.
📞 (416) 961 31 31.

France
43, rue Descamps,
75016 Paris.
📞 01 36 68 90 54.

Suisse
15, rue Ami-Levrier, 2,
1201 Genève.
📞 (22) 731 11 33.

ORGANISATIONS POUR VOYAGEURS HANDICAPÉS

ALPE
Casarrubuelos 5.
📞 448 08 64 / 448 09 66
www.alpe.com

CNRH
236 bis, rue de Tolbiac
75013 Paris.
📞 01 53 80 66 66.

COCEMFE
Calle de Rios Rosas 54.
📞 91 535 06 19.

ONCE
Centro Bibliográfico
Cultural - Braille,
Calle de La Coruña 18.
📞 91 589 42 00.

Rompiendo Barreras
Calle Roncesvalles 3
📞 552 84 07.

Viajes 2000
Paseo de la Castellana 228.
📞 91 323 10 29.

INFORMATIONS POUR ÉTUDIANTS

CIJ
Calle de Alcalá 31.
Plan 7 B1.
📞 91 580 42 42.

CROUS
39, av. Georges-Bernanos,
75005 Paris.
Plan 7 B1.
📞 01 40 41 37 95.

TIVE
Calle de Fernando el Católico 88.
Plan 1 B1.
📞 91 543 74 12.

Santé et sécurité

À Madrid, comme dans toute grande ville touristique, mieux vaut se prémunir du vol en ne laissant rien de visible dans les voitures et en conservant argent, carte bancaire et documents dans une poche intérieure ou une ceinture portefeuille. Si vous perdez vos papiers, contactez votre ambassade *(p. 185)*. Les petits problèmes de santé trouveront une solution à la pharmacie *(farmacia)*. Il y en a toujours une de garde où l'on saura vous conseiller et même prescrire un traitement.

Enseigne de pharmacie

EN CAS D'URGENCE

Tous les services d'urgence possèdent désormais un numéro d'appel commun : le 112. Selon la nature de votre problème, demandez la police *(policía)*, une ambulance *(ambulancia)* ou les pompiers *(bomberos)*. Vous pouvez aussi vous rendre directement aux *urgencias* d'un hôpital.

Panneau d'un service d'urgence de la Cruz Roja (Croix-Rouge)

PHARMACIES

En cas de problème de santé sans gravité, le plus simple consiste à demander d'abord conseil à un pharmacien *(farmacéutico)*. Il est habilité à prescrire des médicaments et beaucoup parlent le français ou l'anglais. Une croix verte signale les officines. Un panneau en vitrine indique les pharmacies de garde la nuit ou le week-end. Les journaux locaux publient aussi leurs adresses.

SOINS MÉDICAUX

Les ressortissants de l'Union européenne bénéficient de la couverture de la sécurité sociale espagnole, à condition de se munir avant le départ du formulaire E 111 disponible en France auprès de la caisse d'assurance maladie. Une notice précisant vos droits l'accompagne. Pensez à en prendre plusieurs exemplaires, ou à faire

des photocopies, car il faut en remettre un à chaque fois que vous recevez des soins. Toutefois, mieux vaut souscrire avant le départ une assurance médicale prévoyant la prise en charge directe des frais, voire un éventuel rapatriement. Elle vous évitera d'avoir à régler sur place des traitements onéreux ou n'étant que partiellement remboursés. Les bureaux d'information touristique, les hôtels ou votre ambassade pourront vous fournir l'adresse de médecins ou de dentistes parlant français ou, à défaut, anglais.

SÉCURITÉ DES PERSONNES

Bien que la délinquance violente soit rare à Madrid, il convient de prendre quelques précautions de bon sens comme dans toute grande ville.

À l'aéroport et dans une gare, ne quittez pas des yeux vos bagages. Pour éviter les vols à la tire, gardez les lanières de vos sacs, appareils photo ou caméras passées en bandoulière plutôt que simplement à l'épaule.

Faites une photocopie de vos documents importants et laissez-les à l'hôtel. C'est une précaution qui peut se révéler très utile.

La nuit, évitez les quartiers déserts et peu éclairés, et si vous rentrez très tard, prenez de préférence un taxi.

LA POLICE ESPAGNOLE

L'Espagne possède trois grands corps de police. Le premier, la *Guardia Civil* (garde nationale), maintient principalement l'ordre dans les zones rurales, en particulier sur les routes de campagne et les autoroutes. Ses agents surveillent aussi les édifices publics et participent aux opérations antiterroristes. Ils portent un uniforme vert olive, et ne sortent plus leur célèbre tricorne noir que pour les cérémonies.

La *Policía Nacional,* à l'uniforme bleu, s'occupe principalement de la sécurité nationale, du terrorisme et de la grande délinquance dans les localités de plus de 30 000 habitants. Responsable du contrôle de l'immigration, elle a aussi en charge l'attribution des permis de travail et des attestations de résidence. Un département spécial, au personnel féminin, a été créé Puerta del Sol pour s'occuper spécifiquement des crimes commis contre des femmes.

La *Policía Municipal* surveille la circulation urbaine. Ce sont ses membres, en particulier, qui infligent en ville les amendes en cas d'infraction au code de la route.

Guardia Civil   Policía Municipal

CARNET D'ADRESSES

SERVICES D'URGENCE

Police (Policía)
112.

Ambulance (Ambulancia)
112.

Pompiers (Bomberos)
112.

Voiture de la Policía Nacional, principal corps de police urbaine

Ambulance de la Croix-Rouge

AIDE JURIDIQUE

Certaines assurances couvrent les frais juridiques, s'il y a litige après un accident par exemple. En cas d'arrestation, vous avez le droit d'appeler votre ambassade (p. 185). Elle doit pouvoir vous fournir une liste d'avocats parlant français. Le *colegio de abogados* (barreau) vous indiquera aussi où obtenir une assistance juridique ou vous recommandera un défenseur.

Si vous avez besoin d'un interprète, contactez votre ambassade ou consultez les pages jaunes de l'annuaire (*páginas amarillas*) aux rubriques *traductores* ou *intérpretes*. Seuls les *traductores oficiales* et les *traductores jurados* peuvent traduire les documents légaux ou officiels.

TOILETTES PUBLIQUES

Bien que récemment quelques-unes soient devenues payantes dans certaines rues, les toilettes publiques restent rares à Madrid, et le seul recours consiste souvent à utiliser *los servicios* d'un café, d'un grand magasin ou d'un hôtel. Dans les stations-service, il faut parfois réclamer la clé (*la llave*) des toilettes.

SÉCURITÉ DES BIENS

Une assurance voyage spécifique peut vous protéger financièrement en cas de perte ou de vol de vos biens. Cela n'empêche pas de prendre quelques précautions, comme utiliser le coffre de

Camion de pompiers

l'hôtel par exemple. Vous ne devriez pas avoir besoin de transporter d'importantes sommes en liquide, car aucun pays d'Europe ne possède autant de distributeurs de billets que l'Espagne. Ils acceptent toutes les principales cartes. Si vous en détenez plusieurs, ne les gardez toutefois pas ensemble. Les chèques de voyage se révèlent aussi très sûrs dans la mesure où, en cas de perte ou de vol, la présentation du reçu permet d'en obtenir le remboursement sur place. Une pièce d'identité est nécessaire pour les encaisser.

Il faut faire une *denuncia*, une déclaration de perte ou de vol, auprès de la *comisaría* locale pour pouvoir obtenir un remboursement par une assurance. Certaines compagnies exigent même que cette démarche soit effectuée dans les 24 h. S'il s'agit de votre passeport, contactez votre ambassade, elle l'a peut-être récupéré.

Sinon, elle se chargera de le remplacer, mais ne fournira pas d'aide financière. Les objets trouvés aboutissent généralement à la poste centrale de la plaza de Cibeles.

DANGERS DE PLEIN AIR

Vents violents et sécheresse provoquent chaque année des incendies en Espagne. Ne jetez donc pas de mégot par la fenêtre de votre voiture et ne laissez pas traîner de bouteilles vides dans la nature.

En forêt, un panneau marqué *coto de caza* signale une réserve de chasse réglementée. *Toro bravo* signifie « taureau de combat » : n'approchez pas. Un *camino particular* est une voie privée.

En montagne, prévoyez un équipement adéquat et prévenez de l'heure à laquelle vous comptez rentrer. Les téléphones mobiles fonctionnent dans une grande partie du pays.

Banques et monnaie

L'Espagne n'impose pas de limite à l'importation de devises dans le pays, mais il faut faire une déclaration pour exporter plus d'un million de pesetas. Les Eurochèques sont largement acceptés et les banques, qui offrent en général les meilleurs taux, les bureaux de change et certains magasins et hôtels permettent de changer les chèques de voyage. Le plus simple consiste néanmoins à retirer de l'argent avec une carte bancaire aux nombreux distributeurs de billets.

Distributeur automatique (24 h/24)

HORAIRES DES BANQUES

Bien que les grandes agences du centre de Madrid commencent à prolonger leurs horaires d'ouverture, les banques espagnoles ouvrent normalement de 8 h à 14 h du lundi au vendredi et, pour certaines, le samedi jusqu'à 13 h. En août, la plupart ferment complètement le week-end.

Bureau de change

CHANGE

La majorité des banques ont un bureau de change (*cambio* ou *extranjero*). Il faut présenter une pièce d'identité pour toute transaction.

Les principales cartes bancaires permettent de retirer au guichet une somme allant jusqu'à 50 000 pesetas. Certaines banques françaises comme le **Crédit Lyonnais** possèdent des succursales en Espagne.

Nombreux dans les quartiers touristiques, les bureaux de change signalés par des panneaux « *Caja de Cambio* » ou « *Change* » prélèvent toujours des commissions plus élevées. Ils ont toutefois des horaires

d'ouverture plus pratiques. Les caisses d'épargne (*cajas de aboro*) changent aussi les devises. Elles ouvrent de 8 h 30 à 14 h en semaine et de 16 h 30 à 19 h 45 le jeudi.

CHÈQUES ET CARTES BANCAIRES

Les chèques de voyage s'achètent auprès de toutes les banques, ceux d'American Express et de Thomas Cook étant les plus répandus. American Express possède des bureaux en Espagne où elle échange ses chèques sans prendre de commission. Pensez toujours à conserver votre reçu à part, car vous en aurez besoin pour obtenir le remboursement de chèques volés ou perdus.

Les Eurochèques permettent d'effectuer des règlements directement en pesetas, mais servent aussi à retirer de l'argent dans les banques.

Pour les retraits en liquide, les cartes bancaires les plus répandues sont les cartes **Visa, Mastercard, American Express** et **Diners Club.** Comme en France, il vous faudra le plus souvent taper votre code confidentiel sur un boîtier pour régler par carte un achat ou un service.

Terminal pour cartes bancaires

DISTRIBUTEURS DE BILLETS

Très répandus, ces distributeurs automatiques acceptent presque tous les cartes Visa et Mastercard, ainsi que celles portant les logos Cirrus et Maestro. Ils permettent de retirer de l'argent directement sur son compte, à condition de détenir une carte valable à l'étranger.

Les instructions sont affichées en anglais, en français, en allemand et en espagnol. Si le distributeur se trouve dans un local fermé, glissez votre carte dans la fente près de la porte pour pouvoir entrer.

CARNET D'ADRESSES

BANQUE FRANÇAISE

Crédit Lyonnais
Paseo de la Castellana 35,
28046 Madrid.
C 91 349 20 65.

CARTES ET CHÈQUES DE VOYAGE PERDUS

American Express
Plaza de Las Cortes 2,
28014 Madrid.
C 91 322 55 00.
C 07 44 1273 696933
(*appel international gratuit*).

Diners Club
C 07 44 1252 513500
(*appel international gratuit*).

Mastercard
C 07 44 1268 298178.

VISA
C 900 99 12 16 (*appel gratuit*).

MONNAIE

L'unité monétaire espagnole est la *peseta*, habituellement abrégée en « pta » et « ptas ». Les Catalans disent *pesseta* (*pessetes* au pluriel). Dans les deux langues, on compte aussi en duros, bien que ceux-ci n'aient pas de réalité officielle. Un duro vaut cinq pesetas. Les commerçants arrondissent souvent les prix au duro supérieur ou inférieur. Ils évitent ainsi d'avoir à rendre des pièces d'une peseta. Ces dernières ne possèdent quasiment plus aucune valeur, mais restent théoriquement utilisées malgré divers projets de retrait.

En revanche, le gouvernement espagnol a retiré de la circulation en janvier 1997 les vieilles pièces dont les formes prêtaient à confusion, pour garder 7 modèles principaux aisés à distinguer les uns des autres par leurs dimensions et leurs couleurs. Les motifs changent régulièrement mais restent longtemps en circulation, pour le plus grand plaisir des collectionneurs, même lorsqu'ils ont pour objet une commémoration. Ainsi, les pièces émises pour la Coupe du monde de football de 1994 restaient utilisées après celle de 1998.

Attention, les pièces de monnaie espagnoles ne peuvent pas être échangées hors du pays.

1 000 pesetas

Les billets
Il existe en Espagne des billets de 1 000 pesetas (deux motifs, verts tous les deux), 2 000 pesetas (roses), 5 000 pesetas (ocre et violets) et 10 000 pesetas (bleus). Ils sont de taille croissante en fonction de leur valeur.

2 000 pesetas

5 000 pesetas

10 000 pesetas

Les pièces
Représentées ici grandeur nature, les pièces valent 5 ptas, 10 ptas, 25 ptas, 100 ptas, 200 ptas et 500 ptas. Celles de 500, 100, 25 et 5 ptas ont une couleur or. Celles de 200, 50 et 10 ptas sont argentées.

5 pesetas

10 pesetas

25 pesetas

50 pesetas

100 pesetas

200 pesetas

500 pesetas

Communications et médias

Tabac vendant des timbres

Telefónica, l'entreprise de télécommunication espagnole, gère un réseau téléphonique performant, numérisé en 1995. Nombreux, les publiphones fonctionnent avec des pièces ou des cartes. La poste, ou Correos, possède un logo en forme de couronne rouge ou blanche sur fond jaune. Tous les bureaux de poste permettent d'envoyer des courriers en recommandé et des télégrammes ; on peut aussi y acheter des timbres, mais ils n'abritent pas de téléphones publics.

Logo de Telefónica

UTILISER UN PUBLIPHONE À PIÈCES ET À CARTE

1 Décrochez et attendez la tonalité et l'affichage du message : *Inserte monedas o tarjeta*.

2 Insérez des pièces *(monedas)* ou une carte *(tarjeta)*.

3 Composez le numéro lentement. Mieux vaut faire une petite pause entre chaque chiffre.

4 L'écran affiche le numéro que vous composez et l'argent ou les unités qu'il vous reste. Il indique le moment de rajouter des pièces.

5 Une fois l'appel fini, raccrochez pour faire retomber les pièces qui n'ont pas été utilisées.

Carte de 1 000 pesetas

Pièces acceptées dans les publiphones

TÉLÉPHONER EN ESPAGNE

Outre les cabines publiques *(cabinas)*, vous trouverez des publiphones dans les bars. Tous acceptent des pièces de 5, 25 et 100 pesetas, mais les cartes vendues par les marchands de journaux et les bureaux de tabac *(estancos)* se révèlent plus pratiques. Certains téléphones affichent les instructions en plusieurs langues.

On peut aussi téléphoner dans les *locutorios,* bureaux qui permettent de payer après avoir passé ses appels, sans se soucier d'avoir de la monnaie. Les moins chers sont ceux gérés par Telefónica. Les autres, privés, sont souvent installés dans des magasins. Toutefois, une communication effectuée depuis un *locutorio* privé ou une *cabina* revient 35 % plus cher que depuis un domicile. France Telecom propose le service France Direct qui permet de passer des appels depuis n'importe quel poste à touches, le téléphone d'un ami par exemple, et d'être facturé en France. Les appels passés depuis une chambre

OBTENIR LE BON NUMÉRO

- Il faut composer le numéro complet, même à l'intérieur d'une ville. Les premiers chiffres indiquent la province : 93 pour Barcelone, 973, 972 et 977 pour Lleida, Gérone et Tarragone.
- Pour appeler à l'étranger, faites le 00, l'indicatif du pays, puis le numéro du correspondant (sans le premier 0 pour les appels vers la France, ou de celui des indicatifs régionaux pour les autres pays).
- Les indicatifs pour l'étranger sont le 32 pour la Belgique, le 1 pour le Canada, le 33 pour la France et le 41 pour la Suisse.

- Pour obtenir une opératrice ou les renseignements, composez le 1003.
- Le numéro des renseignements internationaux est 1008 pour l'Union européenne et 1005 pour le reste du monde.
- Pour téléphoner en PCV, faites le 900 99 00 suivi de l'indicatif du pays pour l'UE, du 15 pour le Canada ou du 41 pour la Suisse. Les numéros des autres pays se trouvent au début de l'annuaire (volume A-K) à la rubrique « Comunicaciones Internacionales ».

d'hôtel peuvent revenir très cher. Il n'existe plus d'indicatifs régionaux en Espagne depuis 1998. Il faut donc composer le numéro complet, y compris le 9 du début. Pour appeler depuis la France, tapez d'abord 00 pour obtenir l'international puis 34, l'indicatif de l'Espagne.

SERVICES POSTAUX

La poste (Correos) est lente, et même s'il est possible d'envoyer un courrier en express *(urgente)* ou en recommandé *(certificado)* les entreprises privées de messagerie assurent un service plus fiable et plus rapide.

Il existe quatre gammes de tarifs postaux en fonction de la destination : l'Union européenne, le reste de l'Europe, les États-Unis et le reste du monde. Les paquets doivent être pesés et affranchis dans les bureaux de poste. Mieux vaut fermer avec de la ficelle, car si c'est le guichetier qui s'en charge, il faut payer un supplément.

Les principaux bureaux de poste ouvrent de 8 h à 21 h du lundi au vendredi et de 9 h à 19 h le samedi. En banlieue ou dans les petites localités, ils ferment souvent dès 14 h en semaine et à 13 h le samedi.

Timbres à l'effigie du roi

RÉDIGER UNE ADRESSE

Dans les adresses espagnoles, le nom de la voie précède le numéro de l'immeuble que suit celui de l'étage de l'appartement. Les deux premiers chiffres du code postal indiquent la province.

LETTRES ET TÉLÉCOPIES

Le courrier expédié dans une grande poste arrivera en général plus vite que celui glissé dans une boîte aux lettres *(buzón)*. Celles des villes sont jaunes et de grande taille, et diffèrent de celles des bourgs et des villages, plus petites et fixées à des murs.

Les lettres en poste restante doivent porter la mention *Lista de Correos* et le nom de la ville. Vous les récupérerez, en présentant une pièce d'identité, à la poste centrale. Pour recevoir ou envoyer de l'argent, demandez un *giro postal.*

Certains *locutorios,* des hôtels et de nombreux commerces proposent un service de télécopie. Cherchez les enseignes indiquant *telefax.*

Boîte aux lettres

TÉLÉVISION ET RADIO

Le service public de télévision, Televisión Española, diffuse les deux chaînes TVE1 et TVE2. Plusieurs régions autonomes possèdent aussi leur propre chaîne émettant en langue locale. Celle de Madrid, Telemadrid, est une bonne source d'informations sur les manifestations organisées dans la capitale et aux alentours.

Il existe aussi trois chaînes nationales indépendantes : Antena 3, Tele-5 (Telecinco) et Canal Plus qui, comme en France, fonctionne par abonnement, mais diffuse des programmes en clair.

La plupart des films étrangers du petit écran sont doublés. Dans les magazines, le sigle VO signale ceux qui sont en *version original.*

Les hôtels captent par satellite CNN, Eurosport et Cinemanía. La radio de service public comprend Radio Clásico et Radio 2, spécialisées dans la musique, et Radio Nacional de España. Radio France International couvre toute l'Espagne.

JOURNAUX ET MAGAZINES

La majorité des kiosques installés près de la Puerta del Sol, de la Gran Vía, de la calle de Alcalá et du paseo de la Castellana vendent des quotidiens et des périodiques étrangers. Des journaux du matin comme *Le Figaro* et *Libération* sont disponibles le même jour qu'en France, *France-Soir* et *Le Monde* arrivent le lendemain.

Les journaux espagnols les plus lus sont, par ordre décroissant du nombre de ventes, *El País, El Mundo* et *ABC. El Mundo* possède plus de chroniques et s'adresse à une clientèle plus jeune que les deux autres, qui offrent une présentation plus approfondie de l'actualité internationale.

Les principaux magazines de programme comprennent *Guía del Ocio* qui paraît le vendredi, *Metrópoli,* supplément gratuit de l'édition du jeudi d'*El Mundo,* et *Tentaciones,* supplément gratuit du vendredi d'*El País.*

Hors de la capitale, les journaux locaux constituent de précieuses sources d'information sur les manifestations prévues dans les villes et les villages.

Il existe également des périodiques s'adressant aux anglophones de Madrid : *Guidepost,* magazine d'informations générales et économiques, *In Madrid,* mensuel gratuit diffusé dans les pubs, les librairies et les magasins de disques, et *Lookout.* La Chambre française de commerce et d'industrie publie *Perspectives.*

Quotidiens espagnols

ALLER À MADRID

Madrid se trouve au cœur des réseaux routier et ferroviaire espagnols. Ils ont été grandement améliorés en 1992 pour l'organisation de l'Exposition universelle de Séville et des Jeux olympiques de Barcelone. Des trains à grande vitesse desservent désormais au départ de Madrid des destinations dans

✈ **aeropuerto**

Panneau indiquant l'aéroport

tout le pays. Des autoroutes rayonnent aussi depuis la ville dans toutes les directions. Il existe des liaisons aériennes régulières entre l'aéroport Barajas et beaucoup de capitales européennes ou de grandes villes de province comme Bordeaux et Nice. Barajas est également une des grandes voies d'accès à l'Amérique du Sud.

Boutique de produits détaxés à l'aéroport Barajas

ARRIVER EN AVION

La plupart des compagnies aériennes internationales et de nombreux vols charters desservent l'aéroport Barajas. La compagnie espagnole, **Iberia**, assure des vols directs depuis Montréal, des liaisons quotidiennes avec toutes les capitales d'Europe occidentale sauf Dublin, et deux ou trois navettes hebdomadaires avec celles d'Europe de l'Est.

Air France propose des vols à destination de Madrid depuis Paris, mais aussi de villes de province comme Lille et Nice. **Sabena** et **Swissair** assurent des liaisons quotidiennes au départ, respectivement, de Bruxelles et Genève.

DE L'AÉROPORT AU CENTRE-VILLE

Il faut environ 20 min par la route pour rejoindre le cœur de Madrid depuis Barajas. Le bus de l'aéroport part toutes les 12 min du terminal 1 entre 4 h 45 et 1 h 50. Le trajet coûte 370 pesetas et la ligne a pour terminus la plaza de Colón. Elle passe par l'avenida de América et la calle de Serrano (calle de Velázquez dans l'autre sens).

En taxi, la course ne devrait pas vous revenir à plus de 2 500 pesetas. N'hésitez pas à demander un reçu.

TARIFS

La fréquentation des vols à destination de l'Espagne varie en fonction des périodes de l'année et c'est en hiver, hors vacances de Noël et de Pâques, que vous avez des chances d'obtenir les meilleurs prix, en particulier sur les forfaits week-end comprenant le transport, l'hébergement et, parfois, des spectacles ou des

visites. N'hésitez pas à comparer les offres, notamment avec celles de compagnies aériennes espagnoles comme **Europa Air** et **Spanair**, ou d'agences de voyages et de tous les autres spécialistes des charters.

VOLS INTÉRIEURS

Iberia propose un service de navettes *(puente aéreo)* entre Madrid et Barcelone avec de très nombreux vols quotidiens. Les passagers peuvent acheter leur billet à un distributeur automatique jusqu'à 15 min avant le départ.

Distributeur de billets

Comme Iberia, **Aviaco**, Air Europa et Spanair assurent des liaisons avec les capitales régionales. Moins fréquentes que le *puente aéreo*, elles sont aussi un peu moins chères. Il existe un système de remises, comparable au système Apex, qui permet de voler meilleur marché à condition de réserver. Pour obtenir la réduction la plus intéressante, il faut s'y prendre au moins une semaine à l'avance.

ARRIVER EN TRAIN

La compagnie espagnole de chemins de fer, **RENFE** *(Red Nacional de Ferrocarriles Españolas)*, possède deux terminus de grandes lignes à Madrid : Atocha *(p. 85)* au sud du centre et Chamartín au nord-ouest. C'est à Atocha qu'arrivent les trains en provenance du Portugal et du sud et de l'ouest de l'Espagne,

Un avion d'Iberia, la compagnie aérienne espagnole

La gare d'Atocha, l'une des premières structures en fer et en verre

ainsi que les AVE à grande vitesse venant de Séville et Cordoue. Les passagers arrivant de France et du nord et de l'est de l'Espagne descendent normalement à Chamartín. Un tunnel relie les deux gares et certains trains s'arrêtent aux deux.

Des express (TALGO) qui peuvent emprunter aussi bien les rails standard que ceux de l'AVE circulent entre Madrid et Málaga, Valence, Barcelone, Saint-Sébastien et Saint-Jacques-de-Compostelle. Les trains dits longue distance *(largo recorrido)* sont beaucoup plus lents. Il existe en outre des trains-auto. Les passagers voyageant de nuit en compartiment couchettes peuvent emporter une bicyclette (démontée et emballée). Hors des heures de pointe, les trains régionaux permettent aussi de prendre un vélo avec soi.

ARRIVER EN AUTOCAR

L'autocar offre un moyen économique de voyager, y compris sur de longues distances et, en Espagne, il permet souvent de se déplacer plus vite qu'en train, en particulier depuis les stations balnéaires.

La compagnie **Eurolines** assure des liaisons régulières dans toute l'Europe. Ses autocars sont confortables et les passagers disposent le plus souvent de la climatisation et de dossiers

Panneaux routiers madrilènes

inclinables, mais mieux vaut le vérifier au moment de prendre son billet.

Madrid abrite trois gares routières principales. Située au sud-est, non loin du centre-ville, l'**Estación Sur de Autobuses** dessert tout le pays, tandis que les bus partant du **Terminal Auto-Res** rejoignent Valence, Lisbonne, et l'est et le nord-ouest de l'Espagne. Le **Terminal Continental Auto** se trouve au nord du centre-ville et dessert le nord de la péninsule et Tolède.

L'échangeur entre transports en commun de la calle de Méndez Alvaro permet un accès pratique aux bus urbains, au métro et aux trains régionaux.

ARRIVER EN VOITURE

Les panneaux de signalisation et le code de la route espagnols diffèrent peu des français *(p. 195)*. Les autoroutes à péage sont relativement chères, mais plusieurs grands axes de communication à doubles voies restent gratuits.

Madrid possède deux autoroutes périphériques, la M40 extérieure et la M30 plus proche du centre. Toutes les autoroutes rejoignent la M30. Les sorties sont identifiées par le nom de la rue à laquelle elles donnent accès.

CARNET D'ADRESSES

AÉROPORT

Renseignements de l'aéroport Barajas
91 305 83 43.

IBERIA ET AVIACO

Vols internationaux
901 333 222 (Espagne).

Vols intérieurs
901 333 111 (Espagne).

France
01 40 47 80 90.

Belgique
(02) 548 94 90.

AUTRES COMPAGNIES AÉRIENNES ET VOYAGISTES

Air Europa
91 305 82 54.

Air France
91 33 00 440 (Espagne).
01 44 08 22 22 (France).

Nouvelles Frontières
91 547 42 00 (Espagne).
01 41 41 58 58 (France).

Sabena
01 330 04 60 (Espagne).
(02) 723 23 23 (Belgique).

Swissair
91 547 92 07 (Espagne).
(01) 258 33 55 (Suisse).

Spanair
902 131 415 (Espagne).

GARES FERROVIAIRES

RENFE
Calle de Alcalá 44.
Plan 7 B1.
91 328 90 20.

Chamartín
Calle de Agustín de Foxá 2.
91 328 90 20.

Atocha
Plaza del Emperador Carlos V. **Plan** 7 C5.
91 328 90 20.

COMPAGNIES ET GARES ROUTIÈRES

Estación Sur de Autobuses
Calle de Méndez Alvaro, Esquina Calle de la Retama.
91 468 58 74.

Eurolines
91 528 11 05 (Madrid).
01 43 54 11 99 (France).

Terminal Auto-Res
Calle Fernández Shaw 1.
902 192 939.

Terminal Continental-Auto
Calle de Alenza 20.
91 533 04 00.

Circuler à Madrid

La marche à pied est le meilleur moyen de découvrir le centre de Madrid où les sites d'intérêt sont concentrés à courte distance les uns des autres. Toutefois, si vos visites vous emmènent plus loin, le métro, avec ses rames propres et rapides, est le plus pratique des transports en commun. Si on dispose de plus de temps, un excellent réseau de bus permet de visiter la ville tout en se déplaçant. Vous pouvez aussi prendre un taxi. Ils sont des milliers à sillonner les rues de Madrid. Si vous projetez de vous rendre dans les sites en dehors du centre, n'oubliez pas que beaucoup de musées et de magasins ferment entre 14 h et 17 h.

Autobus urbain à la couleur caractéristique devant la Puerta de Toledo

MADRID EN BUS

Avantageux, le *bonobús,* ticket autorisant dix trajets en bus ou en métro, coûte environ 700 pesetas, et s'achète dans les débits de tabac *(estancos),* auprès des marchands de journaux et aux kiosques de l'**EMT** installés sur la plaza de Colón, la plaza de Cibeles, la plaza del Callao, la plaza de Manuel Becerra et la Puerta del Sol. Ces kiosques, à l'instar des bureaux d'information touristique, fournissent des plans et des renseignements détaillés sur les transports publics, y compris les trains régionaux.

Des panneaux installés aux arrêts de bus indiquent le numéro de la ligne et son parcours. En montant à bord, vous pouvez soit acheter votre billet au chauffeur, soit glisser votre *bonobús* dans le composteur. Un bouton proche des portes de sortie permet de demander l'arrêt. Les mots « *piso bajo* » (« plancher bas ») signalent les véhicules surbaissés au niveau des portes arrières, conçus pour les personnes en fauteuil roulant.

Les lignes les plus pratiques comprennent la 2 qui traverse le centre de Madrid d'est en ouest, la 5 qui relie la Puerta del Sol à la gare de Chamartín en passant par la plaza de Cibeles, et la 27 qui suit, du nord au sud, le paseo de la Castellana de la plaza de Castilla à la glorieta de Embajadores.

Les bus circulent de 6 h du matin à minuit. La nuit, ils passent toutes les demi-heures entre minuit et 3 h, puis toutes les heures jusqu'à 6 h. Vingt bus de nuit *(buhos)* partent dans différentes directions de la plaza de Cibeles.

MADRID EN MÉTRO

Évitant la circulation qui encombre les rues en surface, le métro offre le moyen le plus rapide de se déplacer à Madrid. En outre, nombre des principales stations possèdent des boutiques et des bars, et celle du Retiro abrite même une galerie d'art.

Le réseau se compose de 125 stations reliées par 11 lignes, repérées chacune par une couleur différente, plus la liaison Ópera-Príncipe Pío *(voir plan des transports à la fin du guide).* Un ticket permet d'effectuer un trajet illimité. Toutes les stations vendent des *bonobús,* forfaits de dix trajets valables aussi pour les bus. Une ligne en construction permettra bientôt de rejoindre l'aéroport Barajas.

Panneau d'une station de métro

MADRID EN TAXI

Il existe environ 15 000 taxis à Madrid. Ils portent tous une bande oblique jaune sur la portière. Quand ils sont libres, ils allument la lanterne verte sur leur toit.

Dans les limites de la ville de Madrid, y compris jusqu'à l'aéroport, les taxis doivent impérativement mettre en route leur compteur. La prise en charge est de 170 pesetas, et divers suppléments s'appliquent : pour les bagages, pour un chien (sauf un chien d'aveugle), si la destination est l'aéroport ou le Parque Ferial, et enfin si la course part d'une gare entre 11 h et 18 h un samedi, un dimanche ou un jour férié.

Pour commander une voiture, appelez **Radio Taxis** ou **Radioteléfono Taxi** qui propose aussi des véhicules pour handicapés *(p. 173).*

Taxis en attente

Autobus d'une compagnie de visites organisées

VISITES EN BUS

Les bus à impériale de **Madrid Vision** circulent toute la journée. Les passagers disposent d'écouteurs diffusant un commentaire. Il existe 14 points d'embarquement qui vous permettent de monter ou descendre où vous voulez. Les visites sont possibles toute l'année.

Juliá Tours propose une gamme variée de visites organisées, certaines comprenant une corrida *(p. 111)* ou un spectacle de flamenco en soirée *(p. 174)*.

MADRID EN VOITURE

Le conducteur d'un véhicule doit pouvoir présenter à tout moment son permis de conduire, une pièce d'identité, la carte grise et une attestation d'assurance. Un permis de conduire national suffit pour les ressortissants de l'Union européenne, les habitants d'autres pays doivent se munir d'un permis international.

Conduire à Madrid n'a rien d'une sinécure : les Madrilènes se montrent agressifs au volant, la signalisation se révèle trompeuse ou insuffisante, les stations-service sont rares et il est difficile de se garer. Des embouteillages se forment aux heures de pointe, en particulier sur la M30, le périphérique intérieur. Si jamais vous vous perdez, faites signe à un taxi, criez l'adresse et suivez-le. Il vous en coûtera le prix de la course.

La vitesse est limitée en Espagne à 50 km/h en agglomération, à 100 km/h sur route et à 120 km/h sur autoroute.

LOUER UNE VOITURE

Pour pouvoir louer une voiture, il faut avoir plus de 21 ans et posséder un permis valide (international pour les étrangers n'appartenant pas à l'Union européenne). Le paiement s'effectue par carte bancaire, en liquide ou en chèques de voyage.

Plusieurs sociétés telles que **Atesa, Avis, Budget, Europcar** et **Hertz** possèdent des comptoirs au Terminal 1 de l'aéroport Barajas. Des loueurs sont aussi installés dans les gares d'Atocha et de Chamartín. Il est vivement recommandé de souscrire une assurance complète et, l'été, de demander des voitures climatisées.

Logos de grandes sociétés de location de voitures

SE GARER

Il est difficile de trouver où se garer à Madrid et, si vous venez en voiture, vous avez intérêt à choisir un hôtel offrant la possibilité de stationner. Il existe toutefois dans le centre des parkings souterrains payants. Les mots « *libre* », en vert, ou « *completo* », en rouge, vous indiqueront s'il reste des places disponibles. Attention au stationnement interdit : récupérer une voiture emportée par la fourrière coûte 30 000 pesetas. Dans le centre, pour se garer entre 8 h et 20 h (15 h en été), il faut acheter dans un bureau de tabac ou un kiosque à journaux un ticket dont le prix varie en fonction du temps alloué.

Quand vous décidez de vous garer, verrouillez les portes avant de partir, et ne laissez pas d'objets de valeur dans le véhicule. Si toutefois vous ne pouvez les emporter, enfermez-les dans le coffre.

Panneau d'interdiction de s'arrêter

CARNET D'ADRESSES

RENSEIGNEMENTS DES BUS ET DU MÉTRO

Renseignements des bus EMT
☎ 91 406 88 00.

Renseignements du métro
☎ 91 552 59 09.

TAXIS

Radio Taxis
☎ 91 447 51 80.

Radioteléfono Taxi
☎ 91 547 82 00.

VISITES EN BUS

Juliá Tours
Gran Vía 68.
Plan 4 F1.
☎ 91 559 96 05.

LOCATION DE VOITURES

Atesa
☎ 902 10 01 01.
☎ 91 329 02 22 (aéroport Barajas).

Avis
☎ 91 348 03 48.
☎ 91 393 68 68 (aéroport Barajas).
☎ 0 802 05 05 05 (France).

Budget
☎ 91 721 12 22.
☎ 91 393 72 16 (aéroport Barajas).

Europcar
☎ 91 721 12 22.
☎ 91 393 72 35 (aéroport Barajas).
☎ 0 801 01 00 00 (France).

Hertz
☎ 91 509 73 00.
☎ 91 393 72 28 (aéroport Barajas).
☎ 0 825 34 23 43 (France).

VÉLOS

Karacol Sport SA
Calle de Tortosa 8.
Plan 7 C5.
☎ 91 539 96 33.

MADRID EN VÉLO

Karacol Sport SA loue des bicyclettes près de la gare d'Atocha, mais se déplacer à vélo n'est agréable à Madrid que le dimanche et les jours fériés. Le reste du temps la circulation est trop intense.

Circuler hors de Madrid

Logo des chemins de fer espagnols

Chacun des principaux sites des environs de Madrid peut être visité en une journée. Mais quelques jours d'excursion hors de la capitale vous donneront l'occasion de séjourner dans une ville ou un village au rythme plus paisible, ou encore de découvrir des hébergements typiques à la campagne. C'est la voiture qui vous offrira le plus de liberté, bien que le train relie toutes les villes historiques. L'AVE permet ainsi de rejoindre Séville ou Cordoue en quelques heures. Des agences de voyages proposent des visites organisées de Tolède, El Escorial et Ségovie. Pour un long trajet en bus, assurez-vous que vous prenez la liaison la plus directe, certaines desservent tous les arrêts.

Trains TALGO en gare d'Atocha

CIRCULER EN TRAIN

Cinq types de trains partent de Madrid : *cercanías* (de banlieue), *regional, largo recorrido* (longue distance), TALGO (longue distance express) et AVE (liaison à grande vitesse avec Ciudad Real, Puertollano, Cordoue et Séville).

Le *cercanía* C-2 assure des dessertes fréquentes d'Alcalá de Henares et de Guadalajara au départ de Chamartín, Nuevos Ministerios, Recoletos et Atocha. Des *cercanías* partent aussi toutes les demi-heures d'Atocha à destination d'Aranjuez. De mi-avril à mi-juillet et de mi-septembre à mi-octobre, le *Tren de las Fresas* (« train des Fraises »), tiré par une locomotive à vapeur, circule le week-end entre Aranjuez et la gare AVE d'Atocha. Une dégustation de fraises est comprise dans le prix du billet qu'il faut réserver à l'avance. Pour rejoindre Puerto Navacerrada et les stations de ski, le plus simple consiste à prendre à Atocha le *cercanía* C-8b jusqu'à Cercedilla puis à changer pour le C9. Le C-8a conduit à San Lorenzo de El Escorial. Le C-8b continue après Cercedilla jusqu'à Ségovie qu'on peut aussi rejoindre avec le *regional* qui part d'Atocha, à l'instar du *regional* pour Tolède.

BILLETS

Horaires et billets de chemins de fer sont disponibles aux bureaux de la **RENFE** et dans les gares, ainsi qu'auprès des agences de voyages. Les prix dépendent du type de train, les services TALGO et AVE étant les plus chers.

Les cyclistes peuvent emporter leur vélo dans un train *regional* pendant les week-ends, les jours fériés et à certaines heures creuses de la semaine. Les bicyclettes sont aussi acceptées, démontées et emballées, dans les compartiments couchettes des trains TALGO et *largo recorrido*.

Les tarifs sont plus élevés le week-end et les jours fériés. Les enfants de moins de 11 ans ont droit à une réduction de 40 %, et de 20 % s'ils sont âgés de 12 à 25 ans (à condition de poursuivre des études). Les billets de retour sont valables quinze jours. Certains jours, la RENFE accorde des prix préférentiels sur de longs trajets. **Iberrail** propose d'intéressants forfaits train + hôtel. *Ida* signifie aller simple, *ida y vuelta* aller et retour.

CIRCULER EN VOITURE

Vérifiez avant votre départ les risques que couvre votre assurance en Espagne, notamment si elle prévoit la prise en charge directe des frais de dépannage ou de rapatriement du véhicule.

La loi impose que le véhicule porte à l'arrière un autocollant indiquant son pays d'immatriculation. Il est obligatoire d'avoir à bord un triangle de détresse, des ampoules de rechange et une trousse de premier secours. En hiver, prévoyez également des chaînes en montagne. En été,

Sur une route de montagne dans une sierra espagnole

Station-service d'une chaîne implantée dans tout le pays

n'oubliez pas d'emporter de l'eau si vous vous écartez des sentiers battus, surtout si vous voyagez avec des enfants.

Il existe deux sortes d'autoroutes en Espagne. Les *autopistas* à péage et les *autovías* gratuites. Un « N » signale une route nationale (*carretera nacional*).

Une *autopista*, la N401 pour Tolède, et six *autovías* numérotées de NI à NVI rayonnent de Madrid à partir de deux boulevards périphériques. Le plus proche du centre s'appelle la M30. La M40 dessert l'aéroport.

Le numéro gratuit de l'**Información de Tráfico de Carreteras** permet d'avoir des renseignements sur les conditions de circulation.

FAIRE LE PLEIN

Toutes les stations-service vendent de l'essence (*gasolina*), du gazole (*gasóleo*) et de l'essence sans plomb (*gasolina sin plomo*), mais les plus petites n'acceptent pas toujours les cartes bancaires.

LIMITATIONS DE VITESSE ET AMENDES

Les limitations de vitesse pour les voitures sans remorque sont de 120 km/h sur les *autopistas* (autoroutes à péage), 100 km/h sur les *autovías* (autoroutes gratuites), 90 km/h sur les *carreteras nacionales* (routes nationales) et les *carreteras comarcales* (routes secondaires), et de 60 km/h en agglomération. Les amendes pour excès de vitesse s'élèvent à 1 000 pesetas par km/h au-dessus de la vitesse autorisée et sont payables immédiatement. Les tests d'alcoolémie sont de plus en plus répandus.

VISITES ORGANISÉES ET COMPAGNIES DE BUS

La plus grande compagnie madrilène de visites organisées en autocar, **Juliá Tours** *(p. 195)*, prend directement les réservations, tandis que **Pullmantour** impose de passer par une agence de voyages. Les excursions proposées par **Mundo Joven** ne sont souvent commentées qu'en espagnol.

Des liaisons en bus permettent de rejoindre de nombreux villes et villages. Au départ de l'**Estación Sur de Autobuses, Autocares Samar** dessert Aranjuez, **Autocares Cevesa** va à San Martín de Valdeiglesias, **La Sepulvedana** à Ségovie et **Floravilla** à Sigüenza (un seul départ à 18 h). **Continental-Auto** et **Transporte Galiano Continental** assurent des navettes régulières avec Tolède.

Continental-Auto (situé à l'angle de la calle de Cartagena et de l'avenida de América) dessert aussi Alcalá de Henares, **La Veloz** (plaza de Conde Casal) Chinchón, **Hijos de J. Colmenarejo** (plaza de Castilla) Manzanares el Real, **Larrea SA** (métro Moncloa) Puerto de Navacerrada et **Autocares Herranz** (métro Moncloa) San Lorenzo de El Escorial. **Enatcar** propose un service compétitif vers le littoral.

Autocar d'une compagnie proposant des visites guidées

CARNET D'ADRESSES

CHEMINS DE FER

Iberrail
91 571 66 92.

RENFE
91 328 90 20.
www.renfe.es

RENSEIGNEMENTS ROUTIERS

Información de Tráfico de Carreteras
900 12 35 05.

DÉPANNAGE ROUTIER

RACE
Calle de José Abascal 10.
91 593 33 33.

VISITES ORGANISÉES ET COMPAGNIES DE BUS

Autocares Cevesa
91 539 31 32.

Autocares Herranz
91 890 41 22.

Autocares Samar
91 468 48 39.

Continental-Auto
91 533 04 00/37 11.

Enatcar
Estación Sur de Autobuses.
91 530 47 58 (national).
91 530 76 00 (international).

Floravilla
91 530 88 29.

Hijos de J. Colmenarejo
91 845 00 51.

Larrea SA
91 530 48 00.

La Sepulvedana
91 530 48 00.

La Veloz
91 409 76 02.

Mundo Joven
91 521 86 01.

Pullmantur
91 556 11 14.

Transporte Galiano Continental
91 527 29 61.

ATLAS DES RUES

0   1 km

LÉGENDE DE L'ATLAS DES RUES

- Site exceptionnel
- Site intéressant
- Autre édifice
- Gare ferroviaire
- Station de métro
- Arrêt de bus principal
- Gare routière

- Station de taxis
- Parc de stationnement
- Information touristique
- Hôpital de garde
- Poste de police
- Église
- Monastère

- Bureau de poste
- Voie ferrée
- Rue à sens unique
- Rue piétonne

ÉCHELLE DES PLANS

0   250 m

00 RENSEIGNEMENTS PRATIQUES

G

Gabriel Miró, Plaza de 3 B3
Galdo, Calle 4 F2
Galería de Robles, Calle de la 2 F3
Galicia, Plaza de 8 F1
Galileo, Calle de 2 D3
García de Paredes, Calle de 2 F1
García Gutiérrez, Calle de 5 C4
García Molinas, Calle de 2 D5
Garcilasco, Calle de 5 A2
Gaztambide, Calle de 1 B2
General Alvarez de Castro, Glorieta 2 F1
General Arrando, Calle del 5 B2
General Castaños, Calle del 5 C5
General Martínez Campos, Paseo del 5 B1
General Mitre, Calle del 2 D5
General Oráa, Calle de 6 E1
Gérona, Calle de 4 E3
Gil de Santivañes, Calle 6 D5
Gil Imón, Calle de 3 B5
Gobernador, Calle del 7 B4
Gómez de Mora, Calle 4 D3
Gómez, Paseo de 8 D4
Gonzalo de Córdoba, Calle de 2 F2
Gonzalo Jiménez de Quesada, Calle de 4 F1
Goya, Calle de 6 D4
Grafal, Calle de 4 E3
Gran Vía 2 D5
Granado, Calle de 3 C3
Granado, Plaza de 3 C3
Gravina, Calle de 5 B5
Guardias de Corps, Plaza de 2 D4
Guillermo Rolland, Calle de 4 D1
Gurtubay, Calle de 6 F5
Guzmán el Bueno, Calle de 1 C2

H

Hartzenbusch, Calle de 2 F3
Hermanos Alvarez Quintero, Calle de los 5 B4
Hermanos Bécquer, Calle de los 6 E1
Hermosilla, Calle de 6 D4
Hernán Cortés, Calle de 5 A5
Hernani, Puerta de 8 E1
Herradores, Plaza de los 4 D2
Hilarión Eslava, Calle de 1 B2
Híleras, Calle de 4 E2
Honduras, Plaza de 8 F3
Horno de la Mata, Travesía del 4 F1
Hortaleza, Calle de 5 A5
Hospital, Calle del 7 B5
Huerta del Bajo, Calle de la 4 E5
Huertas, Calle de las 7 A3
Humilladero, Calle del 4 D4
Humilladero, Plaza del 4 D4

I

Ilustración, Calle de la 3 B1
Imperial, Calle de 4 E3
Imperial, Paseo 3 A4
Independencia, Calle de la 4 D2
Independencia, Plaza de la 8 D1
Infanta Isabel, Paseo de la 8 D5
Infantas, Calle de las 7 A1
Irlandeses, Calle de los 4 D4
Irún, Calle de 1 A5
Isaac Peral, Calle de 1 A1
Isabel II, Plaza de 4 D2
Isabel la Católica, Calle de 4 D1

J

Jacinto Benavente, Plaza de 4 F3
Jacometrezo, Calle de 4 E1
Jardines, Calle de los 7 A1
Javalquinto, Cuesta de 3 B3
Jemenuno, Calle 3 A4
Jenner, Calle de 6 D2
Jerónima Quintana, Calle de 2 F3
Jerte, Calle de 3 B4
Jesús del Valle, Calle de 2 F5
Jesús y María, Calle de 4 F4
Jesús, Calle de 7 B3
Jesús, Plaza 7 B3
Jordán, Calle de 2 F2
Jorge Juan, Calle de 6 D5
José Anselmo Clavé, Calle de 8 E5
José Marañón, Calle de 5 B4
José Ortega y Gasset, Calle de 6 E3
José Quer, Paseo de 8 D4

Jovellanos, Calle de los 7 B2
Juan Alvarez Mendizabal, Calle 1 B4
Juan Bautista Sacchetti, Calle de 8 E5
Juan Bravo, Calle de 6 E2
Juan de Austria, Calle de 5 A2
Juan de Dios, Calle de 2 D4
Juan de Mena, Calle de 7 C2
Juan Duque, Calle de 3 A4
Juan Pujol, Plaza de 2 F4
Juan Valera, Calle de 8 F5
Juanelo, Calle de 4 E4
Julián Gayarre, Calle de 8 F5
Justiniano, Calle de 5 B4

L

Lagasca, Calle de 8 E1
Larra, Calle de 5 A4
Lavapiés, Plaza de 7 A5
Lavapiés, Calle de 7 A4
Lazo, Calle de 4 D2
Lealtad, Plaza de la 7 C2
Lechuga, Calle de la 4 E3
Leganitos, Calle de 2 D5
Lemos, Calle 4 D2
León, Calle de 7 A3
Leonor de la Vega, Calle de 3 B5
Lepanto, Calle 3 C2
Libertad, Calle de la 7 B1
Libreros, Calle de los 4 E1
Limón, Calle del 2 D4
Linneo, Calle de 3 A4
Lope de Vega, Calle de 7 B3
López de Hoyos, Calle de 6 D1
Loreto y Chicote, Calle de 4 F1
Luchana, Calle de 5 A3
Luciente, Calle de 4 D4
Luis Camoens, Calle de 8 F5
Luis de Góngora, Calle de 5 B5
Luis Vélez de Guevara, Calle de 4 F3
Luisa Fernanda, Calle de 1 C4
Luna, Calle de la 2 E5

M

Madera, Calle de la 2 E5
Madrazo, Calle de los 7 B2
Maestro Guerrero, Calle 2 D5
Maestro Tellería, Calle del 7 C3
Maestro Villa, Calle del 4 D3
Maestro Villa, Plaza del 8 E1
Maestro Vitoria, Calle 4 E2
Magallanes, Calle de 2 E2
Magdalena, Calle de la 4 F3
Maldonadas, Calle de las 4 D4
Maldonado, Calle de 6 E2
Mallorca, Calle de 7 B5
Mancebos, Calle de los 3 C4
Manuel, Calle de 1 C4
Manuel Cortina, Calle de 5 A3
Manuel Fernández y González, Calle 7 A3
Manuel González Longoria, Calle de 5 B3
Manuel Silvela, Calle de 5 A3
Manuela Malasaña, Calle 2 E3
Manzana, Calle de 2 D5
Manzanares, Calle de 3 A3
Marcenado, Calle de 2 D3
María de Molina, Calle de 6 F1
Marina Española, Plaza de la 4 D1
Marqués de Casa Riera, Calle del 7 B2
Marqués de Cubas, Calle del 7 B2
Marqués de la Ensenada, Calle del 5 C5
Marqués de Leganés, Calle del 2 E5
Marqués de Monasterio, Calle del 5 C5
Marqués de Pontejos, Paseo del 8 E3
Marqués de Santa Ana, Calle de 2 E5
Marqués de Toca, Calle de 7 B4
Marqués de Urquijo, Calle del 1 A3
Marqués de Valdeiglesias, Calle del 7 B1
Marqués de Villamagna, Calle de 6 D3
Marqués de Villamejor, Calle de 6 E3
Marqués de Zurgena, Calle de 6 D4
Marqués del Riscal, Calle de 6 D3
Marqués de La Valdavia, Calle de 7 B5
Marqués Viudo de Pontejos, Calle del 4 E2
Martín de los Heros, Calle de 1 A1
Mártires de Alcalá, Calle de 1 C4
Matheu, Pasaje 4 F2
Matute, Plaza de 7 A3
Mayor, Calle 3 C3

Mayor, Plaza 4 E3
Mazarredo, Calle de 3 A3
Medellín, Calle de 5 A1
Mediodía Grande, Calle del 4 D4
Mediodía Chica, Calle del 3 C4
Mejía Lequerica, Calle de 5 A4
Méjico, Avenida de 8 E1
Melancólicos, Paseo de los 3 A5
Meléndez Valdés, Calle de 1 B2
Mellizo, Callejón del 4 D5
Méndez Alvaro, Calle de 7 C5
Méndez Núñez, Calle de 8 D2
Mercado, Callejón del 3 B5
Mesón de Paredes, Calle de 4 F5
Mesonero Romanos, Calle de 4 F1
Miguel Ángel, Calle de 6 D2
Miguel Moya, Calle 4 E1
Miguel Servet, Calle de 7 A5
Minas, Calle de las 2 E5
Ministriles, Calle de 4 F4
Mira el Río Alta, Calle de 4 D5
Mira el Río Baja, Calle de 4 D5
Mira el Sol, Calle de 4 D5
Misericordia, Calle de la 4 E2
Modesto Lafuente, Calle de 5 B1
Molino de Viento, Calle del 2 F5
Moncloa, Plaza de La 1 A1
Montalbán, Calle de 8 D2
Montaña, Parque de la 1 A4
Monte Esquinza, Calle de 5 C4
Monteleon, Calle de 2 F3
Montera, Calle de la 4 F2
Montserrat, Calle de 2 E3
Moratín, Calle de 7 B3
Morenas, Plaza de las 4 D2
Moreno Nieto, Calle de 3 A4
Morería, Calle de la 3 C3
Morería, Plaza 3 C3
Moret, Paseo de 1 A1
Moreto, Calle de 8 D3
Mostenses, Plaza 2 D5
Muñoz Torrero, Calle de 4 F1
Murillo, Calle de 5 A2
Murillo, Plaza de 7 C3
Murillo, Puerta de 8 E3

N

Nao, Calle de la 2 F5
Navas de Tolosa, Calle de las 4 E1
Negras, Calle de las 1 C4
Nicaragua, Plaza de 8 E2
Nicasio Gallego, Calle de 5 A3
Noblejas, Calle de 3 C2
Norte, Calle del 2 E4
Noviciado, Calle de 2 D4
Nuncio, Calle del 4 D3
Núñez de Arce, Calle de 7 A3
Núñez de Balboa, Calle de 6 F4

O

O'Donnell, Calle de 8 F1
Olavide, Plaza de 5 A2
Olid, Calle de 2 F2
Olivar, Calle del 7 A4
Olmo, Calle del 7 A4
Orellana, Calle de 5 B4
Orfila, Calle de 5 C4
Oriente, Calle de 4 D4
Oriente, Plaza de 3 C2
Oso, Calle del 4 E4

P

Padilla, Calle de 6 F3
Paja, Plaza de la 4 D3
Palacio Real, Jardines del 3 A1
Palafox, Calle de 5 A2
Palma, Calle de la 2 D4
Paloma, Calle de la 3 C5
Parada, Travesía 2 E5
Paraguay, Paseo del 8 E3
Parterre, Paseo 8 E3
Pasa, Calle 4 D3
Paz, Calle de la 4 F3
Paz, Pasaje 4 E3
Pedro Muñoz Seca, Calle de 8 D1
Pelayo, Calle de 5 B5
Pena de Francia, Calle de 4 E5
Pérez Galdós, Calle de 5 A5
Pez, Calle del 2 E5

CALLE DE RECOLETOS   CALLE   DEL   CONDE   DE   ARANDA

CALLE DE VILLALAR   CALLE   DE   COLUMELA

CALLE   DE   CLAUDIO COELLO

CALLE DE LAGASCA

C/ DE O'DONNELL

DE SALUSTIANO OLOZAGA

CALLE DE SERRANO

Retiro Ⓜ

C/ DE VELAZQUEZ

E MARQUES DUERO

TEATRO MUÑOZ SECA

PLAZA DE LA

DE

PLAZA DE COSTA RICA

io de res

Puerta de Alcalá

ALCALA

1

CALLE

Ⓜ Retiro

PUERTA DE HERNANI

PLAZA DE GALICIA

CALLE DE ALFONSO XI

INDEPENDENCIA

PLAZA DEL MAESTRO VILLA

PASEO DE BOLIVIA

P

CALLE DE VALENZUELA

AVENIDA DE MEJICO

PASEO DE COLOMBIA

PO DE LA REPUBLICA DOMINICANA

CALLE DE MONTALBAN

GTA TITERES

PLAZA DE NICARAGUA

PASEO DE

Museo Nacional de Artes Decorativas

PO SALON DEL ESTANQUE

2

JUAN DE MENA

CALLE DE ALFONSO XII

ALFONSO XI

MAURA

PASEO DE LA ARGENTINA

Estanque

GTA DE LA SARDANA

ANTONIO

MORETO

PUERTA DE ESPAÑA

PASEO SALON DEL ESTANQUE

Museo del Ejército

CALLE DE MENDEZ NUÑEZ

PASEO DE VENEZUELA

Casón del Buen Retiro

CASON DEL BUEN RETIRO

PASEO PARTERRE

PASEO DEL PARAGUAY

PLAZA DE HONDURAS

Palacio de Velazques

Real Academia Española

PUERTA DE FELIPE IV

CALLE DE LA ACADEMIA

ALFONSO

Iglesia de San Jerónimo el Real

CALLE DEL CASADO DEL ALISAL

PASEO DEL MARQUES DE PONTEJOS

PASEO DE LA REPUBLICA DE CUBA

3

CALLE

Palacio de Cristal

CALLE ALBERTO BOSCH

XII

CALLE DE ESPALTER

PUERTA DE MURILLO

PARQUE

EO DE ROJAS CLEMENTE

LA CHOPERA

DEL

DE GOMEZ

PASEO DE CELESTINO MUTIS

REAL JARDIN BOTANICO

RETIRO

DE CUBA

GLORIETA DEL ANGEL CAIDO

4

UE

CALLE DE

FERNAN NUÑEZ

LE DE CLAUDIO MOYANO

DE

PASEO DEL DUQUE

Atocha

PUERTA DEL ANGEL CAIDO

VIVEROS MUNICIPALES

Ministerio de Agricultura

Atocha RENFE

CALLE DEL DOCTOR VELASCO

ALFONSO

CALLE DEL POETA ESTEBAN VILLEGAS

EO DE LA INFANTA ISABEL

Museo Nacional de Antropologia

Observatorio Astronomico

XII

Atocha Ⓜ

CALLE DE JUAN BAUTISTA SACCHETTI

CALLE DE LUIS CAMOENS

CALLE DE JUAN VALERA

CALLE DE ANDRES TORREJON

CALLE DE AGUSTIN QUEROL

5

ación de Atocha

AVENIDA DE LA CIUDAD DE BARCELONA

CALLE DE JOSE ANTOLIN OLIATE

PASEO DE LA REINA CRISTINA

JULIAN GAYARRE

CALLE DE FUENTERRABIA

Real Fábrica de Tapices

P   P

Index

Les numéros de page en **gras** renvoient aux principales entrées.

Remerciements

L'éditeur remercie les organismes, les institutions et les particuliers suivants dont la contribution a permis la préparation de cet ouvrage.

AUTEURS

ADAM HOPKINS, voyageur et écrivain infatigable, est notamment l'auteur de *Spanish Journeys : A Portrait of Spain.*

MARK LITTLE, Américain qui a passé son enfance en Espagne, habite aujourd'hui dans le sud du pays. Il fut pendant de nombreuses années le rédacteur en chef du magazine *Lookout (p. 191).*

EDWARD OWEN est depuis de nombreuses années correspondant étranger à Madrid pour des journaux comme *The Times* et *The Express* de Londres et *Time Magazine.*

JAMES RUSSO, journaliste indépendant, travaille entre autres pour l'agence de presse espagnole EFE. Il vit en Espagne depuis les années 80.

KATHY WHITE est une journaliste indépendante qui collabore à *The Christian Science Monitor* et à *Newsweek.* Elle a aussi travaillé pour le service français de la BBC et le bureau des actualités internationales de Channel 4 News.

COLLABORATION ARTISTIQUE ET ÉDITORIALE

Remerciements particuliers à Hilary Bird pour la réalisation de l'index, Juan Fernández pour la vérification de l'ensemble du guide, Joy Fitzsimmons pour la vérification des illustrations, Elly King pour la vérification graphique, Barbara Minton pour le soutien de DK Publishing, Inc., Roberto Rama pour la vérification des informations générales, Mary Sutherland pour la vérification des renseignements pratiques, Lynda Warrington pour l'assistance éditoriale et Stewart Wild pour la correction.

AUTORISATION DE PHOTOGRAPHIER

© Patrimonio Nacional, Madrid : Monasterio de las Descalzas Reales ; El Escorial ; La Granja de San Ildefonso ; Palacio Real ; Palacio Real Aranjuez ; Palacio de Fernán Núñez propriedad de Renfe Sede de la Fundación de los Ferrocarriles Españoles.

L'éditeur remercie tous les musées, cathédrales, églises, hôtels, restaurants, magasins, galeries et autres sites et établissements trop nombreux pour être tous cités.

CRÉDIT PHOTOGRAPHIQUE

h = en haut ; hg = en haut à gauche ; hgc = en haut à gauche au centre ; hc = en haut au centre ; hdc = en haut à droite au centre ; hd = en haut à droite ; cgh = au centre à gauche en haut ; ch = au centre en haut ; cdh = au centre à droite en haut ; cg = au centre à gauche ; c = au centre ; cd = au centre à droite ; cgb = au centre à gauche en bas ; cb = au centre en bas ; cdb = au centre à droite en bas ; bg = en bas à gauche ; b = en bas ; bc = en bas au centre ; bcg = en bas au centre à gauche ; bd = en bas à droite ; (d) = détail.

Les œuvres d'art ont été reproduites avec l'aimable autorisation des organismes suivants :

Guernica Picasso © Succession Picasso/DACS 1999 87bd ; *Lugar de Encument* Chillida © DACS 1999 99c ; *Mosaïque* Miró © ADAGP, PARIS et DACS, Londres 1999 107h, première de couverture c.

L'éditeur exprime sa reconnaissance aux personnes, sociétés et photothèques suivantes qui ont aimablement autorisé la reproduction de leurs photographies :

ACE PHOTO : Bill Wassman 172b ; AISA, Barcelona : 7 (encadré), 14cb, 17b, 21bg, 21bc, *Retrato de Camilo Jose Cela* Alvaro Delgado © DACS 1999 26h, 27h, 56c, 76b, 80h, 82h, 83b, *La Tertulia del*

Café de Pombo Jose Gutiérrez Solana © DACS 1999 87h, 104b ; Max Alexander : 118 ; Museo Arqueologico Nacional, Madrid : 96, 97.

Bridgeman Picture Library :
L'Adoration des Bergers le Greco 80ch, *L'Annonciation* Fra Angelico 80cb, *La Maja vestida* Goya 81h, *La Maja desnuda* Goya 81ch, *Les Trois Grâces* Rubens 81cb, *Le Martyre de saint Philippe* Jose Ribera 81b, *L'Intronisation de saint Dominique de Silos* Bermejo 82c, *Enfants sur la plage* Sorolla © DACS 1999 83h.

Joe Cornish : 128c ; Cover : Quim Llenas 27b ; Matias Nieto 37c.

El Deseo : 104hd.

Agencia EFE, Madrid : 35b, 36b.

Mary Evans Picture Library : 14b, 117 (encadré), 143 (encadré), 183 (encadré).

Fundación Lázaro Galdiano : 25h, 100/101.

Hulton Getty : 139b ; Godo Fotos : 131b.

Robert Harding Picture Library : James Strachan 53hd, 115h ; P. Robinson 40.

Images Colour Library : A.G.E. Fotostock 23hd, 111cdh ; Horizon 111c ; Index, Barcelona : 13b, 14c, 16b, 18b, 20ch, 20cbg, 21hg, 21hc, 21bd, 26c, 26b, 27c ; Nick Inman : 187c, 193h.

Anthony King : 76h.

Arxiu Mas, Barcelona : 10b.

Naturpress, Madrid : 178b ; J.L. González Grande 179b ; A. Ibannez & Fco González 180c ; Diana Kvaternik 23bc ; W. Kvaternik-R. Olivas 2/3, 36c, 178c, 180h, 181h ; Luis Olivas 34b ; Petro Retamar 180b ; Carlos Vegas 35c ; Jaime Villanueva 1, 19c, 23ch, 34c, 113h, 178h ; Museo Naval, Madrid : 65bd.

Oronoz, Madrid : 13h, 14h, 15h, 15c, 15b, 17c, 19h, 20hg, 20hd, 20cd, 24h, 24c, 24b, 47b, 56h, 56b, 57h, 57c, 57b, 67b, 75ch, 75b, 82b, 83c, *Portrait II* Miró © ADAGP, PARIS et DACS, Londres 1999 86h, *Femme en bleu* Picasso © Succession Picasso/DACS 1999 86ch, *El Espíritu de los Pájaros* Chillida © DACS 1999 87bg, 102b, 103b, 111cgh, 124, 125.

Museo del Prado, Madrid : 80b.

Prisma, Barcelona : 12, 16h, 16c, 18h, 18c, 21hd, 21cgb, 60b.

Centro de Arte Reina Sofía, Madrid : *Retrato de Josette* Juan Gris © ADAGP, PARIS et DACS, Londres 1999 25b, *Paysage à Cadaqués* Dalí © Salvador Dalí – Fondation Gala – Salvador Dalí/DACS 1999 86c, 86b, *Guitarra ante el Mar* Juan Gris © ADAGP, PARIS et DACS, Londres 1999 88h, *El Profeta* Pablo Gargallo © ADAGP, PARIS et DACS, Londres 1999 88c, *Minotauromachie* Picasso © Succession Picasso/DACS 1999 88b, *Muchacha en la Ventana* Dalí © Salvador Dalí – Fondation Gala – Salvador Dalí/DACS 1999 89h, *Toute la ville en parle* Eduardo Arroyo © DACS 1999 89b.

6 Toros 6 magazine : 111cd.

Museo Thyssen-Bornemisza, Madrid : 23cd, 70h, *Arlequin au miroir* Picasso © Succession Picasso/DACS 1999 70c, 70bg, *Portrait du Baron Thyssen-Bornemisza* © Lucian Freud 70bd, 71h, 71ch, 71c, *Paysage d'automne en Oldenburg* Karl Schmidt-Rottluff © DACS 1999 71b, 72, 73.

M. Angeles Sanchez : 35h, 105b ; Juan Carlos Martínez Zafra 52b ; Archivo del Senado : Oronoz 53b ; Science Photo Library : Geospace 8 ; Stockphotos : Marcelo Brodsky 34h ; Tony Stone : 164b.

Peter Wilson : 38 ; World Pictures : 165c.

Couverture : photos de commande à l'exception de Prisma : 1re de couverture h.

Première page de garde : photos de commande à l'exception de Max Alexander hd.

Lexique

EN CAS D'URGENCE

Au secours !	¡Socorro!	so-**ko**-ro
Arrêtez !	¡Pare!	pa-ré
Appelez un médecin !	¡Llame a un médico!	ya-mé a **oun** mé-di-ko
Appelez une ambulance !	¡Llame a una ambulancia!	ya-mé a **ouna** ahm-bou-**lahn**-ssi-a
Appelez la police !	¡Llame a la policía!	ya-mé a la po-li-**ssi**-a
Appelez les pompiers !	¡Llame a los bomberos!	ya-mé a los bohm-**bé**-ros
Où est le téléphone le plus proche ?	¿Dónde está el teléfono más próximo?	dohn-dé és-**ta** él té-**lé**-fo-no mas prox-i-mo
Où est l'hôpital le plus proche ?	¿Dónde está el hospital más próximo?	dohn-dé és-**ta** él os-pi-**tal** mas prox-i-mo

L'ESSENTIEL

Oui	Sí	si
Non	No	no
S'il vous plaît	Por favor	por fa-**vor**
Merci	Gracias	**gra**-ssi-as
Excusez-moi	Perdone	pér-**do**-né
Bonjour	Hola	o-la
Au revoir	Adiós	a-di-**os**
Bonne nuit	Buenas noches	**boué**-nas no-chés
Matin	La mañana	la ma-**nya**-na
Après-midi	La tarde	la **tar**-dé
Soir	La tarde	la **tar**-dé
Hier	Ayer	a-**yér**
Aujourd'hui	Hoy	oil
Demain	Mañana	ma-**nya**-na
Ici	Aquí	a-**ki**
Là	Allí	a-**yi**
Quoi ?	¿Qué?	**ké**
Quand ?	¿Cuándo?	**kouahn**-do
Pourquoi ?	¿Por qué?	por-**ké**
Où ?	¿Dónde?	**dohn**-dé

QUELQUES PHRASES UTILES

Comment allez-vous ?	¿Cómo está usted?	**ko**-mo és-**ta** ous-**téd**
Très bien, merci.	Muy bien, gracias.	moui bi-**én gra**-ssi-as
Ravi de faire votre connaissance.	Encantado de conocerle.	én-kan-**ta**-do dé ko-no-**ssér**-lé
À bientôt.	Hasta pronto.	as-ta **prohn**-to
C'est parfait.	Está bien.	és-ta bi-**én**
Où est/sont… ?	¿Dónde está/están…?	**dohn**-dé és-**ta**/és-**tahn**
À quelle distance se trouve… ?	¿Cuántos metros/ kilómetros hay de aquí a…?	**kouahn**-tos mé-tros/ki-**lo**-mé-tros **ail** dé a-**ki** a
Comment aller à… ?	¿Por dónde se va a…?	por **dohn**-dé sé **ba** a
Parlez-vous français ?	¿Habla frances?	**a**-bla frahn-**ces**
Je ne comprends pas	No comprendo	no kohm-**prén**-do
Pouvez-vous parler plus lentement s'il vous plaît ?	¿Puede hablar más despacio por favor?	pwé-dé a-**blar** mas dés-pa-ssi-o por fa-**vor**
Excusez-moi.	Lo siento.	lo si-**én**-to

QUELQUES MOTS UTILES

grand	grande	**grahn**-dé
petit	pequeño	pé-**ké**-nyo
chaud	caliente	ka-li-**én**-té
froid	frío	**fri**-o
bon	bueno	**boué**-no
mauvais	malo	**ma**-lo
assez	bastante	bas-**tahn**-té
bien	bien	bi-**én**
ouvert	abierto	a-bi-**ér**-to
fermé	cerrado	ssér-**ra**-do
gauche	izquierda	iss-qui-**ér**-da
droite	derecha	dé-**ré**-cha
tout droit	todo recto	to-do **rék**-to
près	cerca	**ssér**-ka
loin	lejos	**lé**-hos
en haut	arriba	a-**ri**-ba
en bas	abajo	a-**ba**-ho
tôt	temprano	tém-**pra**-no

tard	tarde	én-**tra**-da
entrée	entrada	sa-**li**-da
sortie	salida	la-**va**-bos
toilettes	lavabos, servicios	sér-**bi**-ssi-os
plus	más	mas
moins	menos	**mé**-nos

LES ACHATS

Combien cela coûte-t-il ?	¿Cuánto cuesta esto?	**kouahn**-to **koués**-ta és-to
Je voudrais…	Me gustaría…	mé gous-ta-**ri**-a
Avez-vous ?	¿Tienen?	ti-**yé**-nén
Je ne fais que regarder.	Sólo estoy mirando, gracias.	**so**-lo és-**toil** mi-**rahn**-do gra-ssi-as
Acceptez-vous les cartes de crédit ?	¿Aceptan tarjetas de crédito?	a-**ssép**-tahn tar-**hé**-tas dé **kré**-di-to
À quelle heure ouvrez-vous ?	¿A qué hora abren?	a **ké** o-ra **a**-brén
À quelle heure fermez-vous ?	¿A qué hora cierran?	a ké o-ra ssi-**ér**-rahn
ceci.	Éste	**és**-té
cela.	Ése	**é**-sé
cher	caro	**kar**-o
bon marché	barato	ba-**ra**-to
la taille (vêtement)	talla	**ta**-ya
la pointure	número	**nou**-mér-o
blanc	blanco	**blahn**-ko
noir	negro	**né**-gro
rouge	rojo	**ro**-ho
jaune	amarillo	a-ma-**ri**-yo
vert	verde	**bér**-dé
bleu	azul	a-**ssoul**
l'antiquaire	la tienda de antigüedades	la ti-**én**-da dé ahn-ti-goué-**da**-dés
la boulangerie	la panadería	la pa-na-dé **ri**-a
la banque	el banco	él **bahn**-ko
la librairie	la librería	la li-bré-**ri**-a
la boucherie	la carnicería	la kar-ni-ssé-**ri**-a
la pâtisserie	la pastelería	la pas-té-lé-**ri**-a
la pharmacie	la farmacia	la far-**ma**-ssi-a
la poissonnerie	la pescadería	la pés-ka-dé-**ri**-a
le marchand de légumes l'épicerie	la frutería la tienda de comestibles	la frou-té-**ri**-a la ti-**yén**-da dé ko-més-**ti**-blés
le coiffeur	la peluquería	la pé-lou-ké--**ri**-a
le marché	el mercado	él mér-**ka**-do
le marchand de journaux	el kiosko de prensa	él ki-**os**-ko dé **prén**-sa
la poste	la oficina de correos	la o-fi-**ssi**-na dé kor-**ré**-os
le marchand de chaussons	la zapatería	la ssa-pa-té-**ri**-a
le supermarché	el supermercado	él sou-pér-mér-**ka**-do
le débit de tabac	el estanco	él és-**tahn**-ko
l'agence de voyages	la agencia de viajes	la a-**hén**-ssi-a dé bi-**a**-hés

LES VISITES

le musée	el museo de arte	él mou-**sé**-o dé **ar**-té
la cathédrale	la catedral	la ka-té-**dral**
l'église	la iglesia la basílica	la i-**glé**-si-a la ba-**si**-li-ka
le jardin	el jardín	él har-**dihn**
la bibliothèque	la biblioteca	la bi-bli-o-**té**-ka
le musée	el museo	él mou-**sé**-o
l'office de tourisme	la oficina de turismo	la o-fi-**ssi** na dé tou-**ris**-mo
l'hôtel de ville	el ayuntamiento	eél a-youn-ta-mi-**én**-to
fermé les jours fériés	cerrado por vacaciones	ssér-**ra**-do por ba-ka-ssi-**o**-nés
l'arrêt de bus	la estación de autobuses	a és-ta-ssi--**ohn** dé aouto-**bou**-sés
la gare	la estación de trenes	la és-ta-ssi **ohn** dé tré-nés

À L'HÔTEL

Français	Español	Prononciation
Avez-vous une chambre libre ?	¿Tiene una habitación libre?	ti-**é**-nén **ou**-na a-bi-ta-ssi-**ohn**-li-bré
une chambre pour deux personnes	habitación doble	a-bi-ta-ssi-**ohn do**-blé
avec un grand lit	con cama de matrimonio	kohn **ka**-ma dé ma-tri-**mo**-ni-o
une chambre à deux lits	habitación con dos camas	a-bi-ta-ssi-**ohn** kohn dos **ka**-mas
une chambre pour une personne	habitación individual	a-bi-ta-ssi-**ohn** in-di-vi-dou-**al**
une chambre avec bains	habitación con baño	a-bi-ta-ssi-**ohn** kohn **ba**-nyo
douche	ducha	**dou**-cha
le portier	el botones	él bo-**to**-nés
la clef	la llave	la **ya**-vé
J'ai réservé une chambre.	Tengo una habitación reservada.	tén-go **ou**-na a-bi-ta-ssi- **ohn**-ré-sér-**ba**-da

AU RESTAURANT

Français	Español	Prononciation
Avez-vous une table pour…?	¿Tiene mesa para…?	ti-**é**-né **mé**-sa pah-**rah**
Je voudrais réserver une table.	Quiero reservar una mesa.	ki-**é**-ro ré-sér-**bar ou**-na **mé**-sa
L'addition s'il vous plaît.	La cuenta por favor.	la **kwén**-ta por fa-**vor**
Je suis végétarien/ne.	Soy vegetariano/a.	soy bé-hé-ta-ri-**a**-no/na
serveuse	camarera/	ka-ma-**ré**-ra
serveur	camarero	ka-ma-**ré**-ro
la carte	la carta	a **kar**-ta
menu à prix fixe	menú del día	mé-**nou** dél **di**-a
la carte des vins	la carta de vinos	la **kar**-ta dé **bi**-nos
un verre	un vaso	oun **ba**-so
une bouteille	una botella	ou-na bo-**té**-ya
un couteau	un cuchillo	oun kou-**chi**-yo
une fourchette	un tenedor	oun té-né-**dor**
une cuillère	una cuchara	ou-na kou-**cha**-ra **chah**-rah
le petit déjeuner	el desayuno	él dé-sa-**you**-no
le déjeuner	la comida/ el almuerzo	la ko-**mi**-da/ él al-**mouér**-sso
le dîner	la cena	la **ssé**-na
le plat principal	el primer plato	él pri-**mér pla**-to
l'entrée	los entremeses	los én-tré-**mé**-sés
le plat du jour	el plato del día	él **pla**-to dél **di**-a
le café	el café	él ka-**fé**
saignant	poco hecho	**po**-ko **é**-cho
à point	medio hecho	**mé**-di-o **é**-cho
bien cuit	muy hecho	moui **é**-cho

LIRE LE MENU

al horno	al **or**-no	cuit au four
asado	a-**sa**-do	rôti
el aceite	a-**ssi-é**-té	l'huile
las aceitunas	a-ssé-**toun**-as	les olives
el agua mineral	a-goua mi-né-**ral**	l'eau minérale
sin gas/con gas	sin gas/kohn gas	plate/pétillante
el ajo	**a**-ho	l'ail
el arroz	ar-**ross**	le riz
el azúcar	a-**ssou**-kar	le sucre
la carne	**kar**-né	la viande
la cebolla	ssé-**bo**-ya	l'oignon
el cerdo	**sserh**-do	le porc
la cerveza	ssér-**bé**-ssa	la bière
el chocolate	cho-ko-**la**-té	le chocolat
el chorizo	cho-**ri**-sso	le chorizo
el cordero	kor-**dé**-ro	l'agneau
el fiambre	fi-**ahm**-bré	la viande froide
frito	**fri**-to	frit
la fruta	**frou**-ta	le fruit
los frutos secos	frou-tos **sé**-kos	les fruits secs
las gambas	**gahm**-bas	les crevettes
el helado	é-**la**-do	la crème glacée
el huevo	ou-**é**-vo	l'œuf
el jamón serrano	ha-**mohn** sér-**ra**-no	le jambon cru
el jerez	hé-**réz**	le xérès

Español	Prononciation	Français
la langosta	lahn-**gos**-ta	la langouste
la leche	**lé**-ché	le lait
el limón	li-**mohn**	le citron
la limonada	li-mo-**na**-da	la limonade
la mantequilla	mahn-té-**ki**-yale	le beurre
la manzana	mahn-**ssa**-na	la pomme
los mariscos	ma-**ris**-kos	les fruits de mer
la menestra	mé-**nés**-tra	la soupe de légumes
la naranja	na-**rahn**-ha	l'orange
el pan	pahn	le pain
el pastel	pas-**tél**	le gâteau
las patatas	pa-**ta**-tas	les pommes de terre
el pescado	pés-**ka**-do	le poisson
la pimienta	pi-mi-**yén**-ta	le poivre
el plátano	**pla**-ta-no	la banane
el pollo	**po**-yo	le poulet
el postre	**pos**-tré	le dessert
el queso	**ké**-so	le fromage
la sal	sal	le sel
las salchichas	sal-**chi**-chas	les saucisses
la salsa	**sal**-sa	la sauce
seco	**sé**-ko	sec
el solomillo	so-lo-**mi**-yo	le rumsteack
la sopa	**so**-pa	la soupe
la tarta	**tar**-ta	la tarte
el té	té	le thé
la ternera	tér-**né**-ra	le bœuf
las tostadas	tos-**ta**-das	les toasts
el vinagre	bi-**na**-gré	le vinaigre
el vino blanco	**bi**-no **blahn**-ko	le vin blanc
el vino rosado	**bi**-no ro-**sa**-do	le vin rosé
el vino tinto	**bi**-no **tihn**-to	le vin rouge

LES NOMBRES

0	cero	**ssé**-ro
1	uno	**ou**-no
2	dos	dos
3	tres	trés
4	cuatro	**koua**-tro
5	cinco	**ssihn**-ko
6	seis	seis
7	siete	**si**-é-té
8	ocho	**o**-cho
9	nueve	**noué**-vé
10	diez	di-**éss**
11	once	**ohn**-ssé
12	doce	**do**-ssé
13	trece	**tré**-ssé
14	catorce	ka-**tor**-ssé
15	quince	**kihn**-ssé
16	dieciséis	di-é-ssi-**sé-is**
17	diecisiete	di-é-ssi-si-**é**-té
18	dieciocho	di-é-ssi-**o**-cho
19	diecinueve	di-é-ssi-**noué**-vé
20	veinte	**bé**-ihn-té
21	veintiuno	bé-ihn-ti-**ou**-no
22	veintidós	bé-ihn-ti-**dos**
30	treinta	**tré**-ihn-ta
31	treinta y uno	tré-ihn-ta i **ou**-no
40	cuarenta	koua-**rén**-ta
50	cincuenta	ssin-**kouén**-ta
60	sesenta	sé-**sén**-ta
70	setenta	sé-**tén**-ta
80	ochenta	o-**chén**-ta
90	noventa	no-**vén**-ta
100	cien	ssi-**én**
101	ciento uno	ssi-**én**-to **ou**-no
102	ciento dos	ssi-**én**-to **dos**
200	doscientos	dos-ssi-**én**-tos
500	quinientos	ki-ni-**én**-tos
700	setecientos	sé-té-ssi-**én**-tos
900	novecientos	no-vé-ssi-**én** tos
1 000	mil	mil
1 001	mil uno	mil **ou**-no

LE JOUR ET L'HEURE

une minute	un minuto	oun mi-**nou**-to
une heure	una hora	ou-na **o**-ra
une demi-heure	media hora	**mé**-di-a **o**-ra
lundi	lunes	**lou**-nés
mardi	martes	**mar**-tés
mercredi	miércoles	mi-**ér**-ko-lés
jeudi	jueves	hou-**wé**-vés
vendredi	viernes	bi-**ér**-nés
samedi	sábado	**sa**-ba-do
dimanche	domingo	do-**mihn**-go

BIBLIOTHÈQUE
Collège du Sacré-Coe
Association coopérati
155 Nord, Rue Belvedèr
Sherbrooke, Qué
J1H 4A7

PLAN DES TRANSPORTS DE MADRID

Le métro de Madrid circule de 6 h à 1 h 30 tous les jours. Un numéro et une couleur identifient chacune des onze lignes. Des panneaux sur les quais indiquent la station suivante et les correspondances. Un ticket *(billete)* à prix unique permet de se rendre à n'importe quelle destination. Toutefois, le forfait de dix trajets appelé *bonobús* se révèle plus avantageux. Le métro dessert les gares de chemins de fer Chamartín, Atocha et Norte (Príncipe Pío) d'où une liaison express permet de rejoindre Ópera. De ces gares partent les trains longue distance et ceux desservant la banlieue. Il existe un abonnement mensuel valable pour le métro, les trains de banlieue et les bus. Plusieurs lignes sont en cours d'extension : la ligne 1 après Miguel Hernández ; la ligne 4 après Mar de Cristal ; la ligne 7 de Canal à Pitis ; la ligne 8 de Campo de las Naciones à Barajas (Pueblo) et la 9 après Puerta de Arganda.